Y0-CAV-594

MicroMega 6/2006

direttore: Paolo Flores d'Arcais

hanno collaborato alla realizzazione di questo numero:
Adriano Ardovino, Emilio Carnevali,
Giovanni Perazzoli, Cinzia Sciuto,
Andrea Settis Frugoni, Stefano Velotti

segretaria di redazione: Cristina Maroncelli
direttore responsabile: Lucio Caracciolo

La nazionalità è l'unico ostacolo allo sviluppo della libertà.
Lev Nicolaevič Tolstoj

S O M M A R I O

*MicroMega, via Cristoforo Colombo 149, 00147 Roma; tel. 06.865147134
fax 06.865147124; per gli abbonamenti: Somedia, divisione abbonamenti tel. 02.69789447
Sped. in abb. post., decreto legge 353/2003 conv. in legge 46/2004, art. 1, comma 1, Roma*

LETTERA APERTA AL MINISTRO DELL'INTERNO GIULIANO AMATO

Furio Colombo

Caro Giuliano,
ti raggiungo tardi, con questa lettera in pubblico, dopo che molti sono corsi a darti ragione e a reclamare sanzioni severe sulle intercettazioni e sul rapporto morboso fra giudici, giornalisti e pubblicazioni delle intercettazioni. Persino dopo che sono stati annunciati, o forse già presentati, appositi e tempestivi disegni di legge. E anche dopo che altri, con indignazione più o meno disinteressata, hanno proclamato il loro scandalo per la tua affermazione. L'affermazione, ricordi, era «esterrefatto». Eri esterrefatto perché certe cose uscivano dall'ombra delle cancellerie e arrivavano sui giornali, lungo il percorso di complicità precostituite. Una situazione – questa da te descritta – che faceva pensare a un complotto. Mi trovi lontano e tutt'altro che convinto con la tua denuncia. Il nostro è un paese

Tutto il potere al popolo (delle primarie)?

Paolo Prodi ha formulato sul numero di MicroMega le seguenti proposte, in vista della nascita del Partito democratico:
1) formazione di un comitato promotore di 15 persone (un numero che può essere rappresentativo delle varie culture ma abbastanza agile per essere operativo);
2) le candidature per questo comitato sono presentate dalle forze politiche e dai movimenti che intendono partecipare alla nascita del Partito democratico;
3) i candidati (personalità della politica, del mondo dell'impresa e del sindacato, della cultura) non devono rivestire attualmente

4

nessun incarico di rilievo né a livello partitico né a livello istituzionale e soprattutto devono impegnarsi a non candidarsi per qualsiasi carica politica e istituzionale;

4) le candidature così emerse sono sottoposte a primarie da tenersi il prossimo 14-15 ottobre nell'anniversario delle scorse primarie per la leadership dell'Ulivo.

5) tale comitato deve avere i poteri per organizzare il congresso di fondazione del nuovo partito e il percorso che ad esso conduce.

Non è specificato, ma evidente dal contesto, che il voto alle primarie sarà limitato (per eleggere 15 membri si potranno esprimere non più di 3-5 preferenze) e che si dovranno studiare tutte le misure perché i candidati abbiano effettiva parità di risorse (comprese le cruciali risorse «comunicazione» e «visibilità»).

Abbiamo chiesto ai dirigenti dei due maggiori partiti di centro-sinistra (Ds e Margherita) e a numerosi esponenti della società civile, di prendere posizione sulle proposte di Paolo Prodi brevemente e con il massimo di chiarezza. Purtroppo la maggior parte dei dirigenti in questione, malgrado si trattasse di scrivere trenta righe (o dettare a un redattore una dichiarazione di tre minuti), si sono rifiutati di prendere posizione.

in cui si è sempre saputo troppo poco, un paese senza trasparenza, senza rendiconto, dove persino le burocrazie oneste sono opache, un paese in cui si trattano lontano da sguardi indiscreti persino affari leciti. Hai già capito dove voglio arrivare: a dire che in materia di «accountability» e di pubblicazione della verità, costi quello che costi a qualcuno, siamo il contrario degli Stati Uniti.

Gli Stati Uniti (non parlo di una particolare epoca o di un particolare governo, ma di quella forte inclinazione dell'opinione pubblica a esigere il rendiconto che tu conosci bene e di cui, come me, sei un «fan») sono il luogo in cui una spietata rappresentazione dei fatti ha spesso cambiato o corretto la storia politica e persino (pensa al Vietnam, purtroppo non ancora all'Iraq) la storia militare. Quando si dice «privacy», impossibile non ricordare i «Pentagon Papers» di Johnson, «Gola profonda» di Nixon e la lunga sequenza «Clearwater» di Clinton.

Sto parlando, come ricordi, di storie molto diverse, ma ciascuna esemplare. Le carte del Pentagono erano segrete e destinate ad essere segrete, ma un analista, diventando oggi storia degli Stati Uniti, si è accorto della differenza immensa fra ciò che contenevano quelle carte e ciò che il governo andava dicendo ai cittadini americani sulla guerra in Vietnam, ragioni, origini, e conduzione di quel conflitto. E allora ha deciso di renderle pubbliche. E il *New York Times*, che ha ricevuto quelle carte, ha deciso di pubblicarle. Forse qualcuno di coloro che si sono presi la responsabilità di quella rivelazione sarebbe rimasto a lungo in prigione (o vi sarebbe morto, data la gravità del reato apparentemente commesso) se non ci fosse stato l'intervento della Corte Suprema e la famosa frase del «Justice» Hugo Black: «La nostra Costituzione impedisce al governo di censurare la stampa affinché la stampa sia in condizione di censurare il governo». Il caso di «Gola profonda» è uno straordinario episodio di intesa tra «responsabilità» giornalistica e sostegno dell'opinione pubblica. Quando il *Washington Post* ha iniziato a pubblicare informazioni riservate ottenute da una fonte ignota, le reazioni ufficiali (erano i tempi di Nixon) sono state violentissime, le minacce personali e le intimidazioni giuridiche (dallo Attorney General, o ministro della Giustizia in giù) pesanti e pericolose. I famosi reporter Carl Bernstein e Bob Woodward, sostenuti dal loro direttore e dalla proprietaria del giornale, la leggendaria signora Graham, hanno potuto continuare, grazie al sostegno di una vastissima opinione pubblica che non ha mai ritenuto censurabile la loro ricerca della verità sul vertice della repubblica americana, anche a rischio di pagare di persona. La guerra in Vietnam è finita anche a causa della pubblicazione dei Pentagon Papers. Le dimissioni di Richard Nixon, certo, sono dovute anche al lavoro, spinto ai margini estremi, dei due giornalisti del *Washington Post*.

Prendo la terza storia, «Clearwater», perché è esemplare a rovescio. Si tratta di gravi e false accuse contro Hillary e Bill Clinton, mentre Clinton era presidente degli Stati Uniti, fatte uscire deliberatamente dagli avversari repubblicani. Erano materiali di un processo per bancarotta in cui i due Clinton erano marginalmente coinvolti. Deposizioni, testimonianze, intercettazioni, tutto di quel processo è circolato nei giornali e nelle televisioni americane. L'operazione era malevola e politica e diretta a indebolire il più possibile la presidenza Clinton e anche la credibilità personale del presidente e della first lady.

A differenza di George Bush, che è riuscito a perseguitare il celebre anchorman Dan Rather, fino al punto di spingerlo alle dimissioni per aver divulgato documenti sul modo in cui George W., da giovane, aveva evitato (con l'aiuto del padre) di fare la guerra in Vietnam, che lui e suo padre sostenevano, Clinton non ha mai gridato allo scandalo per quelle divulgazioni. Lui e la moglie le hanno fronteggiate, smentite, sbugiardate una per una, occupando-

Società civile o pulsioni antipolitiche?

Giuliano Amato

Nella discussione sulla nascita del Partito democratico certamente la costruzione di una cultura politica capace di mettere insieme le pluralità e fornire categorie utili all'interpretazione del mondo è prioritaria rispetto al dibattito sulla struttura organizzativa. C'è però una dimensione di questo dibattito organizzativo che è essenziale. I partiti politici, tutti, per loro natura tendono ad una certa autoreferenzialità. Quando poi l'assetto istituzionale, come quello creato dalla nuova legge elettorale, la asseconda, questa autoreferenzialità si rafforza a dismisura. Ne abbiamo avuto un esempio alle ultime elezioni, nelle quali i partiti hanno costituito una specie di massa occlusiva, che ha reso molto difficile l'ingresso nelle liste elettorali di figure esterne che avrebbero potuto dare un importante contributo politico e culturale.

Nella discussione su un nuovo soggetto politico esiste quindi il problema dello spazio della cosiddetta società civile. Tanto più che se le spinte della società civile vengo deviate in altre direzioni e non vengono invece raccolte e coordinate

6 dai partiti, anche le spinte più sane rischiano di convertirsi in sostegni all'antipolitica. Può essere spiacevole constatarlo, ma il cittadino che pone una istanza partecipativa che viene frustrata, può finire per diventare un apologeta dell'antipolitica. È un fenomeno che capita ed è già capitato nella storia della nostra società. È quindi indispensabile raccordare queste istanze che provengono dai movimenti della società civile alla vita dei partiti. Ed è una grande responsabilità di chi gestisce i partiti evitare che gli «sbuffi» espressi dalla società civile si trasformino in «sbuffi» di antipolitica.

Da questo punto di vista, anche ai fini della costruzione del Partito democratico, trovo ideologico immergersi totalmente nella società civile e affidare qualunque decisione a forme referendarie. Non credo sia questa la strada. La politica ha sempre bisogno di una leadership, di una classe dirigente che sia aperta, che irrori i percorsi della società civile e ne sia irrorata. Io rimango convinto che il grande compito dei partiti sia quello di *rappresentare* e di *filtrare* le istanze dei cittadini. Rappresentare soltanto suona certamente più democratico, ma guai a rappresentare senza filtrare. Guai, ovviamente, anche a filtrare senza rappresentare, perché la

si sempre dei documenti e mai dei divulgatori. E alla fine, come si sa, sono stati assolti da tutto e hanno governato per altri quattro anni.

Stare dalla parte di George W. Bush o stare dalla parte di Bill Clinton, persino quando è scopertamente malevola la divulgazione di certe notizie? Persino quando quelle notizie risultano alla fine infondate e però davvero incluse in un procedimento giudiziario non segreto? Il modo di agire dei Clinton si presta a una sola interpretazione: meglio dimostrare l'infondatezza di una notizia piuttosto che sopprimerla o spingerla nell'area del segreto, un'area estranea alla democrazia ma anche pericolosa, perché è come un deposito di scorie radioattive: si possono seppellire ma non si spengono.

Le intercettazioni di Potenza, quelle a proposito delle quali ti sei dichiarato esterrefatto, quelle che riguardano il comportamento del braccio destro di Gianfranco Fini, la cupola di squallidi interessi di Vittorio Emanuele («destituito» dalla sua stessa casata), il piazzamento di ragazze nella tv di Stato in base a prestazioni la cui natura e qualità venivano decise da persone di potere, gli affari della signora Fini con amici di vita e di partito del marito ministro degli Esteri, tutto ciò sarebbe rimasto ignoto per sempre alla grande maggioranza dei non addetti ai lavori – a certi lavori. E qualunque buon collegio di difensori sarebbe stato in grado di dirottare in altre direzioni l'intera vicenda processuale. In base a che cosa la repubblica dovrebbe sentirsi offesa, la privacy violata, e dovrebbero partire (o sono partiti) ispettori per bloccare e punire, e poi progetti di legge, affinché «simili scandali» non si verifichino mai più?

La privacy è sacrosanta ma non l'abbiamo mai invocata a difesa dei pedofili e delle documentazioni che sono soliti scambiarsi. La privacy è rilevante, ma non può proteggere né Ricucci né Parmalat. Perché allora il ministro dell'Interno (non più il cittadino Amato) deve annunciare al Paese lo scandalo della «password» che avrebbe collegato giudici e giornalisti nel reato di far conoscere ai cittadini cose e fatti e persone tristemente veri e reali e tuttora potenti nella repubblica italiana? Ci sono, certo, nella storia da te narrata, alcuni aspetti che non possono essere approvati e che indicherebbero una deviazione rispetto a diversi tipi di doveri professionali. Ma perché la denuncia viene dal ministro dell'Interno, adesso, e in relazione a Vittorio Emanuele, alle ragazze scambiate col potere e ai traffici dell'immediato entourage di Gianfranco Fini mentre aveva un immenso potere?

Qui manca forse una ragione grave e urgente che non ci è stata data, manca un pezzo del tuo percorso verso una denuncia tanto grave che rischia di ricadere sulla credibilità dei giudici, mentre in tanti si stanno dando da fare per introdurre una legislazione «blocca notizie». Ovvero una censura che consente al potere di fermare la stampa affinché la stampa non censuri mai più il potere. E allora, in nome del tuo prestigio, urge dire ai cittadini quella ragione mancante, quell'argomento in assenza del quale, soprattutto chi ha fiducia in te e ti stima e sa il tuo valore anche morale e ti conosce, non riesce a capire.

qualità del filtro ne rimarrebbe irrimediabilmente adulterata. Filtrare significa anche essere capaci di superare le vecchie polarizzazioni. E questo è il compito di una grande cultura politica.

In questo contesto proposte come quelle di Paolo Prodi meritano ogni attenzione. Potranno scegliersi *technicalities* in parte diverse, ma il senso deve restare e l'avvio può essere costruito solo con lo spirito che le anima.

Primarie di programma

Gianfranco Bettin

Le proposte di Paolo Prodi affrontano in modo franco e convincente uno dei due (o almeno due) nodi fondamentali che presiedono alla nascita del Partito democratico. Si tratta del nodo, davvero vitale, della partecipazione, fin dalla fase costituente, di quella enorme schiera di persone consapevoli che ha segnato, con le primarie dello scorso autunno, la vera novità. Se queste persone verranno tenute ai margini, come è avvenuto sia nella fase di elaborazione del programma dell'Unione sia, e soprattutto, nella fase in cui si sono definite le liste e le candidature (e, dopo la risicata vittoria, gli stessi organigrammi dell'Unione al governo), la nascita (eventuale) del nuovo Partito, più che a un parto felice e naturale assomiglierà molto a una clonazione, con ritocchi e aggregazioni, dei vecchi ceti politici rifusi insieme per poter dire a Berlusconi: «Siamo più grandi di te». Ma a quel punto, se Berlusconi saprà rispondere costituendo il Partito delle libertà, è dubbio se possa reggere anche questo (effimero) risultato. Insomma, Paolo Prodi coglie nel segno e, anche se discutendo nel dettaglio delle sue proposte si potrebbe magari modificare qualcosa, nella sostanza è proprio di un'apertura come questa c'è bisogno.

Il secondo nodo che andrebbe comunque sciolto, e che sta in diretto rapporto con quello della partecipazione, riguarda invece il programma, il manifesto dei contenuti del nuovo partito. Ma anche su questo aspetto, perchè non coinvolgere direttamente quella stessa grande schiera, magari ancora più grande? Perchè, cioè, non sottoporre, su alcune grandi opzioni di programma, la scelta finale a questo «popolo delle primarie», convocando, dopo adeguata fase istruttoria, delle apposite «primarie di programma»?

Oggi il nuovo partito sembra più una generica e generosa aspirazione di tan-

AMARO LUCANO
Marco Travaglio

Di magistrati con tanti nemici ne abbiamo visti molti, in questi anni. Ma con tanti nemici e così pochi amici c'è solo Henry John Woodcock, il pubblico ministero di Potenza che nelle sue indagini ha avuto la sventura di incappare in molti potenti. Da quando, il 16 giugno, ha fatto arrestare Vittorio Emanuele di Savoia, il portavoce di Gianfranco Fini, Salvo Sottile, e i loro presunti complici, sul capo del giovane magistrato anglo-napoletano sono piovuti attacchi di ogni tipo e provenienza (politici ed editorialisti di ogni orientamento, alte e basse cariche dello Stato, istituzioni repubblicane e monarchiche, e financo qualche magistrato) che hanno investito anche il gip Alberto Iannuzzi, «colpevole» di aver accolto le richieste del pm. Una breve galleria dei nemici di Woodcock aiuterà a capire meglio quel che accade a Potenza, ma soprattutto nella «nuova» Italia del centro-sinistra. La Lucania è un osservatorio privilegiato: una finta «isola felice» che in realtà, grazie alla sua perifericità geografica, lontano dai grandi circuiti mediatici, è sempre più infestata dalla 'ndrangheta, dalla corruzione, dagli impasti massonici, dagli scandali politico-amministrativi talmente trasversali che, alla fine, una mano lava l'altra. L'unico baluardo di legalità è la magistratura: anzi un pugno di pochissimi magistrati, assediati nei loro stessi uffici e invisi ai loro stessi superiori. Oltreché, si capisce, ai loro indagati. Tralasciamo volutamente gli attacchi dei «vip» finiti sotto inchiesta e i loro amici-protettori. E concentriamoci su quanti avrebbero il dovere di difendere chi compie il proprio dovere e di consentirgli di continuare a svolgerlo serenamente, e invece si adoperano trasversalmente per rendergli la vita impossibile.

Vincenzo Tufano, *procuratore generale*. Personaggio d'altri tempi (non proprio dei tempi migliori), quando inaugura l'anno giudiziario, appare più preoccupato per le indagini della procura che per il malaffare dilagante sul territorio. Da due anni si scaglia regolarmente contro i magistrati che intercettano e arrestano troppo, e dunque spendono troppo. Quanto alla presenza della 'ndrangheta nella regione, niente paura: trattasi di «piccole bande locali nelle quali si raccoglie gran parte del crimine ordinario operante su porzioni limitate del territorio, solo germinazioni di sodalizi più o meno collegati ai gruppi storici». Parole che non piacciono neppure al procuratore capo Giuseppe Galante, tutt'altro che un cuor di leone, ma che ha almeno il merito di lasciar lavorare i sostituti che ne han voglia. Nell'aprile 2006 l'avvocato Pier Vito Bardi, imputato di favoreggiamento mafioso, denuncia civilmente il gip Iannuzzi che l'ha arrestato, poi lo ricusa sostenendo che, essendo stato denunciato, non ha più la necessaria serenità per giudicarlo. Tesi piuttosto singolare, che – se accolta – consentirebbe a qualunque imputato di sbarazzarsi dei suoi giudici denunciandoli anche per fatti inventati. Ma il sostituto pg Gaetano Bonomi, fedelissimo di Tufano, dà parere favorevole e chiede alla Corte d'Appello di rimuovere il gip scomodo. La Corte respinge la richiesta in quanto inammissibile. La scena si ripete appena esplode lo scandalo Savoia: il sindaco di Campione d'Italia Roberto Salmoiraghi, dal carcere, chiede la ricusazione del gip Iannuzzi per le sue dichiarazioni alla stampa in cui difendeva la solidità delle accuse oggetto dell'indagine. La procura generale esprime di nuovo parere favorevole e di nuovo la Corte respinge l'istanza, «palesemente inammissibile» e «manifestamente infondata». Non contento del doppio smacco, mentre Iannuzzi e Woodcock vengono accusati di ogni nequizia, l'infaticabile Tufano si unisce all'assalto segnalando al ministero e al Csm presunte irregolarità commesse da Woodcock. Galante fa lo stesso. La gravissima colpa del pm è quella di non aver fatto fir-

tissimi elettori del centro-sinistra, da un lato, e l'oggetto di una dura e a volte bizantina contesa tra i ceti politici dello schieramento dall'altro. Invece è un'esigenza della società italiana, che riguarda anche coloro che, pur nell'Unione, osservano la vicenda dall'esterno. Paolo Prodi ha fatto benissimo ad aprire, con proposte concrete, il confronto, a portarlo fuori delle stanze chiuse.

Corriamo in 'formula Prodi'

Furio Colombo

Mi piace il nome Partito democratico perché mi ricorda l'America di Roosevelt, del New Deal, di Kennedy e della Nuova Frontiera, di Robert Kennedy e della appassionata contestazione della guerra nel Vietnam, di Carter e della decente modestia di un presidente che non presume, di Clinton che – anche di fronte a provocazioni terroristiche – non vuole fare la guerra. Mi piace perché è un partito di masse che si automobilitano e di leader che rendono conto e non presumono mai di essere depositari del potere superiore e in qualche modo vocazionale dei «professionisti della politica».
A queste ràgioni di simpatia istintiva più per il nome

che per il progetto, si aggiunge adesso la «formula Prodi». Paolo Prodi interviene con entusiasmo giovane sull'argomento e traccia un percorso. Non un percorso ideologico, che non finirebbe mai (e non può neppure cominciare), ma un percorso di regole. Le regole a cui finora è stata prestata poca attenzione sembrano a Paolo Prodi importanti al punto da dettarle nei dettagli. Approvo e concordo, non solo per la fiducia che ho nel proponente, non solo per l'adesione persuasa ad ogni singolo punto. Ma per l'idea rivoluzionaria di cominciare dalle regole. Quelle regole garantiscono che ci sia un ruolo grande e ben visibile per i cittadini, in modo che non arrivino in sala quando tutti i posti a sedere sono già occupati dalle forze politiche che hanno contribuito non solo con scontri e polemiche e dissensi al nuovo progetto, ma anche con personale dirigente proprio.

Resta, io credo, un problema. È il perimetro del contenitore. Deve essere esatto, come pretende la cultura europea fondata su basi ideologiche? O deve essere «di fatto», ovvero ci si riunisce di volta in volta intorno a un programma, si scelgono i leader e il leader, attraverso le primarie, si va al confronto partendo da un territorio liberal-democratico solo generica-

mare al procuratore capo, cioè allo stesso Galante, le richieste di cattura, violando così l'obbligo previsto dalla controriforma dell'ordinamento giudiziario Castelli; peccato che le richieste di Woodcock siano del 29 maggio e che il gip le abbia accolte il 16 giugno, mentre la legge Castelli è entrata in vigore solo il 19 giugno. È una tempesta in un bicchier d'acqua. Ma tanto basta a Mastella per sguinzagliare gli ispettori a Potenza, per indagare sul nulla. Ben altre sarebbero le situazioni ambientali da esaminare negli uffici giudiziari lucani. Eccone due, a titolo di esempio.

Felicia Genovese e Gaetano Bonomi, *sostituti*. La Genovese, pm a Potenza, segue un'indagine sull'Asl di Venosa che coinvolge la giunta regionale ulivista presieduta nel 2000-2005 da Filippo Bubbico, Ds, oggi senatore e sottosegretario allo Sviluppo economico. Nel 2000 la giunta Bubbico licenzia il direttore generale della Asl 1, Giuseppe Panio, per sostituirlo con Giancarlo Vaineri, vicino a Bubbico e ai Ds. Panio ricorre al Tribunale del lavoro di Melfi, ottiene l'annullamento della delibera che l'ha destituito e il reintegro, ma la giunta Bubbico tira diritto per la sua strada: anche l'assessore alla Sanità Vito De Filippo (Margherita), sulle prime perplesso, cambia idea e scarica Panio. Nel 2005 De Filippo subentra a Bubbico come presidente della giunta. Bubbico, De Filippo e altri assessori e dirigenti finiscono sotto inchiesta per abuso d'ufficio, ma alla fine il pm Felicia Genovese chiede per ben due volte l'archiviazione per tutti. Il gip Iannuzzi però non è d'accordo, per lui gli elementi per procedere esistono eccome: rifiuta per due volte di archiviare e il 25 maggio 2006 ordina alla procura di formulare l'imputazione coatta. Poi trasmette il fascicolo alla procura di Catanzaro, competente sui magistrati di Potenza. Perché? Perché Panio, opponendosi alla richiesta di archiviazione della pm Genovese, ha maliziosamente sostenuto che la signora era tutt'altro che disinteressata alle vicende della sanità pubblica lucana: poco dopo aver chiesto l'archiviazione per Bubbico & C., infatti, il di lei marito Michele Cannizzaro è stato promosso dalla neonata giunta De Filippo a direttore generale della prima azienda sanitaria della regione: l'ospedale San Carlo di Potenza. In estrema sintesi il marito della pm fu promosso dagli indagati della pm per i quali la pm aveva appena chiesto l'archiviazione. Tutto in famiglia, nel silenzio assordante sia del centro-sinistra sia della cosiddetta opposizione di centro-destra. Ce n'è abbastanza, secondo il gip, per investirne la procura di Catanzaro, «per le valutazioni di sua competenza in ordine ai rilievi formulati dall'opponente sul conto del pm. [...] Pesanti illazioni le quali assumono indubbia rilevanza penale». L'incredibile vicenda ha un post scriptum. Il 6 giugno la procura formula l'imputazione coatta contro l'ex giunta di Bubbico, nel frattempo promosso sottosegretario del governo Prodi. Due giorni dopo il sostituto pg Gaetano Bonomi viene ripreso dal *Tg3* regionale in prima fila all'assemblea per l'elezione del nuovo segretario regionale dei Ds, mentre scherza e chiacchiera amabilmente con il neoimputato Bubbico. Ma i due magistrati non suscitano soverchie attenzioni nel ministro Mastella e nei suoi attivissimi ispettori, né tantomeno nel pg Tufano, che hanno occhi solo per Woodcock e Iannuzzi. Di Tufano, finora, si sono occupati solo i cinque consiglieri del Csm di Magistratura democratica (Menditto, Marini, Civinini, Salmè e Salvi), che hanno chiesto di aprire due pratiche sul caso Potenza: una «a tutela» di Woodcock, l'altra per trasferire Tufano. Il quale – scrivono – «avrebbe inviato numerose note al ministro della Giustizia per verificare l'operato dello stesso pm e del procuratore della Repubblica, oltre che del gip che ha emesso la misura cautelare. Dette note sarebbero state inviate dal dottor Tufano all'esito di una attività, definita dalla stampa "indagine interna", che avrebbe interessato non solo i magistrati requirenti, ma anche il gip, la cui vigilanza com'è noto è attribuita ai presidenti del Tribunale e della Corte d'Appello».

mente (o magari anche vagamente) definito?

Per esempio, quando si dice «un grande partito riformista», si dice troppo (nel senso che la parola sembra a volte opporsi e fare argine a sentimenti di una sinistra più militante, detta a volte «radicale») o si dice troppo poco, perché, per dirne una, non si garantisce la natura laica del progetto?

Le regole di Prodi sono indispensabili e sacrosante. Adesso sappiamo come entrare. Ma non dovremmo sottoscrivere anche qualche forma di intesa, di accordo, di «piattaforma» (la parola è anglosassone) prima di entrare, in modo che ognuno di noi sia sicuro di essere entrato non solo dalla porta giusta, ma anche nel luogo giusto e con gli altri cittadini con cui esercitare i propri diritti politici, insomma nel «partito giusto»?

Zapping di rappresentanza

Giorgio Cremaschi

Non sono un cittadino del futuro Partito democratico. Sono invece interessato alla costruzione, in sana competizione con il riformismo, di una sinistra radicale anticapitalista. Non è detto, infatti, che nella crisi mondiale, nella lotta per la democrazia e la giustizia sociale, la soluzione riformista sia davvero la più efficace. Oggi lo è nei fatti, ma domani chissà? Forse alternative ben più nette sono necessarie.

Detto questo però vi sono due questioni poste da chi vuole accelerare per il Partito democratico, che a me paiono valide un po' per tutti. La prima è che ci sono oggi divisioni politiche fra i partiti che non hanno alcuna giustificazione se non nelle rendite di posizione dei gruppi dirigenti. È così nel centro-sinistra riformista, è così nella sinistra radicale. D'altra parte, e questa è la seconda questione, questa rendita di posizione dei gruppi dirigenti, che inventano differenze solo per conservare il proprio oligarchico potere, ha una sua precisa spiegazione nella totale crisi della partecipazione alla politica. Oggi i cittadini, anche gli iscritti ai partiti, fanno zapping su chi li deve rappresentare. La partecipazione dal basso non esiste e l'unica vera sede di confronto pubblico tra rappresentanti e rappresentati sono i talk-show. Per questo se il Partito democratico nascesse davvero con le primarie, le consultazioni, la partecipazione dal basso, sarebbe un'innovazione che costringerebbe anche altri a muoversi nella stessa direzione. Faccio i miei migliori auguri a chi si propone

Giuseppe Galante, *procuratore capo.* L'uomo che ha denunciato Woodcock al Csm il 20 giugno per non avergli fatto vistare le richieste d'arresto per Savoia & C. è lo stesso che fino al giorno prima dichiarava ai giornali: «Woodcock è un bravo magistrato e un fine segugio, mi ha tenuto costantemente informato del progresso delle indagini, ha lavorato bene, ci sono le prove di reati gravi, ero d'accordo con le richieste di custodia cautelare». Perché non si era lamentato della mancata firma? Perché non aveva chiamato Woodcock, che ha l'ufficio a dieci metri dal suo, per firmare la richiesta di arresto? E perché, appena il Riesame ha confermato la «solidità dell'impianto accusatorio» dell'inchiesta, è tornato a elogiare il pm che aveva appena denunciato al Csm?

Giorgio Napolitano, *presidente della Repubblica.* Il 20 giugno, nel pieno delle indagini e degl'interrogatori, l'Ansa informa che il Quirinale ha chiesto e ottenuto «una informativa dal Csm sui fascicoli riguardanti il pm Woodcock». Immediata l'esultanza dei vari Rotondi e Cicchitto, seguita dall'annuncio dell'ispezione mastelliana. A memoria d'uomo, non si ricordano casi analoghi di capi dello Stato che s'interessano al fascicolo di un singolo magistrato nel pieno di un'inchiesta così delicata. Qualcosa di simile si verificò nell'estate del '92, quando Craxi estrasse un dossier sul conto dell'allora pm Antonio Di Pietro. Ma Craxi era un semplice segretario di partito, e il dossier non proveniva dal Csm, bensì dalle fogne di qualche servizio deviato.

Clemente Mastella, *ministro della Giustizia.* Non dice una parola sulla gravità degli scandali emersi a Potenza, ma in compenso esterna ogni santo giorno contro i pm che li hanno scoperti. E sguinzaglia i suoi ispettori alla procura di Potenza, nel pieno delle indagini e degli interrogatori, per ben due volte in meno di un mese: il 20 giugno su richiesta del pg e del procuratore nazionale antimafia Grasso; e il

12 luglio su sollecitazione del prefetto e del ministro dell'Interno Amato.

Piero Grasso, *procuratore nazionale antimafia.* Anche lui ha voluto dare il suo contributo all'attacco ai magistrati potentini, segnalando al Csm un presunto errore nell'ordinanza di custodia per Vittorio Emanuele: lì si afferma che il «principe» progettava di acquistare i beni sequestrati alla mafia grazie al contatto con una persona della Direzione nazionale antimafia (Dna); invece, secondo Grasso, nell'intercettazione il Savoia parla di Direzione investigativa antimafia (Dia). Si potrebbe risolvere l'equivoco con una telefonata ai colleghi perché si correggano. Invece Grasso prende carta e penna e scrive una segnalazione ufficiale al Csm che, insieme a quella di Tufano e Galante, dà il destro a Mastella di disporre l'ispezione nel bel mezzo dell'inchiesta.

Giuliano Amato, *ministro dell'Interno.* L'11 luglio, in pieno parlamento, invece di occuparsi delle deviazioni che inquinano il Sismi, il ministro Amato se la prende con alcune procure, a cominciare da Potenza: «Sono esterrefatto per quanto accade in Italia. Mi dicono che esistono contratti di fatto tra giornalisti e chi fornisce notizie e collegamenti fra procure e giornalisti, per cui, al momento in cui un atto viene comunicato agli indagati, viene fornita ai giornalisti la password per entrare». Quali sono le fonti di una denuncia così grave e drammatica? Amato cita «un giornalista» e poi, a tarda sera, un rapporto del prefetto di Potenza, non nuovo a dissapori con la procura e molto legato al pg Tufano. Peraltro il rapporto, riguardando presunti illeciti di magistrati, avrebbe dovuto pervenire al Csm o alla procura di Catanzaro, non certo al ministro dell'Interno. In ogni caso, lo stesso Galante smentisce qualunque cessione di password a giornalisti: anche perché ci vuol altro che una password per accedere al database di una procura. Mentre scriviamo (il 17 luglio), né il pre-

questa battaglia per la partecipazione democratica alla politica, anche se, francamente, temo che oggi essa sia molto, molto difficile. Forse sarebbe utile cogliere i problemi da un altro punto di vista. Si può influire sulla politica in molti modi: con la partecipazione diretta, se questo è possibile, oppure con un programma più lungo ma forse più realistico, che punta a conquistare diritti di partecipazione dappertutto, nella politica come nei sindacati, come nei movimenti. Applicando l'articolo 49, così come l'articolo 39 sulla democrazia sindacale. Bisogna costruire un'iniziativa sulla partecipazione democratica che non sia legata ad un solo progetto politico, ma che sia invece una rivendicazione indipendente di tutti i movimenti che, per questa via, senza dover passare dalle forche caudine della cooptazione, vogliono davvero influire sulla politica.

Orizzontali e verticali

Michele Emiliano

1) La formazione di un comitato promotore del costituendo Partito democratico deve tener conto non solo delle diverse culture costitutive, ma anche dei diversi livelli territoriali e delle nuo-

14 ve istanze identitarie. Perciò è indispensabile che il processo costituente sia articolato ad un doppio livello federale: quello della federazione orizzontale tra i partiti preesistenti, i movimenti e le associazioni; e quello della federazione verticale tra le diverse realtà regionali del nuovo partito. Un comitato di 15 persone sembra insufficiente a rappresentare questa complessa articolazione. Si può invece immaginare un coordinamento nazionale dei comitati regionali, integrato da una rappresentanza dei partiti nazionali, e da personalità della società e della cultura, scelte con una consultazione interna dello stesso coordinamento. In tutto non si dovrebbe superare il numero di 100, riservando i due terzi dei posti ai comitati regionali. Ogni comitato regionale potrebbe essere composto di 12-15 membri, per due terzi elettivi, e per un terzo designati dai partiti. In tal modo, accostando modalità «confederali» e modalità più chiaramente «federali» (cioè di cessione di sovranità), si contemperano vecchio e nuovo; si realizza una proficua mediazione tra le residue formazioni partitiche e la spinta al cambiamento che viene soprattutto dalle nuove esperienze locali e dall'opinione; si evita quella «esplosione termonucleare» paventata da Paolo

fetto né il ministro Amato hanno ancora fornito alcuna prova di quelle gravissime accuse, mentre esiste più di un elemento che fa pensare a un tragicomico equivoco, che si spera fortuito: i giornalisti sono entrati in possesso di dischetti con la copia informatica delle 3 mila pagine dell'ordinanza del gip Iannuzzi, consegnata ai difensori e agli arrestati e da quel momento non più segreta. Un fatto assolutamente lecito e normale viene usato ancora una volta per infangare i magistrati che indagano e i giornalisti che informano. E magari per preparare il terreno al colpo di spugna sulle intercettazioni, già tentato l'estate scorsa dal governo Berlusconi, ma invano. *Quod non fecerunt Berluscones, fecerunt Mastellae et Amati.*

P.S. Henry John Woodcock non è iscritto ad alcuna corrente togata e non ha mai rilasciato una dichiarazione né un'intervista. La prova migliore del fatto che i pm non disturbano per quello che dicono o pensano. Ma per quello che fanno.

LA PATRIA NEL PALLONE

Curzio Maltese

Ai margini della festa popolare per il mondiale di calcio vinto dagli azzurri è rispuntata puntuale e prevedibile la retorica patriottarda. Per lamentare ancora una volta la «morte della patria» fuori dalle imprese sportive, oppure per celebrarne la rinascita grazie a Buffon e compagni, abbattendo con una sola pallonata il senso della storia, della misura e dell'umorismo.

Dopo un lungo e meritato oblio di quasi mezzo secolo dalla nascita della repubblica fino agli anni Novanta, il concetto di patria, l'orgoglio nazionale e la relativa retorica sono tornati a circolare negli ultimi dieci anni con volume crescente, fino a invadere ogni angolo del dibattito pubblico, un po' come i tricolori appesi a ogni finestra in queste settimane. Il pensiero unico insegna che il ritorno alla patria è un fattore di progresso in un paese dove lo scarso senso di appartenenza alla nazione sarebbe invece un grave difetto, fardello di un passato vergognoso, sintomo di arretratezza rispetto alla Francia o alla Gran Bretagna, per non dire degli Stati Uniti. Ogni tipo di obiezione storica e razionale alla moda del patriottismo è bollata come spirito anti-italiano, retaggio di una ormai sconfitta egemonia culturale della vecchia sinistra. È del resto tipico del declino culturale il rovesciamento del concetto di modernità. Da un lato le più bolse idee reazionarie sdoganate come «nuovo che avanza», dall'altro le più recenti e migliori conquiste civili, per esempio il concetto di relativismo culturale, scaraventate nella spazzatura della storia.

La sinistra si è inchinata anche a questa moda. In fondo che male fa baciare ogni tanto il tricolore, inventarsi qualche eroe e spendere due parole sulla bellezza del ritrovato orgoglio

Prodi, ma prevedibile se le tappe del processo non sono condivise.

2) Le candidature dei membri elettivi dei comitati regionali dovrebbero essere presentate da un organismo regionale composto dalle forze politiche, dai leader territoriali e dalle associazioni che aderiscono al Partito democratico. I candidati, in numero tre volte superiore ai membri da designare, dovrebbero essere indicati a maggioranza, e non spartiti tra i componenti dell'organismo. Potrebbe essere un primo momento dell'auspicabile «fusione» tra le diverse anime della nuova formazione politica.

3) Sono d'accordo in linea di massima. La separazione tra coloro che devono occuparsi del nuovo partito e coloro che intendono impegnarsi nelle istituzioni deve essere una regola, com'era un tempo per i grandi partiti di massa. A maggior ragione per il comitato promotore, il quale avrà però il problema di coagulare i consensi e le adesioni al nuovo partito senza potersi servire di grandi personalità che attualmente svolgono le funzioni di sindaci, presidenti di regione e membri del governo.

4) È forse improprio parlare di primarie per la designazione di rappresentanti che non si candidano ad una carica elettiva, bensì ad

una funzione promotrice di una struttura partitica. La consultazione alla quale penso non può essere considerata una elezione primaria ma un vero e proprio pronunciamento interno ad un'area che intende fondare un nuovo partito politico. La coincidenza con la data delle primarie per la leadership dell'Ulivo è assolutamente condivisibile.

5) I poteri del comitato sono ben delineati.

Oltre i partiti vegetali

Gad Lerner

Condivido pienamente la visione del Partito democratico che anima la proposta di Paolo Prodi. L'idea cioè che l'Italia ha bisogno non di un ennesimo partito, sia pure grande e unitario, ma ben di più: necessita cioè di una profonda innovazione nel rapporto fra cittadini e politica. Finché siamo in tempo dobbiamo almeno tentare un ritorno per vie nuove alla partecipazione democratica dei cittadini, chiamandoli a pronunciarsi attivamente sulle grandi scelte del paese, sui criteri di selezione e ricambio della classe dirigente, e non soltanto convocandoli periodicamente a scegliere nella cabina elettorale, a scatola chiusa, tra un partito e l'altro. Siamo insomma

nazionale? Un libro nero del nazionalismo, che ha provocato più morti del comunismo nel Novecento europeo ed è un pericolo assai più attuale, come ha dimostrato l'ultima volta il laboratorio jugoslavo, non è stato scritto e neppure immaginato.

Ma che cos'è il nuovo patriottismo? Quali simboli agita, quali strumenti usa, come agisce, ammesso che agisca, sulla società italiana? È davvero così salutare o al più innocuamente festoso?

La trovata del marketing politico è di dipingere il ritorno alla patria come qualcosa di positivo a prescindere, direbbe Totò, un sentimento che unisce e arricchisce mentre la sua critica sarebbe soltanto negazione, divisione, impoverimento e mania esterofila. Al contrario, il nuovo patriottismo nasce dalla negazione, è anzi la risultante di una serie di negazioni e di rinunce culturali. La prima e più importante è la rinuncia implicita a considerare ancora valida l'unica idea decente di patria elaborata dall'Italia unitaria, la patria antifascista. Un enorme progresso rispetto all'identificazione forzata, fondata sulla banale e involontaria circostanza di essere nati su un determinato territorio, verso un concetto di patria culturale, complesso di valori civili espressi nel patto della Costituzione. Fra i quali primeggia il rifiuto della retorica nazionalista che costituì la base ideologica del fascismo. Avendo rinunciato a questa patria e non potendo (non ancora?) recuperare in pieno il repertorio fascista, il nuovo nazionalismo risulta un goffo fenomeno imitativo. È o vorrebbe essere un patriottismo all'americana, il massimo davvero dell'esterofilia. Lo è perfino nei gesti simbolici, il bacio alla bandiera, la mano sul cuore mentre si ascolta l'inno, i colori nazionali dipinti sul volto. È la regressione di una cultura politica un tempo orgogliosamente europeista alla scimmiottatura coloniale del modello dominante. Con i nostri neocons e teocons in sedicesimo, la nostra guerra da truppe al seguito, l'ideologia dello «scontro di civiltà» semplificata dal berlusconismo allo slogan di un «islam indietro di settecento anni». S'intende che già il modello di riferimento è spaventoso. La rappresentazione di un Occidente superiore, in quanto unica civiltà in grado di evolversi, rispetto a tutte le altre sostanzialmente immutabili e quindi arretrate, è un'idea che può facilmente smontare qualsiasi bravo studente di antropologia culturale. Di più e di peggio il neonazionalismo nostrano italiano aggiunge lo spirito gregario e la finzione di una bonarietà pacifista. L'eroe di questo strano patriottismo alla rovescia è alla fine il povero Quattrocchi, «morto da italiano» e premiato dalla medaglia al valore della Repubblica, senza farsi troppi scrupoli nel ricordare i motivi poco nobili che l'avevano spinto alla missione in Iraq, al servizio più o meno legale di un'impresa straniera. Meno unitaria, al confronto, risulta paradossalmente la figura di un vero eroe, l'agente Calipari, che si è sacrificato per salvare una vita ma ha avuto il torto di cadere sotto il fuoco amico degli americani.

Oltre a essere un fenomeno imitativo, il nuovo patriottismo è nell'essenza un altro fenomeno mediatico. Ho chiesto a un gruppo di ventenni quando si ricordavano d'essere italiani e la risposta è stata unanime: ai mondiali di calcio e in occasione di una grande disgrazia, come la strage di Nasiriyya. Festa sportiva e lutto pubblico hanno in comune la forte esposizione mediatica. Nella crisi delle democrazie, la televisione offre alcuni surrogati emotivamente forti della partecipazione. Uno ludico è appunto l'evento sportivo. Molti hanno notato la differenza di clima psicologico nelle feste per il mondiale vinto nell'82 e nel luglio scorso. L'imprevedibile spontaneità della prima, la quasi obbligatorietà della seconda, nell'ansia di doverci essere a tutti i costi. L'altro surrogato di partecipazione è all'opposto il lutto nazionale. In entrambe le circostanze sono i media a scegliere i toni e i modi, le parole e le immagini. La televisione è il centro d'irradia-

alla ricerca di un antidoto alla crisi della democrazia rappresentativa, allo snaturamento della nozione stessa di cittadinanza, alla diffusa percezione di non contare nulla al cospetto dei poteri economici, mediatici e politici che decidono tutto sulla nostra testa. Questa è l'ambizione che riconosco in Paolo Prodi anche quando segnala l'insufficienza delle componenti culturali storiche novecentesche (socialista, cristiana, liberal-radicale) per incamminarsi nel XXI secolo. L'una senza alimentarsi nel rapporto con le altre, ben difficilmente avrebbe un futuro. Non a caso oggi i partiti figli di quelle culture risultano tutti rimpiccioliti, costretti a riferirsi a generiche identità vegetali (querce, margherite, rose, e mettiamoci pure la più suggestiva idea fusionale dell'Ulivo), ma soprattutto si sono ridotti a macchine elettorali per lo più prive di saldi legami territoriali.

Se è così, allora dobbiamo riconoscere che di per sé la nascita del Partito democratico non rappresenta un obiettivo entusiasmante o mobilitante. La maggioranza degli italiani rischia di viverlo come nient'altro che l'ennesimo partito, tanto più se la sua genesi provocasse scissioni e dunque la moltiplicazione di partitini collaterali.

Il Partito democratico ha

senso solo in quanto motore di un autentico processo democratico, capace di valorizzare con strumenti nuovi le spinte sempre diffuse dalla cittadinanza attiva.

Comprendo dunque – in astratto – la coerenza della proposta costituente di Paolo Prodi che prevede un nuovo inizio prescindendo completamente dai partiti e dalle associazioni oggi esistenti, affidando in toto la paternità del nuovo partito al popolo delle primarie. Nel bene e nel male, però, non è verosimile una partenza da zero. È vero che in occasione delle primarie dell'ottobre 2005 le forze politiche promotrici si resero disponibili (più o meno volentieri) a una temporanea ma significativa cessione di sovranità. Accettarono l'idea che sul nome del candidato premier i cittadini sostenitori dell'Unione avessero titolarità di scelta rinunciando alle prerogative dei loro organismi dirigenti e senza vincolo di tesseramento. Non dimentichiamo però che si trattava di una scelta in larga misura già scontata. E che nessuno, ma proprio nessuno, prevedeva una partecipazione risultata tripla rispetto alle più rosee aspettative.

È dunque irrealistico sperare che venga tollerata un'analoga, incondizionata cessione di sovranità su di una materia riguardante mento del nuovo nazionalismo. Lo è nella gioia e nel dolore, nella celebrazione degli eroi in calzoncini e nell'esaltazione dei «ragazzi al fronte», nell'esaltazione ormai quotidiana degli eserciti, delle (nostre) armi di distruzione di massa, della guerra, sia pure mascherata di scrupoli umanitari. Lo è nell'alimentare ed eccitare ogni giorno l'ostilità nei confronti dello straniero, dal migrante alla stampa estera, la quale naturalmente ci diffama, denigra noi italiani brava gente, incapaci di reagire alle prepotenze dell'altrui sciovinismo. Salvo notare che se il vicepresidente del Senato di Parigi avesse offeso con epiteti razziali la squadra italiana, la sciovinista Francia l'avrebbe probabilmente costretto a dimettersi nello scandalo. Mentre l'ilare Calderoli, dopo aver definito i «bleus» una banda di «comunisti, immigrati e islamici», si gode serenamente le vacanze e i fax d'approvazione.

Non si capisce davvero dove stia il progresso nell'idea di un ritorno al patriottismo, che sembra piuttosto mascherare al solito vantaggi e privilegi inconfessabili delle vecchie oligarchie e di un capitalismo opaco e autarchico. Quante volte abbiamo sentito anche politici della sinistra levarsi contro l'ipotesi che questo o quel grande gruppo, questa o quella grande banca, potessero finire «nelle mani dello straniero». In nome di quale superiore interesse? L'interesse dei cittadini italiani o dei grandi monopolisti, i «furbetti del quartierino», il padrone unico delle televisioni, il marchio unico automobilistico, il concessionario esclusivo di luce, gas, autostrade, telefoni?

Si comincia ad aver nostalgia dell'Italia indifferente al valor di patria. Anzi, più che indifferente, diffidente. Per molte buone ragioni. Non soltanto quella ricordata da Ennio Flaiano per cui «l'italiano, appena si ricorda d'essere italiano, diventa subito fascista». Ma anche per ragioni più lontane. Il mancato patriottismo viene da lontano e poteva forse arrivare lontano, era e rimane uno dei tratti autentici di modernità, magari involontaria, della società italiana dal dopoguerra in poi, con radici che affondano nei secoli. Che cos'è il limitato concetto di «multiculturalismo» se torniamo indietro alla Roma imperiale, straordinario incrocio di popoli e culture? L'Italia ha avuto la fortuna, fra tante sventure storiche, di vivere da sempre immersa nel più formidabile laboratorio di globalizzazione ante litteram, il trafficatissimo Mediterraneo. I media lanciano ogni anno l'allarme clandestini. Ma gli sbarchi di clandestini sulle coste italiane non sono un'emergenza, sono una consuetudine ormai millenaria. In quest'area, prima che in ogni altro angolo di mondo, i popoli hanno sperimentato che il concetto di cultura non coincide con l'appartenenza a un territorio, al focolare, al sacro suolo. È un felice ibrido, un'armonia da inventare fra diversi. Rispetto a questo passato moderno e aperto, il presente appare chiuso e vecchio, una scontata reazione alla paura del nuovo mondo inaugurato dalla caduta dei muri. Al recupero della vecchia patria identitaria, all'antico legame con il sacro suolo, è tempo di opporre nuove idee. Un patriottismo dei valori, che il clamoroso risultato del referendum costituzionale ha reso più attuale che mai. Un nuovo patriottismo europeo e mediterraneo e infine, perché no, un patriottismo planetario, visto che siamo tutti cittadini di una Terra sempre più piccola e minacciata.

non la premiership ma addirittura l'esistenza futura di forze organizzate da tempo, e il destino personale di numerosi professionisti della politica (uomini e donne che meritano il nostro rispetto, e senza i quali non si sarebbero svolte neppure le primarie del 2005).
Più esplicitamente: non credo che il Partito democratico possa nascere dal big bang degli assetti partitici costituiti. Ci piaccia o non ci piaccia, senza l'accordo degli attuali gruppi dirigenti non si va da nessuna parte. Essi daranno luogo a compromessi, dovranno vincere inimicizie personali e fornire rassicurazioni a molti loro esponenti in grado di mettersi di traverso bloccando il percorso d'integrazione da noi tutti auspicato. Ma di lì non si scappa.
L'indicazione di Paolo Prodi resta preziosa comunque perché richiama l'ampiezza del coinvolgimento necessario della cittadinanza attiva. Senza la partecipazione dal basso del popolo delle primarie, senza la riaffermazione dal basso del principio «una testa un voto», senza la definizione di regole autenticamente democratiche per il funzionamento del nuovo partito, assisteremmo solo a un fallimentare tentativo oligarchico. Così come sono oggi, di per sé Ds e Margherita per loro natura risultano inevitabilmente re-

frattari a una fusione che prescinda dalla forte domanda di democrazia che cresce all'esterno e all'interno di essi.

Come avrete intuito, tali realistiche considerazioni mi inducono a una forte dose di scetticismo sulla riuscita del processo costituente. Ma non mi scoraggiano nel tentativo perché sono altresì convinto che comunque Ds e Margherita non possono permettersi di presentarsi di nuovo separati alle prossime elezioni politiche, pena una forte probabilità di sconfitta.

La necessità del Partito democratico è già maturata nella consapevolezza e nell'esperienza concreta di larghi settori della società italiana. Se i gruppi dirigenti dei partiti insistessero nel deluderla, metterebbero in pericolo la loro stessa sopravvivenza politica.

Chi controlla i controllori?

Dacia Maraini

Le proposte di Paolo Prodi suonano attraenti, ma non mi convincono del tutto. Il comitato dei 15 proposto da Prodi alla fine cosa sarebbe se non la solita raccolta di garanti senza reali poteri? Il comitato avrebbe lo scopo di assicurare che il percorso verso la nascita del nuovo soggetto politico

GRAZIE, ZAPATERO!

don Paolo Farinella

Il fatto. Papa Benedetto XVI l'8 e il 9 luglio 2006 partecipa alla chiusura del V Raduno mondiale delle famiglie cattoliche che il Pontificio consiglio per la famiglia e l'episcopato spagnolo hanno organizzato a Valencia in Spagna. Si parla di un milione e mezzo di presenze. Una *testimonianza* nella nuova Spagna di José Luis Rodríguez Zapatero che della laicità dichiarata ha fatto la caratteristica di fondo del suo governo, ma anche una *prova di forza*.

La Chiesa cattolica contesta la politica sociale del governo socialista di Zapatero e condanna il riconoscimento dei matrimoni gay, di fatto equiparati al matrimonio eterosessuale tradizionale, l'unico che la dottrina della Chiesa può riconoscere. Altri punti d'attrito tra Roma e la Moncloa sono l'insegnamento della religione cattolica nella scuola pubblica e le condizioni di favore in materia fiscale di cui gode la Chiesa cattolica in Spagna come negli altri paesi a regime concordatario.

Rompendo una secolare tradizione, tanto più clamorosa in quanto compiuta in un paese che dai tempi della regina Isabella si definisce «cattolicissimo», José Luis Rodríguez Zapatero ha deciso di rispettare il protocollo per la visita di un capo di Stato straniero, ma di non partecipare alla Messa cattolica, celebrata dal papa. A stretto giro di posta è arrivata la risposta con la quale Joaquin Navarro Valls chiude la sua carriera di portavoce ufficiale del Vaticano e direttore della sala stampa vaticana: «Ricordo che quando siamo andati in Nicaragua, Daniel Ortega venne alla Messa. A Varsavia durante il periodo comunista Wojciech Jaruzelsky fece altrettanto. Quando andammo a Cuba Fidel non disertò la messa». Una risposta al curaro: nemmeno gli atei fecero quello che si appresta a fare il battezzato José Luis Rodríguez.

Valutazione del fatto. Da un punto di vista strettamente protocollare, José Luis Rodríguez Zapatero come capo di un governo legittimo ha compiuto in modo impeccabile il suo dovere di ospite verso un capo di Stato straniero. Egli ha accolto il papa all'aeroporto insieme al capo dello Stato, il re Juan Carlos e consorte. Il papa ha fatto visita al premier nel pomeriggio di sabato 8 luglio nel palazzo del governo regionale. Il premier Zapatero lo stesso pomeriggio ha restituito la visita di cortesia nel palazzo dell'Arcivescovado insieme al vicepremier Maria Teresa Fernandez de la Vega che aveva chiesto espressamente di potervi partecipare visto che anche lei non avrebbe assistito alla Messa dell'indomani. Il governo spagnolo non ha disatteso alcuna formalità diplomatica.

Possiamo interrogarci sulle ragioni che hanno spinto Zapatero a rompere una consuetudine non codificata, ma non abbiamo il diritto di imputargli una scorrettezza diplomatica. A mio avviso, se si supera il livello delle banalità strumentali, José Luis Rodríguez Zapatero da un lato ha inteso pubblicamente affermare l'autonomia dello Stato e la sua laicità che si esprime con simboli e gesti e dall'altro ha mandato un messaggio alla sua nazione e ai vescovi spagnoli.

Non è sufficiente affermare il principio della laicità, è necessario fare vedere il principio attualizzato. Non andando a Messa, Zapatero ha dato corpo e voce che le scelte del suo governo non sono frutto di una meschina valutazione da ridurre ad una contrapposizione ideologica con la Chiesa: un governo è laico sempre. Anche di domenica, anche durante la visita di un papa. Non vi sono tempi e spazi «esenti». Non si può essere laici da lunedì a venerdì e poi il sabato e la domenica essere laici devoti, magari genuflessi, anche solo per opportunità.

D'altra parte, dopo gli attacchi dell'episcopato spagnolo e anche del papa alle scelte di governo e personalmente a Zapatero stesso (vedi i fischi che hanno accolto il premier al suo arrivo all'arcivescovado), il capo del governo spagnolo ha voluto dare una risposta «piccata», avvenga nella massima trasparenza, con il coinvolgimento della società civile? Sono d'accordo in teoria. Ma mi chiedo: chi lavorerà poi concretamente e quotidianamente dentro questo partito? Non certo i componenti del comitato che, per esplicita richiesta di Prodi, devono impegnarsi a non ricoprire cariche politiche e istituzionali. Ma anche senza questa specifica clausola, la maggior parte dei membri del comitato sarebbe costituita da persone di indiscutibile valore intellettuale e morale che però sarebbero con ogni probabilità legittimamente impegnate nel proprio lavoro. E dunque non potrebbero dedicare alla costruzione del nuovo partito tutte le energie che un tale progetto esige. Né probabilmente avrebbero la competenza per risolvere i problemi che mano mano si affacciano alle porte di un partito che si trova immerso nella realtà sociale e culturale di un paese. La politica è fatta di piccole decisioni da prendere giorno per giorno, che poi tutte sommate costituiranno le grandi scelte significative di un paese.

Insomma la responsabilità delle cose appartiene a chi le costruisce, a chi vi dedica tutto se stesso, con il proprio lavoro diretto, con l'impegno del proprio corpo, di chi è presente in prima persona, momento per momento. Non credo sinceramente molto alle figure dei garanti che sarebbero presenti solo in spirito e raramente di persona. Inoltre trovo pericoloso alimentare la diffidenza verso il ceto politico. Questo non significa tuttavia che non bisogna essere maggiormente severi nei riguardi dei politici, della cui professionalità ho bisogno come cittadino. Sono per dare loro piena fiducia, ma costringendoli a essere più trasparenti, più umili, più concreti e sinceri. Tanto per cominciare, come dice Di Pietro, non accetterei mai come mio rappresentante qualcuno che ha delle pendenze penali. Va bene aspettare le sentenze definitive per dare un giudizio, ma intanto uno si astiene. Un inquisito per cose gravi come concorso esterno in questioni mafiose non può continuare a fare il deputato aspettando che la magistratura dica l'ultima parola. Nel dubbio, come è dovere di ogni cittadino onesto, si dimetta. Sono per prenderli per il bavero questi politici chiedendo che si mettano in discussione, che smettano di fare politica attraverso gli schermi televisivi, che affrontino la gente, nelle città reali, nelle piazze, e nei luoghi di lavoro.

Ricapitolando, sono contraria ai controllori (civili) dei controllori (politici). Le leggi ci sono e sono sufficienti per ogni reato. Basta esigendo in qualche modo il rispetto che il suo ruolo istituzionale esige.

In sostanza Zapatero sembra dire (siamo nel campo delle ipotesi): il papa è libero di venire in Spagna che è e resta la nazione degli spagnoli, rappresentati da un governo legittimo, eletto in base ad un programma che egli ora è tenuto a realizzare, pena il tradimento delle promesse fatte. Il papa e la gerarchia cattolica, come anche altre lobby, possono condividere o non condividere i contenuti e gli strumenti legislativi varati dal governo in qualsiasi materia, specialmente in quelle definite «sensibili» come la famiglia, la scuola, il regime di tassazione, e in questo contesto di libertà possono dissentire privatamente e pubblicamente dal governo spagnolo. Nel contempo i «protestanti cattolici» devono stare dentro i rigidi confini stabiliti dal concordato che regola limiti e privilegi, perché non si può usufruire di un qualsiasi vantaggio pattizio e agire al contempo come partito politico di opposizione. Il raduno mondiale delle famiglie a Valencia potrebbe essere stato letto dalle autorità spagnole come una *prova di forza* da parte della gerarchia cattolica. A queste condizioni, è meglio rescindere bilateralmente gli accordi pattizi, lasciando a ciascuno la libertà di agire e di opporsi liberamente. Sono convinto che la mancata presenza di Zapatero alla Messa del papa sia la parola muta, ma eloquente con cui il capo del governo spagnolo ha voluto segnalare alla gerarchia cattolica spagnola e al Vaticano che egli è intenzionato a mettere sul tappeto la congruità del concordato, e, se è il caso, a rescinderla unilateralmente.

Riflessioni di un credente. Leggendo le cronache prendo atto che molti cattolici auspicano che la scelta di Zapatero faccia scuola e abbia molti discepoli. Dal tempo di Paolo VI i cattolici più attenti aspettano che sia il papa stesso a liberare la Messa dall'essere *atto di presenza diplomatica.* Per i cattolici la Messa è il *memoriale* della morte e risurrezione del Signore, la mensa conviviale dove i credenti condividono la Parola, spezzano il Pane e rendono visibile l'afflato di comunione aperto al mondo in una dimensione di universalità. Secondo la dottrina tradizionale della Chiesa (dal concilio di Trento in poi) la Messa o Eucaristia è il sacrificio di Cristo sulla croce, attualizzato qui e ora in modo incruento. Il 29 maggio 2005, il papa partecipò a Bari alla chiusura del XXIV congresso nazionale eucaristico svoltosi all'insegna della dichiarazione del martiri di Abitene: «Sine dominico non possumus», «Senza la domenica non possiamo vivere». Benedetto XVI nell'omelia alla spianata Marisabella, così spiegò il martirio: «Il tema scelto ci riporta al 304, quando l'imperatore Diocleziano proibì ai cristiani, sotto pena di morte, di possedere le Scritture, di riunirsi la domenica per celebrare l'Eucaristia... Ad Abitene, una piccola località nell'attuale Tunisia, 49 cristiani furono sorpresi una domenica mentre, riuniti in casa di Ottavio Felice, celebravano l'Eucaristia sfidando così i divieti imperiali. Arrestati, vennero condotti a Cartagine per essere interrogati dal proconsole Anulino. Significativa, tra le altre, la risposta che un certo Emerito diede al proconsole che gli chiedeva perché mai avessero trasgredito l'ordine severo dell'imperatore. Egli rispose: "Sine dominico non possumus", cioè senza riunirci in assemblea la domenica per celebrare l'Eucaristia non possiamo vivere... Dopo atroci torture, questi 49 martiri di Abitene furono uccisi. Confermarono così, con l'effusione del sangue, la loro fede. Morirono, ma vinsero».

Per i primi cristiani, la Messa valeva il martirio ed era più importante della vita, ma oggi non sono i martiri di Abitene a fare testo, ma il più prosaico e pragmatico Enrico di Navarra che pur di diventare re di Francia col nome di Enrico IV, non esitò a convertirsi giustificandosi con la lapidaria frase: «Parigi val bene una Messa». Ogni volta che il papa celebra una «messa diplomatica» noi cattolici assistiamo ad uno scempio del *sacramento* che il Concilio ecumenico vaticano II definisce «fonte e apice di tutta la vita cristiana» (*Lumen gentium*, 11), perché ad esso partecipano per dovere di protocollo atei, non credenti, miscre-

applicarle. I controllori già ci sono. È a loro che dobbiamo rivolgerci, chiedendo presenza, passione, onestà, chiarezza. Che i cittadini si organizzino in gruppi di pressione prendendo come portavoce degli intellettuali di prestigio, sono d'accordo. Cominciamo col cambiare una legge elettorale pessima che ha tolto ai votanti la possibilità di scegliere e delegare secondo stima e fiducia. Chiediamo a gran voce di tornare a elezioni mirate, in cui si vota per chi ha meritato la nostra gratitudine, senza essere legati alle politiche interne dei partiti.

Il metodo Margherita

Franco Marini

Una premessa a queste brevi considerazioni sul Partito democratico che mi sono state richieste da *MicroMega*. La nostra riflessione ha superato la fase del «se» dargli vita concentrandosi sul «come» farlo. A me pare un risultato di non poco conto se è vero, come è vero, che tutti i protagonisti di questa riflessione stanno facendo un investimento di generosità e responsabilità avendo di mira non tanto una qualche razionalizzazione del nostro campo quanto un avanzamento dell'intero quadro politico italiano e, quindi, un progresso del sistema paese.

Dico questo anche per sgombrare il campo da retropensieri e sospetti che di tanto in tanto si leggono con particolare riferimento ai gruppi dirigenti di Margherita e Ds: non vogliono il Pd perché metterebbe a rischio le loro postazioni di comando. Mi sento di affermare che di questo non si tratta; e interpretando in un'ottica tanto minimalista, per non dire altro, posizioni e affermazioni che alla discussione sul contenitore o alla gara delle date preferiscono il confronto sulla «missione» del nuovo partito, sui contenuti culturali e sui modi di stare insieme, non si rende un buon servizio alla causa comune.

Come si sa, sono affezionato ai partiti. Ne conosco i limiti, le manchevolezze e le non infrequenti invasioni di campo ma restano, ad oggi, luoghi tra i più abitati dalla democrazia, almeno quelli collocati nel centro-sinistra. I partiti vivono nel centro e nelle periferie. I partiti discutono. I partiti selezionano classe dirigente. Nei partiti si vota. Nei partiti non c'è uno che ha sempre ragione. Nei congressi c'è chi vince e chi perde. Proprio perché sono affezionato ai partiti, inoltre, sono convinto che questa pessima legge elettorale vada cancellata, prima possibile.

denti ai quali della Messa nulla importa se non l'occasione che crea spesso per interessi di altro genere. Dovrebbe essere il papa stesso e con lui tutta la Chiesa cattolica ad esigere che la Messa sia espulsa dai codici e dai protocolli di rappresentanza per restituirla a quella grandezza di senso spirituale che ha per i credenti e solo per loro.

Paradossalmente, non partecipando alla Messa in quanto laico e forse non credente, Zapatero è stato più rispettoso del papa e della Messa stessa di quanti fingono di essere credenti per mero opportunismo. Sì, per questa scelta coraggiosa e coerente, possiamo, dobbiamo essergli grati: *Grazie, José Luis Rodríguez Zapatero!* Avevamo bisogno di essere richiamati alla mistica della Messa cattolica, ma che a farlo debba essere un laico è un «segno dei tempi» su cui bisogna riflettere.

Conclusione morale. Ai politici dell'opportunismo e della convenienza e ai chierici diplomatici, amalgamati in un innaturale miscuglio *neo-teo-con* che non ha scrupoli pur di raggiungere i suoi obiettivi di neopaganesimo, vogliamo opporre, facendone anche la nostra morale di questa piccola tempesta di mezza estate spagnola, la chiarezza fiera di un grande uomo di Stato, integerrimo cattolico e capo di governo, Alcide De Gasperi. Nel giugno del 1952 il papa Pio XII, per visioni politiche contrapposte, volle umiliarlo cancellando una udienza privata già concordata con lui e la famiglia. De Gasperi non fece una piega, convocò ufficialmente l'ambasciatore della Santa Sede presso l'Italia, e protestò personalmente: *Riferisca al Santo Padre che il presidente del Consiglio dei ministri italiano come cristiano accetta l'umiliazione, come presidente del Consiglio dei ministri della Repubblica italiana, protesta energicamente e chiede spiegazioni* (1). Era il 1952! Altri tempi. Altri laici cattolici. Altre tempra!

(1) Cfr. M.R. Catti De Gasperi, *De Gasperi uomo solo*, Mondadori, Milano 1964, p. 335; G. Martina, *La Chiesa in Italia negli ultimi trent'anni*, Nuova Universale Studium, Roma 1977, p. 35.

QUOTE ROSA E CLONI MASCHILI

Pierfranco Pellizzetti

Jacques Chirac ha rilanciato di recente il sistema delle «quote rosa» annunciando la propria intenzione di imporre la parità uomo-donna anche nelle giunte comunali e provinciali di Francia. Chi scrive non nutre simpatia alcuna nei confronti del *politically correct* (nel caso, la pretesa di assicurare rappresentanza formale ai gruppi sociali più deboli predeterminando la composizione di organigrammi che – invece – dovrebbero dipendere esclusivamente da criteri di merito). Certificazione indiretta di una subalternità data per scontata e ineluttabile; al tempo stesso, apoteosi dell'ipocrisia *buonista*. Il critico d'arte del *Time*, Robert Hughes, lo definisce «una sorta di Lourdes linguistica, dove il male e la sventura svaniscano con un tuffo nelle acque dell'eufemismo».

Tuttavia, dato che le diseguaglianze di genere (e non solo) permangono lampanti, può risultare inevitabile accettarne l'estirpazione anche grazie al marchingegno temporaneo delle «quote». Diceva Françoise Giroud, la grande giornalista di *L'Express*: «parità non è quando una donna eccezionale raggiunge posizioni di vertice al posto di uomini normali, ma quando vi arriva una donna normale».

Per questo si sarebbe gradito che i primi passi del nuovo esperimento governativo di Romano Prodi segnassero discontinuità (a costo zero) rispetto al passato adottando *mosse zapateriste*. Tra cui una composizione paritaria del governo, con presenze femminili numericamente pari a quelle dei maschietti.

Sicché perdura un sofferto imbarazzo constatando che le donne ministro attualmente in carica non raggiungono neppure la modesta percentuale annunciata in campagna elettorale (30 per cento).

Ciò detto, appare opportuno proseguire nel ragionamento riflettendo maggiormente sul si-

La novità della recente stagione del centro-sinistra è stata il protagonismo del suo popolo. A partire dallo straordinario evento del 16 ottobre del 2005. È giusto e indispensabile che abbia ruolo e voce nella riflessione sul «come» fare il Partito democratico. Perciò ben vengano le proposte, i suggerimenti. Perciò va visto con favore l'organizzazione di «pezzi» di questo popolo. Ma ciò non può voler dire, per me, esclusione dei partiti e dei suoi gruppi dirigenti dalla fase presente di elaborazione e da quella futura di direzione.

Ho fatto l'esperienza della nascita della Margherita: nel Partito popolare abbiamo discusso, a tutti i livelli, per due anni. E celebrato una quantità di assemblee locali, regionali e nazionali. Vi abbiamo dedicato due congressi. Le temperature, tra noi, non sono state mai fredde: tutt'altro. La Margherita è nata, così, solida e innovativa, capace di interpretare la modernità eppure saldamente ancorata alle culture che vi sono confluite. Il suo gruppo dirigente non ha «fotocopiato» quelli delle formazioni che l'hanno tenuta a battesimo: volti ed energie nuove sono comparsi e si stanno affermando.

Non vedo, in conclusione, un processo convincente di costruzione del Partito democratico che possa prescindere da questo «metodo Margherita». Miglioriamolo, integriamolo, certo. Cestiniamolo no.

Un partito di sana e leale costituzione

Moni Ovadia

La costituzione del Partito democratico nell'attuale stato delle cose è, a mio parere, la vera questione politica italiana, nell'immediato futuro e nel medio termine. L'involontario merito della discesa in campo di Berlusconi è stata quella di tracciare una demarcazione netta fra gli schieramenti, al punto da rendere operativa nel centro-sinistra un'alleanza sulla carta quasi inattuabile. Questa precisazione del quadro politico ha reso possibile l'uscita della politica italiana dall'onnipresente tentazione del consociativismo e sarebbe bene non ricaderci. Questo quadro inedito e la caduta della pregiudiziali ideologiche sollecitano il passaggio alla fase operativa nel processo di formazione del nuovo soggetto, anche e soprattutto per galvanizzare l'elettorato progressista e fissare la ricollocazione della parte più consapevole dell'elettorato moderato che non riesce a riconoscersi nell'armata brancaleone della Casa delle libertà. Ponen-

gnificato profondo delle *quote* in questione; sull'obiettivo che loro tramite si intende raggiungere: favorire la graduale femminilizzazione della società e della politica, prendendo atto dell'ormai inarrestabile declino del patriarcato in questa fase della storia umana. Dunque, anteponendo alle quantità burocratiche criteri qualitativi.

Ne consegue un dubbio assai poco *politically correct*: la femminilizzazione si riduce alla registrazione statistica degli apparati genitali prevalenti nel personale ai vertici delle varie organizzazioni? Insomma, quanto destabilizza la mentalità manageriale patriarcal-fallocratica la *business-woman* che si vanta «più uomo di un uomo»? Quanto irrora di nuova cultura – ad esempio – una donna nomenklatura, maschilizzata da deambulazioni pluridecennali nelle penombre di partito, alla Livia Turco (ormai un clone di D'Alema, anche nei tratti della fisionomia); quanto lo fa un'icona del maschilismo alla Daniela Santanchè, personificazione (oltraggiosamente caricaturale) della *Jessica Rabbit* tutta caratteri sessuali secondari esibiti e sfrontatezze quale se la sogna un attempato vitellone della *Provincia Granda* cuneese (tipo Flavio Briatore)?

Se promuovere la femminilizzazione delle organizzazioni – dalla politica al lavoro – ha un senso (e certamente lo ha), ciò significa avviare profonde modificazioni delle gerarchie nella tavola dei valori dominanti. Appunto, determinate dall'ascesa di quella che un tempo era chiamata *l'altra metà del cielo*. Resasi persino necessaria in base all'assunto che tale «parte del cielo» è portatrice di sensibilità essenziali per capire il mutamento in atto ed operarvi al meglio. La ragionevolezza femminile come più adatta ad orientarsi nelle reti della «Modernità liquida» rispetto alla dura (fordista? totalizzante? inflessibile?) ragione maschile.

Il guru bocconiano Severino Salvemini sostiene che «il passaggio al postfordismo si caratterizza per una maggiore valorizzazione delle attitudini tipicamente femminili: la mediazione, la tolleranza all'ambiguità, la decisione in condizioni di incertezza». Ciò appurato, non risulta troppo chiaro il perché – secondo la ricerca Eurostat – i top manager italiani di sesso femminile siano solo il 5,4 per cento (in perfetto *pendant* con la politica: 9 per cento le parlamentari e 7,1 per cento le sindaco)!

Veniamo al dunque: nonostante millenni di colonizzazione, esistono ancora tratti specifici e riconoscibili di una mentalità/cultura delle donne con tratti alternativi rispetto a quella finora egemone?

Senza volersi atteggiare a Johann Jakob Bachofen in sedicesimo, lo studioso svizzero (Basilea 1815-1887) teorico del «matriarcato», l'idea di un mondo premaschilizzato dovrebbe affascinarci come la promessa utopica di società più umane, che può diventare agenda politica di progresso; preziosa risorsa per l'azione di cambiamento.

Utopia – del resto – che trova appigli antiquari investigando le protosocietà mediterranee nella transizione neolitica: il profetismo femminile che precede quello maschile, le prime divinità al femminile (dall'Alma Mater alla dea Serpente delle comunità all'estuario del Danubio), la presunta specializzazione femminile nel modo di produrre basato sulla domesticazione delle piante (mentre il maschio rimaneva ancora cacciatore), il diritto successorio matrilineo. Retaggi di società ginecocratica, sottomessa e distrutta dall'irruzione degli indoeuropei patriarcali? Forse solo un muoversi alla cieca nelle nebbie del passato, alla vana ricerca dell'ennesimo mondo dei dimenticati in quanto vinti(e).

Il solito Bachofen teorizzava «diversità sessuate»: «Nel principio paterno è intrinseca la limitazione, così come in quello materno l'universalità; mentre il primo circoscrive entro un determinato gruppo, il secondo – come già la vita della natura – ignora la restrizione. Dal principio della maternità generatrice scaturisce l'universale fratellanza di tutti gli uomini, la cui coscienza e la cui legittimità declinano quando si sviluppa il principio di paternità». La psicoanalista di scuola junghiana Elena Caramazza, nel più recente scritto apparso

dosi dunque nella prospettiva del nuovo partito, mi pare che la riflessione di Paolo Prodi sulle modalità tecniche e sulle dinamiche ideali che devono presiedere alla sua formazione siano lungimiranti e sostanzialmente condivisibili. Un Partito democratico garantito democraticamente dal basso (dal popolo delle primarie), e sottratto alla tentazione occlusiva di certe logiche di partito, darebbe l'abbrivio ad un circolo virtuoso nel centro-sinistra i cui benefici effetti ricadrebbero anche sul centro-destra. Inoltre una simile trasformazione spingerebbe la sinistra dell'Unione ad una riconsiderazione del proprio statuto identitario e della propria funzione in relazione ad una forza politica che ha in sé tutte le possibilità di rappresentare più di un terzo dei cittadini italiani qui ed in Europa con inedita autorevolezza. In conclusione ritengo che un Partito democratico di sana e leale costituzione farebbe spirare nell'intero paese un vento nuovo e tonificante.

La forma e la sostanza
Pancho Pardi

Un motivo essenziale mi fa considerare interessante la proposta di Paolo Prodi:

l'intenzione di non lasciare solo ai partiti il ruolo di promozione e guida del Partito democratico. C'è una logica chiara: i promotori non devono avere interessi personali, devono essere scelti con le primarie. Ma tutto il mistero sta nell'ultimo punto: il comitato potrà avere i poteri reali per preparare e guidare il congresso?

I due partiti principali che dovrebbero sciogliersi nel nuovo partito optano più per il rinvio che per l'avvio. E le opposizioni interne chiedono a buon diritto i rispettivi congressi per ratificare qualsiasi decisione. Così, le forze principali che dovrebbero fare il partito si studiano e attendono; al contrario gli ulivisti lo vorrebbero subito. In questo contrasto sui tempi si gioca un più essenziale contrasto sulla politica. I due partiti pensano a un patto per una politica neocentrista: il loro problema è stabilirne l'egemonia, e il tempo serve a questo. La spinta ulivista vuole dialogo aperto con la società e perciò fa appello subito al protagonismo civile. Sarebbe molto positiva una sua affermazione.

Ma i due partiti hanno annichilito il valore delle primarie e hanno rafforzato gli apparati con la nuova legge elettorale. Il timore è che gli ulivisti possano spuntarla solo sulla forma, mentre i due partiti terranno saldamente le mani sul-

sull'argomento, afferma che la differenza tra i generi è segnata da uno spartiacque marcato dalla violenza maschile (*Genere Spazio Potere*, Dedalo, Bari 2006, p. 13).

Sarà, ma l'impressione che se ne ricava è quella di un'estrema vaghezza. Un teorema fondato sulla tesi opinabile che le donne sarebbero «esseri umani migliori».

In effetti, data per indimostrabile la supremazia etica/genetica del femminile, ciò che conta è la prospettiva diversa messa in campo. La prospettiva di un «secondo sesso» sottoposto da tempi immemorabili a rapporti di dominio che ne hanno conculcato le potenzialità. Perciò, farle prevalere significa mettere in crisi culture e mentalità che su tali rapporti (a Occidente come altrove, più altrove che a Occidente) hanno edificato la dittatura maschile. Per una critica radicale dell'aggressività prevaricatoria di quel dominio, le cui prime vittime possono legittimamente contestarla a vantaggio di orientamenti al relazionale e all'affettivo; ben più funzionali al disegno di un neoilluminismo globalizzato.

Questo il compito delle donne in una società realmente parificata. Ma solo se davvero consapevoli del significato profondo della sottomissione di cui da millenni sono state vittime; prima che in quanto genere, in quanto creature umane. Insomma, l'idea di una cultura «sessuata» appare mistificatoria. E questo vale per le donne come – ad esempio – per i gay. Esistono – piuttosto – condizioni storiche in cui interi gruppi sociali sono sottoposti a prevaricazioni sistematiche che inducono l'elaborazione di controvalori. Dunque, non una cultura *di genere*, intesa come elaborazione di «reti di significati» derivanti da una dicotomia psico-anatomica (e sempre a rischio di sciovinismi alternativi), ma qualcosa di non meno significativo: sensibilità; appunto, una prospettiva. Di pura derivazione storica quanto importantissime.

A volte mi chiedo che cosa sarebbe stato del movimento internazionale progressista se – invece di un omarino con barbetta da burocrate, all'assalto nel '17 del Palazzo d'Inverno per imporre un'insalata russa di totalitarismo, fordismo e valori asiatici – avessero prevalso una piccola ebrea polacca e le sue prospettive di emancipazione. Se Rosa Luxemburg non fosse stata trucidata nel '19 sulle barricate di Berlino. Ergo, la prospettiva di emancipazione parificando i sessi richiede donne che rompano con la cultura dominante, non certo «zie Tom in carriera» che si ingegnano ad omologarsi, a *camaleontizzarsi più maschi dei maschi*. Che accettano di fungere da kapò, le collaborazioniste dell'ordine vigente e dei suoi modelli di rappresentazione.

Strada lunga, difficile. Per questo la politica delle «quote rosa» può essere accettabile. Ma solo se innova culture e pratiche; non un'operazione formale, burocratica ed ipocrita. Anche perché – come ha giustamente scritto Ekkehart Krippendorff – «la prospettiva femminista non costituisce un privilegio femminile».

In effetti, Friedrich Engels, che nel saggio su *L'origine della famiglia* del 1884 dichiara l'emancipazione della donna il vero metro su cui misurare l'emancipazione dell'intera società, o il Mahatma Gandhi, secondo cui «se la non violenza è la legge del nostro essere, il futuro appartiene alle donne», sono infinitamente più *femministi* di un qualunque respiro della *celodurista* Condoleezza Rice.

In conclusione, le parificazioni *ottriate* (graziosamente concesse) non garantiscono un bel niente se non ci aiutano a fuoriuscire dalle logiche autoperpetuative della corporazione politica in senso lato. Di quei *gentiluomini* che – tra l'altro – quando si riferiscono alle donne ne parlano elegantemente in termini di «gnocche» o peggio. Si pensi alle recenti intercettazioni telefoniche – tra Moggiopoli e Velinagate – che il ceto politico maschilista vorrebbe vietare a tutela del proprio diritto alla volgarità, prologo linguistico alla prevaricazione: un indignato padre di ragazzine meravigliose e indifese – quale il sottoscritto – resta ancora in attesa di qualche voce alternativa, proveniente dalle minoranze femminili cooptate da questo ceto politico. Non certo il birignao carrieristico di Anna Finocchiaro.

la sostanza. Così alla fine si potrebbe avere un Partito democratico con una parvenza di cultura ulivista e una dura direzione di tipo neocentrista, conflittuale a causa del suo dualismo. Timore aggiuntivo è che gli ulivisti si accontentino della parvenza. Del resto anche la più volte interrotta costruzione della sinistra unita appare incardinata assai più sui partiti che sui movimenti. In entrambi i casi si può sperare in esiti migliori ma, se andrà così, tra il Partito democratico e la sinistra unita continuerà a esistere un elettorato che vota ma resta privo di rappresentanza politica. Fino a quando continuerà a votare per partiti che non lo rappresentano?

Un dubbio geometrico

Lidia Ravera

La proposta di Paolo Prodi sta nel regno dei Cieli. Intenerisce ed è corretta. Sarà derisa e ostacolata come le premonizioni dei matti e i progetti dei santi.

Poiché propone di dare mandato per organizzare il primo congresso di un nuovo partito a personaggi espressi sì dalle forze politiche ma anche dai movimenti.

Poiché propone di nominare per la formazione del

cuore e del cervello di quello che potrebbe essere il primo partito in Italia (il più importante, il più influente, il più numeroso e sostanzioso) cittadini liberi da incarichi istituzionali o politici. Esterni, perciò, al gioco di reciproci condizionamenti che caratterizza la modalità dell'agire nelle sedi dove si decidono le sorti della polis.

Liberi dal peso della postazione-poltrona (raggiungerla, mantenerla, farla fruttare). E quindi agili, non manovrabili, non ricattabili. Cioè: ipotetiche variabili impazzite.

Poiché riconferma la fiducia all'istituto delle primarie, che sono, anch'esse, un rischio. Potrebbe ricevere il massimo delle preferenze qualche signorina (o signor) sassolino, di quelli che, per indole, amano infilarsi nelle scarpe di chi cammina in fretta seguendo strade collaudate. O addirittura indulge a qualche scorciatoia.

Magari gli dessero retta a Paolo Prodi (basterà il cognome, che sa di affidabile?). Ci credo poco. Dovesse accadere voterei, proporrei, candiderei, sosterrei e batterei la grancassa con viva partecipazione.

Mi resta un dubbio, per così dire, geometrico: il Partito democratico va da dove a dove? Quali sono suoi confini? Va da sinistra al centro? dal centro a sinistra? Come si amalgama-

GIORNALISTI SENZA ORDINE

Federico Rampini

Sono un «tesserato» dell'Ordine dei giornalisti dal 1982, anno in cui passai un esame di abilitazione privo di qualsiasi rapporto con le conoscenze necessarie per svolgere la mia professione. Nei 24 anni trascorsi da quando ho iniziato a fare questo mestiere – e anche molto prima che lo facessi io – più volte nel mio paese è stata offesa la libertà di stampa, la qualità e l'affidabilità dell'informazione. Le minacce più serie sono venute dall'intreccio tra politica, affari e mass media; dai conflitti d'interessi; dal duopolio o monopolio televisivo; e insieme dal servilismo, dalle collusioni e complicità che periodicamente si manifestano tra giornalisti e politici, tra giornalisti e potentati economici, o semplicemente tra i giornalisti e le loro fonti quando le notizie diventano merce di scambio per favori reciproci, al servizio di agende occulte e inconfessabili. È un male antico la sottomissione di una parte del giornalismo italiano a logiche di potere, di partito, di mafie, di cordate. Il ruolo dei mass media per far crescere una società civile informata e consapevole dei suoi diritti, decade ogni volta che i giornalisti servono interessi «altri» da quelli del loro pubblico. In nessuna occasione ho visto l'Ordine contrastare questi pericoli, mettersi di traverso alle trame e alle «cupole», svolgere un compito libertario, moralizzatore o di semplice disciplina deontologica. Non ricordo che l'Ordine si sia distinto per la sua efficacia nel difendere giornali aggrediti e intimiditi dal potere politico, o scalati da cordate finanziarie che volevano usarli come strumenti di pressione. Non mi risulta che l'Ordine abbia scatenato campagne coraggiose contro la lottizzazione della Rai, o contro l'ascesa del monopolio di Berlusconi nella tv commerciale.

Sforzando la mia memoria non riesco a trovare un solo episodio di «mala-informazione» – notizie false, palesemente partigiane, comprate e vendute – che sia stato rivelato e punito con severità dall'Ordine.

Una parte della mia attività lavorativa si è svolta negli Stati Uniti, dove ho avuto anche l'opportunità di insegnare al master di giornalismo dell'università di Berkeley in California. Negli Stati Uniti non esiste un Ordine dei giornalisti. L'accesso dei giovani a questo mestiere risponde a normali logiche professionali: un mercato del lavoro esigente e competitivo seleziona su basi meritocratiche, premia i più bravi. Le università fanno a gara per fornire corsi di formazione di alto livello anche in questo campo. I mass media americani reclutano più facilmente i giovani, e la qualità del prodotto ci guadagna. La tradizionale indipendenza dei giornalisti americani ha le sue origini in un forte senso del prestigio di questo mestiere, della sua autorevolezza, della sua funzione di guardiano verso i «poteri costituiti» in una società democratica. L'aggressività dispiegata normalmente dai cronisti americani in una conferenza stampa – davanti al presidente degli Stati Uniti o al presidente della Microsoft – è una merce assai rara in Italia dove il potente di turno viene trattato con un riguardo che a volte sfiora l'ossequio. Anche il giornalismo americano ha i suoi alti e i suoi bassi. Da questo punto di vista gli ultimi anni non sono stati il periodo più felice negli Stati Uniti. In particolare dall'11 settembre 2001 in poi, è accaduto che un male inteso patriottismo, una interpretazione miope dell'interesse nazionale, abbiano spinto alcuni ad abbassare la guardia verso il governo, a non esercitare vigilanza e spirito critico verso le verità ufficiali. Questi sono problemi dibattuti apertamente tra i nostri colleghi americani, soprattutto dopo l'esito disastroso della guerra in Iraq, ma non sono problemi che sarebbero risolti dall'esistenza di un Ordine, di cui nessuno sente la mancanza o invoca l'introduzione.

no tutte le anime che fin dal 1921 si dannano per convivere e ciclicamente divorziano?
Ma, naturalmente, la lista dei nomi dei candidati in corsa per il consiglio dei 15 saggi mi illuminerà. O no?

Fusione calda o nomenklature fredde?

Claudio Rinaldi

1. Condivido l'idea di un comitato promotore del Partito democratico che sia eletto dal popolo delle primarie. È un modo di limitare lo strapotere degli attuali gruppi dirigenti dei Ds e della Margherita. Si ridurrebbero gli opposti rischi delle manovre dilatorie e degli accordi spartitori fra nomenklature. Diventerebbe più probabile la fusione calda auspicata da Paolo Prodi.
2. Le primarie del 2005, però, coinvolsero tutti gli elettori del centro-sinistra; stavolta dovrebbero essere riservate a quelli che condividono la prospettiva di un Partito democratico, cioè di un soggetto che si distingue dalla sinistra radicale. Di qui l'esigenza di un filtro. Si potrebbe chiedere agli elettori del comitato promotore di sottoscrivere una brevissima dichiarazione che riassuma i principî e gli obiettivi del nuovo partito.

A redigere il manifesto potrebbe essere Romano Prodi, primo ispiratore del progetto.

3. Circoscrivere preventivamente lo spazio politico-culturale del Partito democratico appare tanto più necessario quanto più risultano evidenti le «gravi ambiguità», per dirla con Paolo Prodi, contenute in programmi onnicomprensivi e iperdettagliati come quello dell'Unione per le elezioni del 9-10 aprile. Occorre definire l'identità ulivista in quattro campi fondamentali: politica estera e di sicurezza, politica economica e sociale, questione morale, diritti civili.

4. Nell'organizzare il congresso della fondazione, il comitato deve preoccuparsi di favorire l'avvento di un partito che si giovi sia di un'ampia base popolare sia di una forte coesione. Ciò dovrebbe sconsigliare l'adozione di un democraticismo assoluto, tale addirittura da costituire la prima concreta applicazione dell'articolo 49 della Costituzione. C'è il pericolo di una fuga in avanti. Bisognerebbe invece introdurre procedure idonee a garantire che nel nuovo partito nessuna specifica componente politico-culturale abbia l'egemonia. Se il congresso facesse emergere un gruppo dirigente dominato dagli ex comunisti, per esempio, le chance di successo dell'impresa fatal-

L'unica funzione reale dell'Ordine dei giornalisti in Italia è quella di creare una ulteriore barriera artificiosa all'ingresso nella nostra professione. Si separa chi ha il privilegio di star dentro da chi sta fuori, gli insider dagli outsider. Questa barriera è costruita attraverso un esame di accesso e altri requisiti che non misurano la competenza o la professionalità, né esercitano un qualsivoglia filtro di controllo sull'etica, la correttezza, l'indipendenza di giudizio. L'ostacolo al libero esercizio della professione crea una rigidità ulteriore sul mercato, che si aggiunge ad altre rigidità già diffuse in Italia nei rapporti di lavoro. Per i giovani italiani è più difficile diventare giornalisti. Questo provoca dei danni collaterali di cui non soffrono solo i giovani ma l'intero sistema dell'informazione. La difficoltà di accesso accentua l'invecchiamento generazionale del nostro settore: di qui una lentezza nello sfruttare le potenzialità delle nuove tecnologie, nello sviluppare i nuovi media, nell'usare i nuovi linguaggi e nell'esplorare i nuovi interessi del pubblico. Ciò contribuisce a sua volta al declino della penetrazione dei mass media tra i giovani come pubblico. Le redazioni dominate da cinquantenni e sessantenni non sono necessariamente le più adatte per parlare alle generazioni dei loro figli o nipoti. Si evoca spesso, come se fosse ineluttabile, un «declino demografico» dei giornali, senza analizzare se questa perdita di lettori non sia dovuta almeno in parte alla composizione demografica di chi i giornali li fa.

Gli ostacoli al libero mercato sono quasi sempre dannosi, impongono costi alla collettività che non sono soltanto economici. Le barriere alla competizione sono certamente deleterie in Italia dove il mercato e la concorrenza sono concetti molto più discussi che sperimentati. Dalle banche alle assicurazioni, dai trasporti all'energia, dai servizi municipali ai notai e ai farmacisti, non c'è un solo caso in cui l'esistenza di monopoli, oligopoli, lobby e corporazioni abbia portato dei benefici alla collettività. La corporazione dei giornalisti non fa' eccezione. I privilegi, anche quando sono piccoli, sono sempre privilegi: diminuiscono la credibilità morale e l'autorità di chi ne trae profitto. Quando i giornalisti devono denunciare politici incompetenti e arroganti, amministratori corrotti, burocrati inefficienti, imprenditori rapaci, sportivi disonesti, qualcuno può sempre pensare «da che pulpito viene la predica». La cultura delle regole, lo Stato di diritto, la società aperta, si difendono non con i sermoni ma con i comportamenti.

L'Ordine dei giornalisti merita una sepoltura veloce e senza rimpianti. La sua soppressione non guarirà di per sé l'antico vizio di una parte del giornalismo italiano di lavorare «in ginocchio». Non scompariranno per miracolo il servilismo, l'opportunismo, la faziosità, la pigrizia o la viltà. Ma se non altro senza l'Ordine diventerà un po' meno difficile praticare questo mestiere per quei giovani che hanno grinta, talento, idee da far valere.

Di certo c'è bisogno di associazioni che difendano la libertà di stampa. Amnesty International e Reporters senza frontiere mi sembrano più qualificate.

mente diminuirebbero. La fusione calda fra tradizioni diverse richiede, almeno all'inizio, l'instaurazione di un effettivo equilibrio fra di esse. Per lo stesso motivo non è opportuno dare oggi per scontata l'adesione del Partito democratico al Partito socialista europeo. Precisare un quadro di valori è più importante che prefigurare un'affiliazione.

Troppo radicale per essere vero?

Pietro Scoppola

Non ho sotto gli occhi l'articolo di Prodi che lessi a suo tempo. Quel che mi colpì e condivido pienamente è il fatto di aver posto il problema del Partito democratico nei termini di un processo da aprire in forme tali da garantire la novità del soggetto e la sua piena autonomia dai partiti esistenti. Paolo Prodi ha ben messo in luce che il modo in cui si giungerà al Partito democratico, se mai vi si giungerà, coincide con la sua sostanza stessa. Insomma la procedura è sostanza: un partito che nascesse da una costituente, formata sulla base di primarie, secondo la proposta di Paolo Prodi, sarebbe del tutto diverso da un partito che nascesse dalla fusione dei due maggiori partiti esistenti. Un'operazione di questo tipo non potrebbe alla fine che rispecchiare il diverso peso organizzativo da essi raggiunto senza dare garanzie sul coinvolgimento di nuove energie: in definitiva il Partito democratico non potrebbe essere che un Partito socialdemocratico.

Ma temo che la proposta di Paolo Prodi, proprio per la sua radicalità, non avrà seguito. Servirà comunque come criterio di giudizio.

Comunque, auguri

Gianni Vattimo

Cari amici, grazie di avermi invitato a discutere la proposta di Paolo Prodi in vista della costituzione del Partito democratico. La trovo del tutto sottoscrivibile, nella misura in cui è una proposta procedurale. Se volessi partecipare alla fondazione del nuovo partito la adotterei senz'altro. Ma mi sono ormai convinto che l'iniziativa del Partito democratico sia politicamente remota da tutto il poco che ancora penso della politica in Italia. Non posso nascondere che scrivo queste note mentre Israele bombarda il Libano, e mentre molta «sinistra» che penserebbe di confluire nel Partito democratico esalta il suo diritto alla «autodifesa», preparandosi a

ABBIAMO VINTO! (ABBIAMO VINTO?)

Sabina Guzzanti

A tutti quelli che hanno firmato la proposta di legge per riformare il sistema televisivo, a quelli che hanno sostenuto attivamente questa battaglia e a quelli che la sosterranno nel futuro.

Martedì 12 luglio, abbiamo consegnato le firme a sostegno della proposta di riforma del sistema televisivo al ministro Gentiloni.

Il colloquio è durato due ore abbondanti durante le quali il ministro ha spiegato perché è sostanzialmente d'accordo con i contenuti della nostra proposta ed ha manifestato l'intenzione di portare a termine questa riforma entro un anno.

Non solo, ha aggiunto che appena il governo avrà buttato giù una sua proposta di legge su questo argomento ci saranno una serie di incontri con il comitato promotore per discutere i dettagli e le modifiche non sostanziali.

Dunque i nostri sforzi sono stati premiati. Complimenti a tutti per ora.

Il sottosegretario Luigi Vimercati ha lodato questa iniziativa perché per chi cerca di cambiare davvero i meccanismi malsani ma così radicati nella vita politica italiana, è fondamentale avere il supporto dell'opinione pubblica. Senza questo supporto della società civile e del mondo della cultura questi cambiamenti non si possono nemmeno immaginare.

Alla fine di questa riunione eravamo tutti piuttosto increduli e un po' commossi.

Il giorno precedente alla terza università c'era stata una serata di chiusura della campagna con Tana de Zulueta, Carlo Freccero, Paolo Flores d'Arcais e Marco Travaglio alla presenza di un centinaio di persone che hanno attraversato la città eroicamente durante la celebrazione tribale della vittoria dell'Italia ai mondiali.

Il numero dei partecipanti per forza di cose esiguo, anzi troppi ce n'erano date le circostanze, aveva smorzato la giusta soddisfazione per essere riusciti a raccogliere le firme necessarie in condizioni così difficili. Serpeggiava il dubbio di avere sprecato energie invano.

Invece abbiamo vinto!

Che sia una delle tante promesse che non vengono mantenute? Può darsi. Per ora però abbiamo segnato un punto. Finché la legge non passa si tratterà di sostenerla con altre iniziative, come quella bellissima del 15 gennaio all'Ambra Jovinelli quando abbiamo aperto la campagna della raccolta delle firme, e lo faremo. E ci divertiremo pure.

La rete che abbiamo creato per la raccolta delle firme è un bene prezioso per le iniziative future e per sostenere questa proposta quando verrà votata in parlamento.

Chi non si fosse ancora iscritto alla mailing list può farlo sul sito

www.perunaltratv.it

Per ora è tutto, continuiamo a tenerci legati. Un abbraccio a tutti.

votare una mozione sull'Afghanistan che conferma sostanzialmente la volontà italiana di continuare a militare agli ordini degli Stati Uniti. So bene che, realisticamente, non possiamo dimenticare di essere membri della Nato (ma Bertinotti non era contro?), di essere membri dell'Unione Europea la quale, pur non avendo una Costituzione, funziona però egregiamente solo come garanzia del libero mercato. Tutti valori – la civiltà occidentale «amerikana» e il libero mercato – che non solo non mi sento di accettare, ma contro cui militerei volentieri in un nuovo partito comunista. Che non c'è più, roba vecchia. Ciò che un partito anche solo decentemente democratico dovrebbe fare oggi in Italia è costruirsi some movimento di opposizione e resistenza contro lo sviluppo, il consumo, l'American way of life, le Tav e le basi americane che (vedi il caso Vicenza) si raddoppieranno fatalmente nel futuro. Difficile che il popolo delle primarie o secondarie voti mai un simile partito, programmaticamente, e *realisticamente*, orientato solo a impedire che le cose peggiorino oltre ogni limite. Chissà se le sinistre latino-americane (compagno Berlinguer, ci insegnano dal Cile...), o qualche altra moltitudine di «barbari», ci salveranno.

Comunque, auguri.

DEMOCRATICO È UN PARTITO...

Carlo Cornaglia

Questo mostro ci tormenta:
frena, accelera, rallenta,
lo si fa, non lo si fa.
A settembre si vedrà.

No, parliamone già adesso.
Rimandiam tutto al congresso,
forse nel duemilasette.
No, la base non lo ammette:

lo facciamo adesso o mai.
L'anno dopo è meglio assai,
se corriamo troppo, bada,
perdiam gente per la strada.

Se per diventare soci
non saremo più veloci,
rischieremo di cadere.
Non c'è nulla da temere

se non procediamo in fretta,
ecco qui la mia ricetta:
lo facciam per le europee.
Non abbiam le stesse idee.

Distruggiamo gli apparati.
No, van solo unificati.
Imbarchiamo i girotondi.
No, son troppo furibondi.

Se studiamo il recipiente
senza mai decider niente

sui reali contenuti,
prima o poi sarem fottuti.

No, il partito ormai c'è già:
è l'Ulivo... Ma va là,
per me e per il correntone
una riflession s'impone,

tutto men che democristi.
Tutto men che socialisti
per me che son popolare,
perciò è meglio rallentare.

Per me che son ulivista
democristo e socialista
non esiston proprio più:
unità, sola virtù.

In Europa al Pse.
Noi restiam nel Pde.
Se ne andrà, male che vada,
ciaschedun per la sua strada.

Per votar la leadership
non concorron solo i vip,
si faranno le primarie.
No, non sono necessarie,

il gran capo è Mortadella.
Il prevosto? Questa è bella,
fa già il capo del governo
e poi Prodi non è eterno.

Democratico è il partito
che in un gruppo avrà riunito
Belzebù con madre Chiesa.
Impossibile è l'impresa.

Quando papa Benedetto
sparerà qualche verdetto,
quando parlerà Ruini,
pronti guelfi e ghibellini

prenderanno a litigare
ritornando in alto mare.
Non si mediano i valori
fra chi un tempo stava fuori

e chi dentro Porta Pia.
Convincetevi, suvvia!
Democratico è un partito
da democrazia sortito,

percorrendo nuove vie.
Basta con le oligarchie
e le beghe societarie,
ritorniamo alle primarie,

diamo voce ai girotondi.
Ed ai capi moribondi
giunga un ultimo messaggio:
«Suicidatevi, coraggio!».

Sergio Staino

STORIA D'UN DISSESTO LEGISLATIVO

Le Camere moribonde hanno votato un testo – legge 20 febbraio 2006, n. 46 – che ha storpiato il quadro delle decisioni appellabili seguendo gli interessi privati dell'anomalo premier, secondo un Leitmotiv della XIV legislatura. Storia, filosofia e giurisprudenza dimostrano che prima le nuove Camere l'abrogheranno, meglio sarà.

FRANCO CORDERO

Esisteva un quadro delle decisioni appellabili. L'ultima prodezza della XIV legislatura lo storpia. Se vogliamo discorsi plausibili, converrà ricapitolare le idee perché ogni pratica intelligente nasce dalla buona teoria. Nei sistemi evoluti l'accertamento penale passa attraverso complesse operazioni cognitive. L'inquisitore aveva mano libera. Adesso vigono regole del procedere, ad esempio, quali prove siano ammissibili, come acquisirle, e via seguitando. Da due secoli esiste una dialettica processuale: dapprima è solo disputa su materiali raccolti in segreto, poi cresce, dal timido intervento difensivo nel lavoro istruttorio, cod. 1913, all'attuale regime della prova. L'art. 111 Cost. eleva la parità dei contraddittori a norma fondamentale, escludendo dal sistema ogni regola che alteri l'equilibrio. Se il

38 giudizio penale fosse evento a scena singola, quali erano *legis actiones* romane o assemblee germaniche, tutto finirebbe nell'unità di tempo, ora, mattina, giorno. Macchine simili sacrificano la qualità del responso all'economia. In età imperiale l'apparato romano ha una struttura verticale: al vertice sta l'imperatore; tale linea ascendente genera l'appello. Sentiamo Ulpiano: nessuno ignora quanto sia diffuso e utile, anzi necessario, l'«appellandi usus»; giudicare è impresa rischiosa, talvolta affetta da «iniquitas vel imperitia»; esiste un solo rimedio, ripetere l'atto su domanda del soccombente, col rischio d'errori (D. 49.1.1). Nel modello originario, detto «gravame», ancora reperibile in due istituti (opposizione al decreto penale e richiesta del riesame d'una misura cautelare), l'appello devolve l'intera *res iudicanda*: non importa cosa uno chieda o perché; niente l'obbliga a formulare motivi; l'organo *ad quem* giudica ex novo. All'estremità opposta stanno i rimedi rescindenti: l'impugnante allega dei vizi, ricorrendo i quali, sopravviene l'annullamento; in quanto occorra, il caso sarà rideciso da mani diverse. L'appello attuale devolve i soli punti investiti dai motivi, con larghe deroghe *pro reo*. I processi assumono così figure variabili: aperti da una domanda del pubblico ministero, finiscono nella prima sentenza, se nessuno impugna; l'appellante instaura il secondo grado.

Notiamo un punto capitale: l'appello presuppone decisioni soggette a critica; l'«iniquitas vel imperitia» considerate da Ulpiano implicano una gnoseologia, quindi metri secondo cui vagliare i responsi; la sentenza discende da un sapere storico e giuridico tecnicamente elaborati. Non cadono in tale sfondo gli *iudicia Dei*: infatti nascono irripetibili, supponendoli formalmente corretti; nessuno contesta nel merito duello, ordalia, giuramento purgatorio; l'effetto tranchant scatta in vacuo, indipendente dal come realmente stessero le cose. Non importano le verità storiche: conta la performance; l'agonista esce vittorioso se abbatte l'avversario o supera l'esperimento (ad esempio, tenendo in pugno un ferro rovente senza ustioni) o giura, sostenuto dai *coniuratores* nel numero e qualità richiesti. Le «purgationes vulgares» subiscono un rapido deperimento databile dal Quarto Concilio Laterano, 1215: venivano comode, sebbene fossero culturalmente superate; perso tale arnese, come sbrigare le cause? Sul continente sopravviene una metamorfosi: da atto agonistico delle parti la decisione diventa lavoro intellettuale d'un terzo; e sarebbe puro profitto se non lo pervertisse la *quaestio*, nome latino della tortura, estirpando il contraddittorio. Tale la rivoluzione inquisitoria, enorme fenomeno culturale. L'Inghilterra batte un'altra via. Già nel tardo XII secolo non era più tempo d'azioni penali private; Enrico II aveva introdotto il *jury* d'accusa: ventiquattro uomini del *locus delicti* stabiliscono se il tale debba essere giudicato. Caduti gli *iudicia Dei*, nasce un secondo consesso: dodici teste dicono cos'è avvenuto, non essendo testimoni; forniscono la premessa storica intuitiva delle decisioni. I «vere dicta» riempiono il vuoto lasciato da duelli, ordalie, giuramenti purgatori, il cui timbro irrazionale conservano, troncando ogni questione: la giuria è l'organo d'una cognizione mistica radicata nelle viscere comunitarie; quando abbia parlato, non restano più punti controvertibili. Tale rimane, importata nella Francia rivoluzionaria: Napoleone voleva disfarsene ma è l'unico punto su cui gli ex giacobini vincano; i verdetti erompono dall'«intime conviction», sì o no apodittici, ovviamente inappellabili. Così stavano le cose nelle corti d'assise italiane, prima che diventassero collegi misti.

Regole tramandate, concetti elementari: le Camere moribonde votano un testo talmente stravagante da non essere promulgabile; dal 9 marzo 2006 vige nella seconda versione (legge 20 febbraio 2006 n. 46). Secondo un *Leitmotiv* della XIV legislatura, regnano gl'interessi privati dell'anomalo premier: aveva corrotto dei giudici (consta da sentenze irrevocabili); un tribunale dichiara estinto il delitto *de quo*, grazie alle attenuanti generiche (esemplarmente non applicabili in un caso simile); pende l'appello del pubblico ministero; l'interessato lo teme; meglio premunirsi e sul tamburo gli yes-men delle Camere riformano l'art. 593 affinché i proscioglimenti diventino inappellabili. Taglio chirurgico o meglio cerusico.

I *soi-disants* riformatori cominciano dall'art. 428: il non luogo a procedere nell'udienza preliminare: era appellabile dal pubblico ministero e dall'imputato che mirasse a una formula più favorevole (art. 428); non lo è più; ricorrano in Cassazione, se vogliono. Le posizioni delle parti restano simmetriche. Niente da obiettare sotto tale profilo (art. 111 Cost., c. 2) ma ne salta agli occhi un secondo. L'art. 112 esige l'azione penale obbligatoria: il pubblico ministero la esercita chiedendo il dibattimento; un giudice l'accorda o nega; nel secondo caso, abortita l'imputazione, l'appello costituisce rimedio naturale, quale non consta che sia il ricorso davanti alla Corte; è lavoro da operatori del merito dire se i materiali raccolti bastino ad accuse sostenibili nel dibattimento. Che l'azione implichi decisioni appellabili, non è vero in assoluto: niente esclude singoli limiti all'appello; su tale presupposto, non esistendo ancora l'art. 111, c. 2, appariva giustificabile l'inappellabilità dal pubblico ministero della condanna a rito abbreviato, purché il *nomen delicti* resti qual era. Spetta al discernimento legislativo definire i poteri del pubblico ministero impugnante, nota Corte cost. 24 marzo 1994 n. 98, ma la scelta diventa eccepibile dal punto in cui guasti lo strumento d'accusa; è il nostro caso: i non luogo a procedere inappellabili mandano in fumo metà del potere d'azione. Qui non vale l'art. 593, c. 2 (nuovo testo), contemplante l'appello su prove «decisive», sopravvenute o scoperte *après coup*, sebbene siano proscioglimenti anche le decisioni negative dell'accusa: emerse nuove prove, gli artt. 434-37 prevedono una revoca del non doversi procedere; vi lavora l'organo che l'aveva deliberato rebus sic stantibus (siamo al grado infimo della *res iudicata*); e tale rimedio esclude gli appelli. I sistemi legali hanno una razionalità immanente nella quale ogni tanto battono testate i maghi apprendisti.

40 L'inappellabilità del non luogo a procedere solleva questioni più o meno discutibili. L'art. 593 nega al pubblico ministero l'appello contro i proscioglimenti, a rito speciale o nel dibattimento, e qui c'è poco da discutere, tanto grossa appare l'anomalia sintattica. L'uomo del parquet (gli addetti all'accusa nel vecchio lessico francese) talvolta appella *pro reo*: può darsi che lo difenda da capo a fondo; aveva chiesto l'archiviazione; il giudice gli ordina d'agire; lo fa obtorto collo chiedendo un non doversi procedere; nel dibattimento reitera i *petita*; ovvio che appelli, se il tribunale o la Corte glieli respingono. Ammesso l'appello *pro reo*, riesce assurdo negarlo *contra*. In spregio al contraddittorio i proscioglimenti diventano inappellabili: l'imputato conta su due gradi; all'accusa soccombente resta solo il ricorso in Cassazione. Superfluo dire perché non basti: lassù sfuggono questioni capitali; in particolare, la Corte non vaglia i discorsi narrativi; vaglio possibile e utile solo ad opera del giudice che li ha uditi, vedendo gl'interlocutori nell'esame incrociato, o può rinnovarlo ogniqualvolta i verbali destino perplessità. Nella questione se e quanta fede meriti il testimone, affiorano residui d'una logica del sentimento: terreno vietato al supremo laboratorio, purché il motivante tenga discorsi formalmente plausibili; e chiunque vi riesce. Insomma, mutilando l'appello alteriamo la bilancia del giudizio. Nel primo testo, non promulgato, le Camere lo negavano *tout court* contro i proscioglimenti. L'attuale secondo comma l'ammette su prove emerse poi, in quanto siano decisive: caso raro, anzi rarissimo; resta scoperto il «mal jugé» ossia l'«iniquitas» o «imperitia», come le chiama Ulpiano. Dato uno scenario istruttorio pacifico, chi giudica è fallibile nei due sensi, prosciolga o condanni, e l'unico rimedio utile è ripetere il giudizio, «revisio prioris instantiae». Saltano agli occhi i profili d'invalidità. Primo, l'art. 111 Cost., c. 2, esige armi pari, mentre l'art. 593 toglie all'uno quel che ha l'altro: l'errore è riparabile in secondo grado solo se vizia una condanna; i proscioglimenti nascono invulnerabili (a parte il ricorso), quasi fossero *iudicia Dei*. Mai visto un contraddittorio più monco e un giudizio complessivo meno sicuro. Cose simili avvengono solo nella procedura penale, materia ancora brada: l'equivalente civilistico sarebbe un regime diseguale del contratto a effetti precari (annullabile, risolubile, rescindibile), dove Primus goda dei rimedi negati a Secundus; cosa mai avvenuta né pensata; i civilisti ereditano tradizioni colte. Secondo, dall'art. 3 Cost. la Consulta ha enucleato una grammatica del ragionevole: è nonsenso che il pubblico ministero possa appellare la condanna, magari chiedendo varianti minime, e sia impotente davanti al proscioglimento; là soccombeva in parte; qui su tutta la linea. Notiamo ancora come i proscioglimenti anticipati (non doversi procedere o reato estinto) siano appellabili dal pubblico ministero dissidente, secondo l'art. 469, rimasto tale e quale: insigne antinomia; i rabberciatori non se ne sono accorti. Infine, art. 112 Cost.: un conto sono asimmetrie marginali nel rito abbreviato; altro confiscare al pubblico ministero l'unico canale su cui continuare l'azione penale fallita. Sotto qualunque aspetto lo guardiamo, l'art. 593 è nato morto. Impossibile rianimarlo, né basta elidere l'inciso sulla parità delle parti nell'art. 111, c. 2: persino se l'asimmetria fosse introdotta nella Carta, apertis verbis, resterebbe da stabilire fin dove sia compatibile con interessi d'un rango superiore; le norme penali vanno applicate giustamente, al qual fine cospira la dialettica del contraddittorio. Quattro secoli fa Ulisse Aldrovandi, insigne naturalista, compone una «Monstrorum historia». L'anomalo alligna anche nella natura iuris.

Come ogni macchina decisoria, l'appello implica dei rischi: è importantissimo l'«appellandi usus», nota Ulpiano, «cum iniquitatem iudicantium vel imperitiam recorrigat»; ma capita anche l'inverso, che siano male riformate decisioni giuste. Se ne occupa l'art. 2, c. 2, del protocollo n. 7 alla Convenzione europea sulla salvaguardia dei diritti dell'uomo e libertà fondamentali: ogni condannato ha diritto al secondo grado; quando la condanna sia emessa in appello, i singoli Stati concedono o no l'ulteriore giudizio; qui non vigono direttive europee. Vogliamo ripensarvi? Ante legge 20 febbraio 2006, lo *iudex ad quem* riforma e condanna. L'imputato sarebbe più garantito da una decisione rescindente: emessa la quale, un collegio diverso della stessa Corte decida ex novo il caso; tale l'unica configurazione ragionevolmente possibile. Non sarebbe una novità la doppia conforme, praticata in giurisprudenze rotali (qui nel senso che alla condanna occorrano due dicta, rescindente e rescissorio). Idem nel caso inverso, dell'appello contro condanne, se vogliamo il contraddittorio ad armi pari, né pare ortogenetica l'idea d'un processo la cui struttura vari secondo la decisione, favorevole o no all'imputato. È un capolavoro negativo questa legge 20 febbraio 2006 sferrata in articulo mortis dalle vecchie Camere: confidiamo nelle nuove; prima vi mettono mano abrogandola, meglio è.

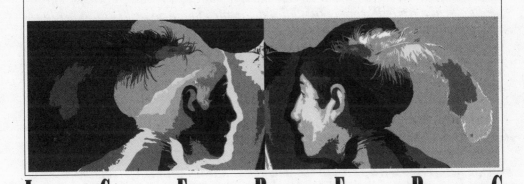

I C E B E R G

DIARIO DEL 'GRANDE VIAGGIO'

Nei giorni del rientro in Europa Adorno tenne un diario di bordo, in cui sfilano per l'ultima volta persone e luoghi degli anni americani, per ritrovare infine la Francia orgogliosa del dopoguerra e la Germania devastata dalle bombe. Uno straordinario 'inedito italiano' che svela l'uomo 'oltre' il professore della Scuola di Francoforte.

THEODOR W. ADORNO

Presentazione di Francesco Peri
Diario di un uomo

All'indomani della seconda guerra mondiale, vissuta dall'esilio americano con un misto di orrore e distacco, la comunità di studiosi tedeschi più tardi nota come

44 *Scuola di Francoforte riallacciava lentamente i contatti con il Vecchio Continente. Nel 1947 era uscita ad Amsterdam la* Dialettica dell'illuminismo, *e l'anno successivo l'editore Mohr-Siebeck di Tubinga aveva accettato di pubblicare la* Filosofia della musica moderna *di Adorno. Nei primi mesi del 1949 il rettore della Johann Wolfgang Goethe-Universität di Francoforte, a Los Angeles per incontrare Thomas Mann, aveva discusso con Horkheimer, a sua volta reduce da un primo sopralluogo in terra tedesca, la possibilità del rientro in patria dell'Istituto per la ricerca sociale. Qualche mese più tardi, facendo seguito a un invito ufficiale, Theodor W. Adorno si metteva in viaggio per ricoprire ad interim la cattedra assegnata all'ex professor Horkheimer a titolo di risarcimento, nella prospettiva di subentrare lui stesso a Hans Georg Gadamer, in procinto di partire per Heidelberg.*

Nei giorni del rientro in Europa, come solo in pochissime altre occasioni, Adorno tenne un diario di bordo, un documento straordinario nel quale vediamo sfilare per l'ultima volta, tratteggiate in un magnifico stile spezzato, le persone e i luoghi degli undici anni americani, per ritrovare infine la Francia orgogliosa del dopoguerra e una Francoforte devastata dalle bombe. L'irreale passeggiata per le rovine del Westend, il centro storico della città natale, è una delle pagine più belle mai uscite dalla penna di Adorno, che in queste annotazioni strettamente private, pubblicate per la prima volta nel 2003, l'anno del centenario, si conferma un prosatore di raro talento. La dizione stenografica, a tratti sconnessa, dell'originale è stata scrupolosamente conservata in italiano, e così la punteggiatura. Ci siamo limitati a emendare l'ortografia di alcuni nomi e ad aggiungere note esplicative ogniqualvolta sia stato possibile identificare un personaggio o dove sia sembrato utile chiarire una circostanza (gli interventi tra parentesi quadre, ad eccezione delle traduzioni in italiano, sono dei curatori tedeschi).

L'inedito Adorno privato emerso con le pubblicazioni del centenario ha consentito a qualche giornalista indiscreto di togliersi una meschina soddisfazione gridando «Ecce homo!» di fronte all'inatteso spettacolo dei lati più intimi, segreti e delicati dell'austero e venerato professore. Se però fossimo ridotti a credere che testi come questo debbano compromettere la memoria di un autore piuttosto che esaltarne la statura umana, che cosa pensare della nostra filosofia…?

Theodor W. Adorno: Diario del 'grande viaggio'*

Los Angeles, 11 ottobre 1949. Partenza per New York con il «Chief» (1). Gretel (2) mi accompagna in auto alla stazione. Là mi attendono Max, Fritz Lang, Lily (3). Parto con tristezza. Sensazione di essere oggetto di costellazioni, non realmente in grado di disporre di me stesso. Legame

---

* Tratto da: Adorno Archiv (a cura di), *Adorno. Eine Bildmonographie*, Suhrkamp, Frankfurt a.M. 2003, pp. 200-213.

(1) Storico treno passeggeri della Atchison, Topeka and Santa Fe Railway. Collegava Los Angeles a Chicago, ed era in grado di coprire la distanza in sole 63 ore.

(2) Gretel Adorno, nata Karplus (1902-1993), che Adorno aveva sposato a Londra nel settembre del 1937. Quando non specificato, le persone citate non sono state identificate.

(3) Fritz Lang (1890-1876), il regista di *Metropolis* e di *Dr. Mabuse*, uno degli amici più intimi dei coniugi Adorno nel periodo americano, e Lily Latté (1901-1984), sua compagna. Max è naturalmente Horkheimer.

infinito con Gretel fino alla morte. Non vorrei morire senza che lei fosse presente. Con Max di nuovo accordi su assoluto rispetto dei termini. Prima del viaggio mi fa: «Ça ira». Piccola cuccetta graziosa. Max mi ha dato il *Baudelaire* di Sartre da portare in viaggio. Osservazioni eccellenti, costruzione filosofica appiccicata sopra, a maglie di gran lunga troppo larghe.

Chicago, 13 ottobre 1949. Arrivo stanco dopo un viaggio senza avvenimenti.

L'ostilità della borghesia nei confronti della teoresi dipende dal fatto che con il pensare essa si renderebbe necessariamente cosciente del suo essere votata alla morte e in un certo senso toglierebbe se stessa, mentre proprio questo le è precluso in quanto *classe* dal processo vitale della società. Essa non *può* pensare e *deve* odiare il pensiero in nome della propria prassi ed esistenza. A ciò si riferisce l'idea di Max per cui i borghesi ostili al pensiero che tanto ci irritano, con tutto il loro senso pratico, sono precisamente quelli che in realtà non vogliono nulla. – Empirismo e «muddling through» [arrangiarsi alla buona]: il *fatto* incielato sorge probabilmente nell'istante in cui non si vuole più nulla.

Ho scritto a Gretel, a proposito del meccanismo della cultura di massa negli artisti, che l'impulso mimetico è *rinviato* all'applauso come ratifica e come scioglimento dell'incantesimo al tempo stesso – il lasciar-liberi di fare ritorno nell'esistenza empirica. Senza l'affinità con la follia. È per questo che sentono di avere pur sempre ragione contro di noi. Non sanno che con la reificazione dell'intero complesso della realtà e del rapporto s[oggetto]-o[ggetto] proprio l'immediatezza che essi rappresentano è *stregata* – è entrata al servizio della mediatezza assoluta.

Ho letto il *Baudelaire* di Sartre che Max mi ha dato alla partenza – con sentimenti oscillanti. Tangibile la contraddizione tra le osservazioni concrete spesso folgoranti (conoscerà o no l'opera di Benjamin?) e le categorie di una vuotezza compassionevole come «scegliere se stessi» eccetera, dalle quali lascia credere di averli fatti derivare. A suo tempo io ho tentato in un certo senso di tradurre *filosoficamente* Kierkegaard in categorie baudelairiane; lui riduce Baudelaire a una specie di Kierkegaard sbiadito. Dal punto di vista sociologico osservazioni eccellenti sulla posizione dello scrittore stanno accanto a ingenuità indescrivibili come la tesi per cui la classe borghese, al contrario dell'aristocrazia, non sarebbe parassitaria. – In questo Sartre mi fa pensare a debolezze mie nella misura in cui io stesso percepisco in noi la frattura tra costruzione dialettica e intuizione feconda (l'elemento meccanico della dialettica sul quale Max ha da ridire). Uno dei principali punti su cui concentrare il lavoro a venire.

C'è forse un nesso con una seconda cosa che mi è venuta in mente leggendo Sartre. Mi riferisco a una certa contraddizione tra i miei pensieri in campo estetico e le mie innervazioni artistiche primarie. Quelli sono baudelairiani-benjaminiani nel senso oggettivistico dello scrutare da parte a parte il soggetto come pura apparenza – queste assai più «soggettive», più calde, come latte appena munto, più espressive e così forti che la mia teoria non può niente su di loro: la mia musica è espressiva da cima a fondo. Oggi la *Fil[osofia].d[ella].m[usica].m[oderna]* mi appare come un primo tentativo di superare questo stato di cose. Però so che in senso artistico *e* filosofico tutto quanto ne dipende. In senso filosofico si innestano qui il mio riserbo sui falsi passaggi all'oggettività in Hegel (e in K[arl] M[arx], che da un punto di vista teoretico era troppo poco soggetto, cioè pensa nell'ambito della reificazione) e la mia inclinazione a fare l'*advocatus diaboli* e a difendere la cattiva coscienza quando discuto con Max.

Uscito dalla stazione alle due, girovagato fin verso le tre nel Loop (4). Chicago resta pur sempre, stando alla semplice impressione, la più inumana di tutte le città, e poi lo stupefacente aspetto desertico delle strade, dato che le centinaia di migliaia di impiegati concentrati nel quartiere sono ora tutti rinchiusi negli uffici dei grattacieli. Sporcizia indescrivibile, che di quando in quando dei negri ramazzano da un angolo all'altro.

New York, 14 ottobre 1949. La «donna superiore» ubriaca sul treno. Notte insonne, stanco ma senza mal di testa. Cerco inutilmente di dormire di giorno. Terribilmente caldo, qui. Molte telefonate, tutte di natura pratica.

L'incontro con mia madre (5). Così tremendo che mi mancano le parole, a meno di descriverlo in dettaglio. Non solo l'età l'ha come distrutta: il viso, anziché limpido, è frantumato in pezzi alla rinfusa (analogia con Schönberg). È anzi come se non fosse identica a se stessa ma quasi quasi una certa vecchia signora di cui vent'anni fa lei faceva l'imitazione per scherzo. Da questa angolazione piove una luce cattiva su *tutta* l'unità della persona. In aggiunta, spesso tratti che riconosco come anche miei, una certa agitazione maniacale, condotta all'assurdo palese. Nonostante ciò «senso di ritrovarsi» spirituale, anche fisico, a dispetto di un dimagrimento che dice poco di buono. Emergere di qualcosa di cattivo, mediato dalla diffidenza per i sordi e i ciechi. Le ha fatto un piacere infinito avermi lì, ma in modo astratto: «L'ho rivisto un'altra volta».

L'inquietante infermiera, che lei liscia come un animale, chiama *a good girl* eccetera. Il sospetto che non le dia abbastanza da mangiare. Trattenendola alla porta le ha detto: *I want no accidents* [Non tollero imprevisti]. Spettrale: l'inglese di mia madre è molto migliorato, perché nessuno le parla in tedesco.

Lettera cara e partecipe di Gretel. Diventeremo anche noi così? Al tempo stesso la consapevolezza della genialità di mia madre; il fatto che le

---

(4) Il centro storico ed economico di Chicago, oggi il secondo «business district» americano per importanza.

(5) I genitori di Adorno avevano scelto la strada dell'esilio dopo che gli uffici e i magazzini dell'impresa di famiglia erano stati danneggiati in un raid nazista (1938). Emigrarono dapprima a Cuba e più tardi a New York, ma non seguirono mai Theodor a Los Angeles. A quest'altezza la madre Maria è ormai sola: Oscar Wiesengrund si era spento nel 1946.

sono debitore di tutti i miei doni naturali, eppure non la sento affatto come la donna cui li devo. Ora *dinner* Leo (6). Poi Julie (7).

New York, 16 ottobre 1949. Il weekend con Carol. È arrivata con un quarto d'ora di ritardo alle porte della Public Library e mi ha colpito al cuore, non c'è niente da fare. Aveva un aspetto incantevole con la sua bellezza bizzarra, per così dire oltre-bruna, da cui emana un odore come di fumo. Che miscuglio di libertina e professoressa. Abbiamo mangiato da Rumpelmeier, le ho esposto in dettaglio il programma, che abbiamo seguito scrupolosamente; godere dell'anticipazione del piacere. Nella 5th Avenue dopo aver prenotato, delizioso. Pomeriggio degli eccessi più estremi in totale limpidezza e trasparenza. Una vera masochista: due orgasmi solo a colpirla nel modo più spietato. Il corpo scarno con le natiche segnate, una *malabaraise* bianca (8). La sua arte del tenere in sospeso, dei baci nel vuoto, «tantalizing» [provocante, adescatrice]. Il trucco nell'amare da dietro è avvolgere completamente nell'abbraccio. Cena da Luchow (9), tutti e due stanchi morti e poi dormito bene, al mattino ripresa secca, senza preamboli. Maturazione spirituale e umana. Grande correttezza e abnegazione. La sfera accademica è per lei il riscatto da un ambiente di completo sfacelo. Quanto alla politica, lei che ha tentato più volte il suicidio, ha imparato a liberarsi da se stessa, a pensare all'oggettivo. Forte, inoltre, una specie di fascino mascolino. Miscela di realismo americano e svagatezza romantica. Il delizioso «could you take advantage of a girl?» [potrebbe mai approfittare di una ragazza?]. Portava le sue calze più belle, probabilmente le uniche eleganti. Del tutto serena, partecipe, per di più senza sensi di colpa (è felicemente sposata). Soddisfatto, oserei dire sazio, ma triste, l'ho accompagnata alle 12 al treno. Siamo stati l'uno dell'altra per 23 ore.

Il pomeriggio mia madre, un po' meno inquietante. Poi Friedel (10). In condizioni spirituali migliori. La sua estetica del film può diventare qualcosa di decoroso, se per conformismo non le dà un taglio troppo formale. Motivo fondamentale: il film ha a che vedere con la contingenza della vita e con le cose estraniate. Per questo non è una totalità chiusa

(6) Leo Löwenthal (1900-1993), sociologo e studioso di letteratura, amico di gioventù di Adorno e membro storico dell'Institut für Sozialforschung.
(7) Julie Rautenberg, impiegata contabile dell'ingrosso di vini della famiglia Wiesengrund. Seguì i genitori di Adorno nell'esilio, restando loro vicina per tutti gli anni dell'emigrazione.
(8) Il Malabar è una regione sulla costa sud-occidentale della penisola indiana; Adorno sta quasi certamente pensando alla poesia di Baudelaire *A une Malabaraise*.
(9) Storico ristorante tedesco aperto nel 1882 sulla East 14th Street. Oltre a comprendere cucina tipica in genere, il menù offriva anche piatti tradizionali francofortesi.
(10) Siegfried Kracauer (1889-1966), filosofo, saggista e romanziere, amico di gioventù di Adorno e occasionalmente collaboratore dell'Institut für Sozialforschung. I rapporti con Adorno, inizialmente fraterni, si erano andati raffreddando nel corso degli anni Trenta, ma non si ruppero mai. Il libro in gestazione di cui si parla più sotto è *Theory of film: the redemption of physical reality*, 1960 (trad. it. *Film: ritorno alla realtà fisica*, il Saggiatore, Milano 1962).

48 ma indipendenza dei singoli momenti. Ho fatto presente che nell'*immagine* estetica anche la contingenza esigerebbe una totalità che renda possibile la contingenza, che contenga la mancanza di senso come intenzione. «Organizzazione del non-organizzato». Le linee di rottura che i frammenti disegnano nel loro insieme sono il codice cifrato da cui si genera il senso. Ne ha tenuto conto, sembrava non sapere quanto di tutto ciò si trova nel libro sulla musica per film (11). – Per il resto i soliti modi. Ha trovato riprovevole che sotto il mio influsso Max scriva così difficile, si è rallegrato del fatto che la lingua americana costringerebbe alla chiarezza. La maggior parte delle cose gli sembrano difficili. Ma nonostante tutto, dal lato spirituale è di nuovo messo meglio, non è più nemmeno così insensatamente vanitoso, perché ha più successo.

La sera Eduard (12). La sua interessantissima teoria su gesto ed espressione, la quale starebbe divenendo in un certo senso più vaga. Respinge la *Fil[osofia].d[ella].m[usica].m[oderna]* come troppo nichilista e prematura. Risolutamente contro tutta la faccenda Faust. A parte questo, in effetti si oppone solo alla pubblicazione del mio libro, nei fatti si dice d'accordo con la maggior parte delle cose. La rabbia di Schönberg nei miei confronti sarebbe la difesa della musica contro la filosofia. Fortissima l'impressione di un'*angoscia* irrazionalistica di fronte al sapere – solo la musica potrebbe risolvere i problemi che ho posto. Stranamente «positivo» e ostile alla coscienza, per trattarsi proprio di Eduard. Ci siamo accapigliati fino a notte fonda, ma eravamo più unanimi di quanto lo fossimo io e Friedel, che mi dava ragione su tutto.

New York, 19 ottobre 1949. Confusione spaventosa. L'altro ieri mi sono trattenuto da mia madre, poi Istituto. Nell'ufficio di Leo. La sera gente da lui. Discussione politica con Paul Massing (13), la sua tendenza a gettare via per delusione l'acqua del bagno con il bambino dentro. La solita disputa sul film di Amleto (14). Dignitosissime reazioni di Iggersheimer. La signora Rosand, che conosce tanto bene le mie cose.

A letto alle 2.

Ieri *traveller checks* in Banca, poi Signora Ippopotamo (15), più contatto. Comprato testi sociologici *downtown*. Poi dormito. Alle cinque e

(11) *La musica per film*, scritto a quattro mani con il compositore Hanns Eisler (1898-1962). Uscirà in inglese nel 1947 per la firma del solo Eisler, ma più tardi Adorno ne rivendicherà quasi per intero la paternità.

(12) Eduard Steuermann (1892-1964), pianista e compositore, allievo di Busoni e schönberghiano della primissima ora. Emigrò in America nel 1938. L'amicizia con Adorno risaliva agli anni viennesi di quest'ultimo e durò per tutta la vita.

(13) Paul Massing (1902-1979), sociologo tedesco, contribuì a coordinare le attività newyorkesi dell'Istituto e prese parte alle grandi ricerche sull'antisemitismo.

(14) Si tratta di *Hamlet* (1948), diretto e interpretato da Laurence Olivier (1907-1989). Ottenne 4 Oscar e diversi altri premi.

(15) La madre Maria Calvelli-Adorno, soprannominata «Nilstute» (immaginario femminile di «Nilpferd», ippopotamo) nella complessa mitologia zoologica di casa Wiesengrund.

mezza Lazarsfeld (16), atmosfera assai amichevole, tutto il contrario di prima. Promette di sistemare il «Labor Study», sostiene di non conoscere la nostra ultima edizione. Progetto Harper per libro musica [nota a margine: Cavallo(17)!]. Ha buone indicazioni bibliografiche. Più tardi la sua Patricia. Deludente. Sera da Julie. Molto piacevole. Nella questione principale si muoverà ok.

Ora aspetto Staudinger (18) e Ringer (19) per via del progetto che si basa sulle mie cose. Lazarsfeld vuole unirsi. Alle 11 e mezza mi viene a prendere Flowerman (20).

Non sono ancora riuscito a raggiungere né Luli (21) né Charlotte (22).

New York, 20 ottobre 1949. L'ultimo giorno – per quanto? Dormito troppo poco, ma sono del tutto fresco.

Ieri con Staudinger, persona gradevole (ricorda Ernst Cassirer) e il musicologo Ringer, un Teddie-fan (23). Preso con me i suoi lavori. C'era anche PFL [Paul Felix Lazarsfeld]. Amichevole e interessante.

Poi è venuto Sandy (24). Lunch alla *tearoom* russa, poi AJC (25). Strabordante. Promesso supporto a Slawson (26) su argomento interesse riguardo questione nomi Istituto. Con Vosk (27) discusso *technicalities* [faccende tecniche], anche Lix (28) *aknowledgements* [riconoscimenti]. Mi ha chiesto:

(16) Il sociologo Paul Felix Lazarsfeld (1901-1976), in America dal 1933. Fu per due anni direttore del Princeton Radio Research Project, che coinvolse Adorno nei primi mesi dell'emigrazione.

(17) «Pferd» è uno dei soprannomi di Gretel Adorno. Più avanti si troverà quello di «Giraffa». Nella corrispondenza privata Adorno è quasi invariabilmente «Archibald il re degli ippopotami», mentre Horkheimer è «il Mammut».

(18) Hugo Staudinger (1921-), teologo. I suoi rapporti con Horkheimer sono documentati da un carteggio pubblicato nel 1974, *Humanität und Religion.*

(19) Alexander Lothar Ringer (1921-2002), musicologo, autore tra le altre cose di diversi studi su Schönberg, è stato da ultimo professore emerito alla University of Illinois/Urbana-Champaign.

(20) Samuel H. Flowerman, direttore del Department of Scientific Research dell'American Jewish Committee (vedi sotto) e co-direttore degli studi sull'antisemitismo e sulla personalità autoritaria.

(21) La contessa Julie Goerz, nata baronessa von Bodenhausen (1902-1952), in arte Luli Deste, attrice. Fu molto intima dei coniugi Adorno nei primi anni a Los Angeles. Adorno ne fu violentemente infatuato, ma il rapporto rimase platonico.

(22) Charlotte Alexander, moglie e poi ex moglie del medico curante di Adorno, Robert Alexander. Intorno alla metà degli anni Quaranta ebbe una relazione con Adorno, troncata dal matrimonio con un certo dottor Violin.

(23) Teddie era il soprannome familiare di Adorno.

(24) R. Nevitt Sanford (1909-1995), sociologo e psicologo, all'epoca direttore del Public Opinion Study Group dell'università di Berkeley.

(25) American Jewish Committee, la fondazione da cui provenivano i finanziamenti per i progetti di studio sull'antisemitismo che occuparono buona parte delle forze dell'Istituto negli anni americani.

(26) John Slawson (1896-1989), dell'American Jewish Committee.

(27) Marc Vosk, dell'American Jewish Committee.

(28) Felix José Weil (1898-1975), economista e mecenate di nascita argentina e studi tedeschi, figlio di Hermann Weil, ricco commerciante di grani vicino a idee socialiste. Fu grazie al denaro messo a disposizione dalla famiglia Weil che nel 1924 poté venire fondato l'Institut für Sozialfor-

50   1) fargli proposte per *reviewers* [recensori];
2) problema della condensazione in un libretto;
3) editore in Germania.

Telefonato con Slawson ma non visto di persona. Provvedo oggi. Alle 6 da Leo, piacevole serata con molte discussioni. Alle 10 incontrato ancora Eduard, Clara, Erich Itor Kahn (29), ma tutti così stanchi che alle 12 tutti a casa.

Aiuto toccante da parte della signora Maier-Heumann (30).

A bordo della Queen Elizabeth, 22 ottobre 1949. Con le avvisaglie di un incipiente mal di mare, cerco di fissare qualcosa.

L'altro ieri di mattina presto sono poi riuscito a parlare con Slawson. La sua aggressione malevola, chiede se Sanford si stia dando da fare quanto me per i nomi Istituto. Mia rinuncia all'argomentazione, pregato come *personal favor*, evidentemente con buon effetto. Mi ha raccomandato a destra e a sinistra, mi ha dato per il viaggio l'interessantissimo memo Germania. Divorato ostriche come congedo, poi dalla Signora Ippopotamo. Assai padrona di sé ed eroica, in vecchio stile. È a posto ancora per 1 anno e mezzo. Si è rifiutata solennemente di dirmi addio.

Alle 3 in Istituto dettato lettere, parlato con il piccolo Maier (31). 6 e un quarto addio con Julie, sette e mezza da Herta (32), molto piacevole. Discorso su Kracauer e innumerevoli cose. Lei e Paul Massing mi hanno portato alla nave, dove non ho potuto mantenere la mia promessa di un invito per un cocktail. Dovuti scendere a terra alle 11, la nave però è partita solo a notte fonda, credo alle tre e mezza. Le sue dimensioni spaventose sono messe ancor più in risalto dal fatto che è mezza vuota. Buona compagnia: il segretario di ambasciata norvegese e la studentessa di pittura. Finalmente dormito a lungo e bene, ora però forze dannatamente ridotte e incapace di pensare.

Parigi, 28 ottobre 1949. Sono incapace di dominare le travolgenti, per me del tutto sorprendenti impressioni della prima ripresa di contatto con l'Europa. Il viaggio tempestoso ma tranquillo è un nulla completo al confronto; anche la graziosa Magda Brunner, cui il mio *attaché* norvegese è

schung a cui si lega il nome della cosiddetta Scuola di Francoforte, e le rendite di questo capitale iniziale (investito in Svizzera) furono determinanti per la sopravvivenza dell'Istituto dopo il 1933. Negli anni americani Felix Weil collaborò attivamente alle attività di ricerca dell'istituto.
(29) Erich Itor Kahn (1905-1956), compositore di origine tedesca. Amico di Adorno fin dagli anni Venti, emigrò dapprima in Francia e poi in America. Fu René Leibowitz (vedi sotto) a riportare l'attenzione sulla sua figura, alla quale dedicò una monografia.
(30) Alice Maier-Heumann, una delle segretarie di Horkheimer.
(31) Joseph Maier (1911-2002), allievo e collaboratore di Horkheimer negli anni americani, fu research assistant presso l'Institute of Social Research e membro del Princeton Radio Research Project. Per quasi due decenni è stato l'ultimo membro superstite del nucleo originario della Scuola di Francoforte.
(32) Herta Herzog (1910-1999), sociologa di origini viennesi, moglie di Paul Lazarsfeld e più tardi di Paul Massing.

piaciuto visibilmente più di me – è andata a letto con lui, certo, ma senza che la cosa mi ferisse minimamente, quanto poco risentimento nutro in fondo per cose che dipendono dal fatto che sono *middle aged*. L'ultima notte mi sono ritirato presto, ma non sono letteralmente riuscito a chiudere occhio per le palpitazioni – e i dolori al cuore (33). In piedi alle 6, colazione alle 7, poi aurora sul ponte panoramico con Magda e il norvegese, il mare prendeva colori sempre più vivi. Il profilo grigio della Bretagna. La sensazione vaga eppure distinta: tutt'altra cosa che l'America.

Sbarcato verso le 10, tutte le valigie radunate senza guai come i bambini sotto la campana (34). Formalità senza fine. Cherbourg sembra già bella e ricostruita, nonostante il porto del tutto tranquillo; in generale poche tracce della guerra tranne che a Caen; poi più nulla. Bellezza indescrivibile della Bretagna nella luce continuamente mutevole che filtrava dalle nuvole. Il verde saturo. I vecchi alti alberi espressivi, anche betulle. Villaggi, chiese di pietra. Sentieri con banchine, non si va in automobile. Cavalli vivaci e intelligenti. Una mucca con la testa di un comico. Discusso con l'oste sveglio. Le porte che bisogna chiudere; i compagni di viaggio americani che non lo sanno. Tutto in uno stato di commozione e smarrimento mai provato prima.

A Parigi è cresciuto fino al parossismo. Faticato per mettere al riparo le mie quattro cose, Magda dimenticata del tutto, non ci siamo neanche salutati. La conversazione con l'autista. I nomi delle vie e degli edifici mi hanno fatto l'effetto che avrebbe fatto a Hölderlin trovarsi di fronte il Parnaso e l'Elicona. A Place de la Concorde ho pianto. Alla stazione lo strappo: Benjamin non c'è. Installato in un posto grazioso e tranquillo su al sesto piano (il che si rivela oggi un favore sospetto, dato che l'ascensore non funziona). Prima impressione di povertà. L'hotel, che rispetto a prima si è fatto più sporco, non mette a disposizione neanche un pezzo di sapone, non una guida del telefono, solo una salvietta e un asciugatoio. *Quand même*.

Oggi domanda per il *military permit* (35), impiegato antipatico, ma lunedì le cose andranno a posto.

Ieri ho festeggiato l'arrivo con ostriche Belon (non buone come le Marennes) e pasticcio di starna freddo. A letto alle 8, dormito subito, svegliato a mezzanotte e mezza come avessi il mal di mare, sveglio per una mezz'oretta con un senso di malessere, poi riaddormentato fino alle otto e un quarto. Ora del tutto tranquillo. Lunga passeggiata per i Grandi Boulevard e le strade laterali (Helder, Drouot). Un radioso giorno d'au-

(33) Adorno, che morirà per un attacco cardiaco nel 1969, soffriva di gravi problemi alle coronarie già dal 1945.
(34) Allusione oscura, forse a una fiaba o a una filastrocca tedesca.
(35) Indispensabile per varcare la frontiera, dato che parte della Germania sudoccidentale era ancora protettorato francese. Francoforte sul Meno, invece, faceva parte della «American Zone». In realtà la Repubblica democratica tedesca era stata proclamata qualche mese prima (nel maggio del 1949), ma non fu riconosciuta pienamente sovrana che nel 1955.

tunno pieno di profumi. Mi sono lasciato trasportare dalle strade, senza meta, come ai vecchi tempi. La grazia della gente che sorride, l'elemento umanizzante nella lingua. La povertà diviene stile. Molti hanno l'aria di «fare *résistence*», con un certo orgoglio, ma il fatto è che non hanno nient'altro, un po' come in Germania prima del fascismo. Molte donne senza calze. Il cappotto ridotto a difesa contro il freddo. Pochissimi in abiti eleganti, molti visi smunti, anche affamati. Nel centro tentativi sprovveduti e commoventi di ingraziarsi gli americani.

Farfalla colpita con lo schiacciamosche. Senso di qualcosa che la storia ha condannato, ma che sopravvive ancora. Il tipico gesto dei parigini – passar sopra a ogni *inefficiency*, a ogni idiozia cavandosela con il gesto dell'intelligenza, o meglio con il linguaggio. Somiglia molto a quel che faccio io. Finalmente non devo più sentirmi in imbarazzo a essere gentile come sono.

Il pomeriggio scritto, dopo pranzo da René Leibowitz (36).

Parigi, 30 ottobre 1949. Piuttosto stordito, tento di raffazzonare qualche impressione.

Stupenda la serata da Leibowitz. Ellen, sua moglie, non solo infinitamente attraente, ma poi così gentile, ricca di senso artistico e musicale. Con lui molte vedute in comune in campo estetico, come il paragone tra Mahler e Van Gogh.

Dischi di musica moderna. Di suo l'aria da concerto *Tourist Death*, molto originale, piena di slancio, drammatica in un modo che richiama lontanamente Berg, ma con un senso di snellezza al modo francese. Poi un quintetto per fiati, ottima scrittura strumentale, la forma del primo tempo quasi impossibile da desumere all'ascolto, il secondo (variazioni) più perspicuo fino a una chiusa leggermente opaca.

Di Webern il Concerto da camera op. 24. Il primo tempo è la cosa più ricca e sciolta di questa fase. Il secondo già intestardito in semiminime come il quartetto per archi op. 28, ma con una splendida coda conclusiva. Il terzo mi è parso un po' povero. Nel complesso senz'altro una delle opere migliori dell'ultimo periodo. Alla fine l'*Actus tragicus* di Erich Kahn per orchestra da camera. Composto con una cura spaventosa (scrittura *à la Pierrot* (37), eccellente strumentazione, «niveau» [alto livello tecnico] dall'inizio alla fine, ma senza vera necessità interna. Opera di uno che sa come dev'essere fatta la musica migliore oggi possibile, ma che compone seguendo questo sapere, non l'intuizione specifica. Mancanza di sviluppo; monotonia della ricchezza. Niente veri profili.

Al piano nuovi *Lieder* di René, mi è piaciuto in particolare il primo (sopra una spécie di pedale tenuto, lontana somiglianza con il *Welt der Ge-*

---

(36) René Leibowitz (1913-1972), compositore, direttore d'orchestra, musicologo e teorico della dodecafonia, uno dei più strenui sostenitori della scuola di Schönberg in Francia.
(37) Il *Pierrot Lunaire*, op. 21 di Schönberg (1912).

stalten di Webern) (38). Poi alcuni del suo allievo Casanova (39), piuttosto impacciati (parte del pianoforte), ma *grandiosi* all'ascolto, con tutti i crismi di un grosso talento – del compositore nato.

La serata, in un appartamento di indescrivibile squallore, è passata in un volo. All'una e mezza mi hanno accompagnato a casa a piedi. Ottima intesa con Ellen. Veri amici.

Ieri al Louvre la mattina presto. Studiato soprattutto i classicisti. Che distanza da Beethoven. Le *Sabine* di David, per dirne una, sono un polpettone – tutto il contrario l'*ouverture* del *Coriolano*. Le analogie stilistiche tra le due arti sono pur sempre molto improprie. Insensatezza del confronto con Rembrandt (40). In quest'ultimo ancora nelle opere tarde qualcosa di un complesso di suggestione che sembra risiedere nel materiale della pittura, del tutto assente in B[eethoven]. – Scovato quasi per caso la *Monna Lisa*: che quadro, se solo non fosse la *Monna Lisa*. – Il magnifico *Bacco* di Leonardo. Il Descartes di Hals: come la malignità di Nietzsche si immagina un filosofo. Un importante Rubens. *Ad vocem* Delacroix: i seni della libertà che guida il popolo sono *nudi*.

Assurdità di quanto si dice sulla decadenza dei francesi. Quasi troppo poco. Per motivi che richiederebbero un'analisi economica sono rimasti al di qua dello sviluppo monopolistico – antropologicamente sono ancora individui, quasi accaniti nella loro individualità. Troppo *forti* per essere all'altezza di questo mondo – i loro punti di forza le loro debolezze. Le mie considerazioni sul fatto che da solo, senza Gretel, non vivo più volentieri. Nessun piacere nella cosiddetta libertà. Senza saperlo, ho realizzato il matrimonio.

Strepitoso *lunch* con René + Ellen alla Rôtisserie Périgourdine (Rouzier) (41). La penultima bottiglia di Borgogna. Rimasti fino alle 4. Ci siamo dati del tu con René, è la prima volta da Lily tre anni e mezzo fa. Ellen si è unita [nota a margine: niente donne eleganti].

Dormito esattamente un'ora e mezza. Alle 6 cocktail con l'orripilante BB. Non ho cenato. Place Pigalle, puttane gentili e del tutto borghesi, un po' di cattiva coscienza. Alle 11 a letto.

Stamattina presto cercato inutilmente di raggiungere Fred (42). Poi da Arnold, che adesso si chiama Levilliers (43), da Gometz-le-Châtel, sulla

---

(38) Il primo dei cinque *Lieder* op. 4 su testi di Stefan George (1909).

(39) André Casanova (1919-), compositore francese, autore di opere e di un importante catalogo sinfonico.

(40) È possibile che Adorno pensasse qui a Paul Bekker (1882-1937), che aveva riproposto il parallelo tra Beethoven e Rembrandt in *Musikgeschichte als Geschichte musikalischer Formwandlungen* (1926).

(41) Édouard Rouzier, ristoratore e specialista di gastronomie regionali, era il proprietario della storica Rôtisserie Périgourdine, al numero 2 di Place St. Michel.

(42) Frederick Goldbeck (1902-1981), direttore d'orchestra e critico musicale, amico di Adorno fin dagli anni della Repubblica di Weimar e più tardi attivo in Francia.

(43) Si tratta del nipote di Else Herzberger (vedi sotto).

via per Chartres. Else (44) gli ha comprato una casa stupenda per 500 mila franchi (tanto poco che è quasi una barzelletta – fanno circa 1.500 dollari). Senza riscaldamento, però; assiderato (fa un freddo cane a Parigi). Si è lasciato andare del tutto, dapprima scostante, poi è venuta fuori un po' di finezza (analogia con E.[gon Wissing]) (45). Dev'essere guasto nel profondo, una specie di Hjalmar Ekdal (46) ebreo (non è così raro).

Colloquio con Else. Mi rinfaccia soprattutto di non aver fatto abbastanza per Walter!!!! E che non l'avrei sostenuta finanziariamente (viveva in Argentina con 250 franchi svizzeri, il che corrisponde allo standard di me e Gretel). Tratti paranoici. Il magnifico paesaggio – campagna. Passeggiata. La libreria di Arnold *à la* Brown [?].

Vive di 30 mila franchi con moglie + 2 bambini, al mese. Dice che con 60 mila si vive bene, con 100 mila alla grande. Siamo dei pazzi.

La famiglia. Carina la moglie, un po' scialba. Graziosi bambini piccoli. La figlia Marianne è molto intelligente, bel visino, orrendo il personale. Idealmente sarebbe una studentessa radicale, ma perduta a causa della scepsi, del realismo e della mancanza di sogni – in parte è la generazione, in parte l'esperienza personale (separazione dei genitori). Mi ha invitato a pranzo per domani. Una raccapricciante coppia di emigranti di nome Feldstein, ancora una donna del genere. Alle 7 a casa, mangiato solo a Versailles, pensato a Benjamin.

In hotel il messaggio di Beß Taffel (47). Poco dopo ha chiamato la bella Magda. Dunque la storia non è finita. Ma io sono molto triste, soprattutto per via dell'estraneazione da una gran parte del mio passato, di cui pure Arnold mi ha dato un senso molto forte.

Parigi, 1 novembre 1949. L'ultima sera qui. Ieri tranquillo. La figlia di Arnold a pranzo, il suo complesso nei confronti di Else, i modi in cui lei la demoralizza. La sua dichiarazione spontanea che non commetterà suicidio; dunque avevo visto giusto, presentendo il pericolo. L'episodio commovente con la starna. Non abbiamo quasi idea di quale riserva sia per noi la nostra giovinezza spensierata. Forti fenomeni di compensazione nella ragazza.

Qualche difficoltà nella rue de Greuze, ma ho ottenuto senza problemi il *military permit* con diverse autorizzazioni allo spostamento. Dormito, vi-

(44) Else Herzberger (1877[?]-1962), imprenditrice, amica di famiglia dei genitori di Adorno. Negli anni dell'esilio parigino di Benjamin Adorno intervenne a più riprese per ottenere da lei un sussidio economico in favore dell'amico, con esiti alterni. L'irritazione tradita qualche riga più sotto si riferisce all'entità tutto sommato trascurabile dell'impegno economico profuso da Else, a fronte di un'inspiegabile «delusione» per la scarsa sollecitudine dimostrata a suo parere da Adorno.
(45) Egon Wissing (1900-1984), medico, marito della sorella minore di Gretel Karplus, Liselotte. Amico di Walter Benjamin, fu tra l'altro il supervisore dei suoi esperimenti con l'hashish.
(46) Il protagonista di *L'anitra selvatica* di Ibsen (1884).
(47) Verosimilmente una delle «filles» che né Adorno né Horkheimer trascuravano di visitare passando per la capitale francese, come attesta il carteggio.

sto una seconda Beß, poi letto gran parte del lavoro di Ringer (48), di gran lunga troppo ingenuo nell'impostazione positiva, genere beni culturali.

Cena da René ed Ellen, con Kahnweiler (49), il suo brusco rifiuto di Cocteau come semplice parolaio da salotto, *second hand*. Senz'altro ingiusto, ma uno dovrebbe conoscere le esatte «quotazioni» vigenti in un ambiente intellettuale per poter scrivere qualcosa come il mio Stravinskij in modo pienamente corretto. K.[ahnweiler] nega, immagino sotto l'influsso di René, il rapporto tra Picasso e Stravinskij; ne vede però uno con Schönberg. Giusto nel senso del livello qualitativo e molto indiretto, quasi per nulla nel senso dello stile; si frappone la decisiva differenza di stile. Splendida serata, fino a tarda notte. René mi accompagna all'hotel. Lo sento molto vicino.

Oggi con Magda. Il suo piacevolissimo, discreto Hotel Windsor Étoile. Lunga passeggiata Champs Élysées, di nuovo il piacere delle strade. Prima delle 12 Notre-Dame, in mezzo alla folla che sciamava dalla chiesa. Organi possenti, luce incomparabile dalle finestre variopinte, impressione di una grandezza storica quasi fittizia. Il luogo ricorda la Germania. Molto tempo sulla sponda; autunno commovente (e ieri sera tornando a casa con René per la rue du Bac, le vie che echeggiavano vuote).

Infine all'hotel con il *métro*, andato a prendere la signora Mamma. *Lunch* alla Belle Aurore; neanche da paragonare a com'era prima. Pensato al Cavallo.

Al tè congedo da René, ho portato con me Magda, che è ottima compagnia e bella da guardare. L'ho pregato di suonare il suo concerto da camera sul grammofono, cattiva registrazione, ma il pezzo mi ha fatto una buona impressione, in particolare l'ultimo tempo. Unica questione quella della *necessità*, oggi ogni musica deve prendere posizione in merito; anche del tono specifico dell'opera – in passato si sarebbe detto: dell'*idea*. Sembra esserci una specie di contraddizione tra l'altissimo livello compositivo e la questione del *cui bono*. Però il pezzo è molto complesso e potrei sbagliarmi di grosso. – All'hotel, pagato, fatto le valige, scritto a Gretel, sono un po' stanco e guardo a quello che verrà con una sorta di vuota incertezza, eppure senza vera tensione. Vorrei solo che i prossimi tre giorni fossero già alle mie spalle.

Francoforte sul Meno, 3 novembre 1949, 1 a.m. Dopo un viaggio pieno di intoppi – era un convoglio militare – sono giunto qui con molte ore di ritardo ma sano e salvo con tutti i bagagli e mi sono sistemato dignitosamente nella pensione Zeppelin, di fronte all'università. Lo shock del calpestare nuovamente suolo tedesco, del rivedere la mia città natale non

(48) Non è chiaro di che cosa possa trattarsi. Del musicologo Alexander Ringer, all'epoca ventottenne, non risultano a questa altezza che recensioni sparse.

(49) Daniel-Henry Kahnweiler (1884-1979), storico gallerista e mecenate parigino di origine tedesca, uno dei primi sostenitori di Picasso e di Braque.

c'è stato. Ho passato tutto il viaggio a leggere la *Ingénue libertine* di Colette, un po' kitsch, con eccellenti dettagli per una fisiognomica della frigidità e una conclusione davvero positiva. – E però mentre raggiungevo la pensione, a notte tardissima, l'agghiacciante vista del Westend per metà distrutto, per metà incendiato. Le case assomigliano più di ogni altra cosa a fabbricati in demolizione; espressione senza storia, repentina, scioccante. – Servilità e zelo eccessivo della gente, ma al tempo stesso sempre sulle difensive e pronti a scaricare la colpa sugli altri; eppure sono piuttosto lacché delle grandi potenze che nazi. Stanco morto. Tento di dormire. La pensione (camera singola) a 7,50 al giorno; mi sembra molto caro.

Francoforte sul Meno, 3 novembre 1949. Quaggiù la lettera per Gi[raffa] (50). Poi: alle 2 è venuta la vecchia Annachen (51), incontro toccante ma senza grandi strida. Ha l'aspetto di una graziosa vecchietta. Quando le ho chiesto che atteggiamento avesse tenuto non ha accampato scuse: dice che nazi non è mai stata, che sarebbe venuta dannatamente volentieri a trovare i miei genitori, ma che semplicemente aveva paura che suo marito perdesse il posto. Le credo. – Suo marito è pensionato, lei percepisce una rendita, così se la passano assai bene e lei ha l'orgoglio di una piccola *rentière*. Non desidera più lavorare sul serio, anche per via della mano (a destra ha perso il dito medio), ma naturalmente aiutarmi sì. Non aveva niente di ottuso; solo l'ingenua ammissione che i due avrebbero «fatto finta di non sapere nulla» e la gioia perché suo marito non è diventato un PG (52), perché altrimenti non avrebbe ricevuto la pensione. Poi da Christ, molto scaltro, è per una messa in atto rapida. Domani mi manderà 500 marchi a conto. Eventualmente per mio interesse.
A lungo per la città. Innanzitutto la Bockenheimer Landstraße, intatta per essere Francoforte, ovvero è a terra solo una casa su due. Dappertutto la più selvaggia attività di ricostruzione. L'Opera è bruciata e ghigna: al Vero, al Bello, al Buono. Goethestraße, Goetheplatz praticamente irriconoscibili. Della Hauptwache è rimasta una rovina. Il palazzo di Charlotte sullo Zeil è andato a fuoco, però il parterre è in attività. La Katharinenkirche, dove ho fatto la cresima, distrutta; distrutta anche la Liebefrauenkirche di Agathe. La Neue Kräme è andata. La Città Vecchia è un *nightmare*, un sogno d'angoscia dove tutto si vede al posto sbagliato, così l'intero duomo visto dal Römerberg. La Fontana della Giustizia rimasta sola sul Römerberg devastato. Solo alla vista del Ponte di Ferro mi sono reso conto del carattere fantastico del tutto; avevo l'impressione di non essere là.

(50) Altro soprannome di Gretel Adorno.
(51) Probabilmente un'ex domestica di casa Wiesengrund.
(52) «Prisonnier de Guerre».

Alle 4:30 da Podszus (53). È uno di quelli che conoscono a menadito le nostre cose; conosceva bene Benjamin e Schoen (54), anche Dora (55). Entusiasta per i M[inima] M[oralia]; ha anche degli alleati. Ma tutto si sta fondendo con la Fischer, e Behrmann odia Max e me. Lo stesso – e non mi sorprende – per Sternberger (56), che ha rifiutato lo Strauß (57). Tuttavia P[odszus] mi ha detto che forse riesce ancora a farlo passare e mi ha chiesto altro tempo. Dice che si lavorerà Behrmann in modo sistematico. Colloquio dettagliato la prossima settimana.

Cocktail al Frankfurter Hof, una Manhattan più cara e più brutta, ho pensato a *Badger* (58). Atmosfera di spacconeria disgustosa, fredda e luccicante di oro finto. Niente belle donne. *J'en ai assez.*

Cenato bene al ristorante della pensione, ha chiamato Franz (59), è per il fine settimana ad Auerbach (60). Domani comincio a preparare la lezione.

Francoforte sul Meno, 10 novembre 1949. Riprendo solo oggi gli appunti. La prima impressione degli studenti è stata eccellente. Terribilmente seri, operosi, diligenti. Eppure la spaccatura mostruosa tra intelligenza e preparazione. Di circa 30 all'esercitazione su Aristotele potevo presupporre una rudimentale conoscenza della *Politica* al massimo in due. Ho dovuto esporre io, senza i testi sottomano. *Les contes d'Hoffmann* senza musica (61). – La loro serietà ha poi qualcosa di accanito, di non libero. Lo spirito da studenti a un esame trasferito anche su Hegel. E tuttavia posso parlare loro delle cose più difficili in modo differenziato senza dover temere il sabotaggio del sano intelletto comune. E poi sono gentili. L'assistente, il signor Altwicker (62), sembra un Joseph Maier cristiano, e lo è. Tra l'altro c'è anche la figlia di Niemöller (63).

(53) Friedrich Podszus (1899-1971), consulente editoriale e collaboratore della Suhrkamp Verlag. Fu attivo anche come traduttore e partecipò all'edizione delle opere di Benjamin.
(54) Ernst Schoen (1894-1960), musicista, scrittore e direttore della radio di Francoforte nella fase pionieristica a cavallo tra gli anni Venti e Trenta. Grande amico di Walter Benjamin.
(55) Dora Sophie Benjamin, nata Kellner (1890-1964), moglie di Walter Benjamin dal 1917 al 1930. Dal matrimonio – burrascoso e infelice anche a causa dell'attrazione di Dora per Ernst Schoen (vedi nota precedente) – nascerà un figlio, Stefan Benjamin (1918-1972).
(56) Dolf Sternberger (1907-1989), filosofo e politologo tedesco. Negli anni giovanili fu in stretto contatto con Adorno e Benjamin, ma i rapporti si deteriorarono rapidamente nel corso degli anni Trenta.
(57) Allusione oscura.
(58) «Il tasso», soprannome del regista Fritz Lang.
(59) Franz Calvelli-Adorno, cugino di Adorno, figlio dello zio materno Louis Prosper (vedi sotto).
(60) Probabilmente si tratta dell'omonima località nella zona di Bensheim, nell'Assia, a metà strada tra Francoforte e Mannheim.
(61) Allusione all'«opéra fantastique» di Jacques Offenbach (1881) ispirata a tre racconti di E.T.A. Hoffmann.
(62) Norbert Altwicker (1923-), filosofo, autore di opere su Hegel e Spinoza.
(63) Martin Niemöller (1892-1984), pastore, teologo e militante antinazista.

58 Sono stato presentato alla facoltà al completo dal decano in abito da cerimonia. Mi sono commosso, non posso negarlo. Lezioni affollatissime, oltre 150 studenti. Se continua così dovrò spostarmi in un'altra aula. Oggi ho illustrato in un'ora sola il concetto di dialettica rifacendomi al § 31 della *Filosofia del diritto*. Ma è andata bene, penso.

Gente. Weekend da Franz Adorno. Ricevuto con grande affetto in una situazione di penuria percettibile. Si è fatto cattolico praticante, ma di sinistra, *à la* Bernanos. Posizione non proprio meditata fino in fondo. Preghiera prima dei pasti e chiesa. Agatchen (64) è un nano viziato con volto umano e begli occhi. Si vede che è stata trattata bene e con gentilezza, ma sarebbe bello se in generale non stesse in tutto, anche in musica, dalla parte della Chiesa. Helenchen non è quasi cambiata, con interessi culturali e tuttavia dannatamente realista. Lujche (65) *took me for granted* [mi ha dato per scontato], non era stupito di rivedermi. La morte della moglie – aveva il cancro anche *prima* della deportazione – ha liberato in lui qualcosa di duro, di cattivo, qualcosa di simile a quello che adesso emana talvolta a sprazzi anche da mia madre. Strano contrasto con i tratti propriamente lujcheschi.

Auerbach non mi è sembrata per nulla così dissimile da Gometz (66), l'architettura non è granché bella, il paesaggio – domenica, di mattina presto, ha nevicato – lo è di più, da lontano scompare la differenza tra Germania e Francia. La neve ha portato il gelo – sabato era barbarico. Fino ad ora, *touch wood* [tocchiamo ferro], ho resistito al cambio di clima senza guai e mi sento molto più attivo che a LA. La sera bevuto una bottiglia di vino con la graziosissima signora Otty Schultze e preso accordi con lei per il weekend sul Taunus (67). Chi sa poi se si farà.

Lunedì era il primo giorno di università. Sono stato molto preso, ma poi sono andato lo stesso da Juliette (68). È diventata una vecchia signora – conservando pur sempre un gran bel personale. Non riveste più il ruolo di moglie, non ha più sentimenti, però ha un amico ungherese giovane e gagliardo. Purtroppo compensa un po' mettendosi in scena come personalità. Racconta piacevolmente, in modo un po' sforzato, senza spontaneità. Per esempio la storia della granata nella stanza e la paura che un topo potesse farla esplodere. Finanzia i suoi viaggi tenendo dappertutto da tre anni la stessa conferenza su Goethe. Una sfumatura dimessa e triste. Ma molto amichevole. Podszus. Un uomo assolutamente notevole – forse un amico, di certo un gran conoscitore. Le sue storie sul padre di Luli. Sa davvero tutto – come se di nascosto avesse tenuto un diario sul-

(64) Agathe Calvelli-Adorno, cugina di secondo grado, figlia di Franz Calvelli-Adorno (cugino di Theodor) e Helene Mommsen. Da non confondere con l'omonima zia materna, l'adorata «seconda madre» di Adorno, morta nel 1935.

(65) Lo zio materno di Adorno Louis Prosper Calvelli-Adorno (1866-1960).

(66) Probabilmente Gometz-le-Châtel, nell'Essonne. Non è chiaro il senso del paragone.

(67) Località montana dell'Assia, tradizionale meta di villeggiatura della popolazione francofortese.

(68) Juliette Rumpf, figura non meglio identificata.

la vita di Walter e sulla mia. La signora Suhrkamp (69), molto appassionata, dev'essere stata un tempo molto attraente. Vive dei *Minima Moralia*. Mi ha detto: «Io la amo». Noi tre fino a notte fonda, bevuto molto. Kurt Bruck, inaridito. – Peter Bertmann [?], cordiale, limitato, indescrivibilmente ingenuo nella sua coscienza di classe altoborghese («gente con entrate piuttosto alte, tipo sopra i 100 mila marchi»). È pur sempre il primo che mi ha detto: chi non sapeva niente di Auschwitz non voleva sapere niente.

Un'affittacamere è infelice. La figlia era fidanzata con un ufficiale americano (un «Ami»). La madre di lui gli proibisce di sposare una tedesca; sono ebrei e i fratelli sono stati gasati. – Non si riesce a parlare con qualcuno senza imbattersi nella morte violenta.

Il gusto di Juliette per gli attacchi aerei e per la propria tensione. La sua storia sulla contessa sorda nel rifugio durante un attacco violentissimo, «Qui c'è in ballo qualcosa» – sì – «Ebbene, che succede?» – «Sparano». Se le bombe li avessero colpiti sarebbero morti ridendo.

Il mondo è tramontato, ma come da bambino ho riconosciuto la differenza tra le linee del tram 1 e 4 dal fatto che quella ha due luci verdi, questa una grigia e una bianca. Questo è rimasto. Regressione. Come la gente è vestita alla contadina, la città è piena di particolari da villaggio. Quello che mi ha colpito di più: lo sfacelo della copertura stradale. Nel mezzo le bombe hanno fatto emergere la nuda terra.

Francoforte in realtà non c'è più, ma la vita ha l'aria di essere *normale*. Indescrivibile forza ed energia della popolazione tedesca.

Mi sono imbattuto in dichiarazioni nazionalistiche, ma sempre oblique, menzognere, mai dirette. T[homas] M[ann] è una specie di capro espiatorio – lo scherniscono *tutti*. Le demolizioni hanno lo stesso effetto che avevano un tempo le riparazioni di guerra. Ma tutto quanto è amorfo, non si è cristallizzato affatto in un modo di pensare. – Tra la gente non c'è paura, non c'è disagio. La coscienza di quello che hanno perpetrato è rimasta del tutto astratta, anche se il suo ripetersi dipende semplicemente da costellazioni di potere.

Se lo slancio economico sia genuino si sottrae al mio giudizio.

(traduzione e cura di Francesco Peri)

(69) Annemarie Suhrkamp, detta Mirl, nata Seidel (1895-1959).

UN VIAGGIO DA FERMO

«Chi esce da un turno di notte ha la buffa impressione di aver contribuito al sorgere del giorno. (...) A quel tempo mi serviva credere che in quel posto capitato, non toglievo niente a nessuno, perché nessuno avrebbe voluto il mio. Oggi so che il peggiore dei nostri casi è manna per un altro che sta peggio. Oggi so che si sta al posto di un altro».

ERRI DE LUCA

Capita di ricevere la domanda: «A che stai pensando?». Nel mio caso è a niente, invece sto guardando. Fisso un punto e più lo metto a fuoco e più mi assento, spostato all'indietro in una stazione precedente.

Seduto davanti alla donna rispondo alla sua domanda con un viaggio da fermo.

Un principio di luce da Est faceva uscire dal buio i contorni dell'Etna, alla fine del turno di notte. Uscendo dalla stiva di un aereo da carico, sollevavo la testa verso il primo segno del giorno, una luce a strascico rasoterra. Ero allora operaio di rampa.

Turni di notte sulla piana catanese saltando come grilli da un piano di carico all'altro, spingendo slitte di ferro e fissandole con fibbie e catene al corpo degli aerei insieme a uomini zitti e precisi, sudati e illuminati dalle fotoelettriche della rampa: ci sbrigavamo senza uno sguardo in su al gran girotondo delle costellazioni, senza un pensiero allo strepitoso controsoffitto di una notte del Sud. Il collo restava all'ingiù.

Dalle 10 di sera alle 7 del mattino dopo, spingevamo slitte di ferro in entrata e in uscita dalle stive. Avevo una schiena tesa a pelle di tamburo, da ballarci sopra, una schiena musicale. Spingevamo la notte fino a farla smettere.

A fine turno la prima luce spalmata intorno ai bordi del vulcano chiamava a sollevare gli occhi. Fissare un lontano dà pace.

Racconto e la donna di fronte sospetta che io stia inventando un ricordo di risposta per farla contenta. Non si fida, troppi particolari per il poco tempo di distrazione. Quanti anni da allora, mi chiede. Ne sono scolati venti, rispondo.

«Scolati? Che verbo ti viene in mente per contare gli anni?».

«Quello dei litri», rispondo.

«E perché?».

«Perché non ce n'è più, sono svuotati e il vetro l'ho buttato».

«Che c'entra il vetro adesso?».

«Questo non lo so proprio».

Non la convinco e però continuo, ormai è partito il viaggio da fermo.

Quella luce sbiadita intorno al vulcano era collirio per le palpebre arrossate dalla ruggine notturna. In segno di saluto bastava un sospiro di gratitudine. L'Etna si rimetteva al suo posto di guardia d'Oriente, le nostre facce uscivano dall'ombra per andare incontro al cambio di turno.

À forza di spinte ci eravamo guadagnati l'alba. Chi esce da un turno di notte ha la buffa impressione di aver contribuito al sorgere del giorno. È il prodotto finito di una notte al lavoro.

Sull'autobus che riportava in città i compagni prendevano un acconto sul sonno, che doveva combattere col chiasso diurno di quartieri di una città del Sud. Si impara ad avere orecchio respingente che disperde il frastuono nel labirinto di ossicini interni all'organo. Si impara a confondere il rumore.

Rimanevo a guardare dal finestrino la città che iniziava. Se era giorno di festa s'incrociava un gruppo al rientro dalla notte. Guardavo senza desiderio di fare a cambio con loro. Ci sono stazioni della propria vita in cui si deve stare al posto capitato senza pensieri di farsi sostituire. L'ho sentito dire anche da chi è stato in prigione a lungo. Ci sei e ci resti: dicendosi questo si resiste meglio.

A quel tempo mi serviva credere che in quel posto capitato, non toglievo niente a nessuno, perché nessuno avrebbe voluto il mio. Oggi so che il peggiore dei nostri casi è manna per un altro che sta peggio. Oggi so che si sta al posto di un altro.

«Insomma si può sapere a che stai pensando?», richiede la donna di fronte. Dal tono irritato devo aver perso almeno un paio di repliche della stessa richiesta.

«Stavo guardando la linea del tuo braccio che risale dal gomito poggiato sul tavolo fino alla spalla, e ho riconosciuto il profilo dell'Etna che spuntava a oriente a fine turno».

Non è lusingata dall'accostamento, un vulcano non è la figura snella alla quale ha diritto di essere accostata. Mi correggo, no, non sei un vulcano e io non sono più l'operaio che lo guardava alzando a mezz'aria gli occhi sazi di notte. Noi siamo tanto più vicini di loro, no?

Niente, non attacca, si è offesa.

«Certe volte», dice, «davanti a te sto ricacciata così lontano da non sapere dove mi trovo, dove sono capitata. Non sei tu ad assentarti, sono io scagliata via con una fionda. Io ti faccio venire il ricordo di un vulcano, tu mi fai venire in mente un deserto».

Ecco servita al nostro tavolo una bella geografia. Possiamo metterci in posa per una cartolina e farci visitare dai turisti: un vulcano e un deserto. Non glielo dico, per prudenza. Impugno il bicchiere e lo sollevo: «Il deserto beve alla sua irrigazione», provo a dire. «Vaffa e strozzati», raccolgo. Bevo lo stesso, piano, per evitare gli effetti dell'augurio. Così finisce un viaggio da fermo.

IL TANGO DEL GORILLA (DIARIO DI UN VIAGGIO)

Buenos Aires e Cordoba, strutturalisti pentiti e piqueteros, alternativi e fazenderos, Gardel e Oesterheld, 'villa miseria' e 'country', F. l'amor perduto e la Fiesta di Menem, e niente tango, niente bandoneón, niente gauchos y pampa. Giorno per giorno, il diario del viaggio argentino del Gorilla e del Socio suo alter ego. O del Socio, e del suo alter ego Gorilla.

SANDRONE DAZIERI

Primo giorno. Duemilatré. È partito per l'Argentina. Per modo di dire. Dopo sei ore di viaggio, è ancora a seicento chilometri da Milano. È uscito un po' in anticipo da casa, perché i viaggi lo rendono ansioso, e si è presentato al check-in tre ore prima dell'imbarco per Roma. In aereo si è accorto che non ha messo in valigia niente del corredo da turista. Niente macchina fotografica, niente Moleskine, niente melatonina, niente Lonely Planet comprata per l'occasione. Niente preservativi, anche.
Non che speri in un'avventura erotica. O meglio, sperarci ci spera, ma non capiterà se qualcuna non gli si butta addosso. Non vuole sembrare un turista sessuale. Vorrebbe esserlo senza sembrarlo, regalare soldi e avere in cambio il regalo del sesso, non una volgare compravendita. Visto che è impossibile, spera nella botta di culo.
Comprerà i preservativi a Fiumicino. Poi pensa che uno che viaggia solo e compra preservativi all'aeroporto è chiaro a che cosa mira. Rinuncia prima ancora di sbarcare. Se una donna gli salterà addosso, meglio che sia fornita di prodotti locali.
A Roma altro check-in, con una fila lunghissima allo sportello delle Aereolinas Argentinas. Un serpentone umano con valigie e colli avvolti di plastica. Per lui che misura anche il bagaglio a mano, è uno schiaffo morale. Riesce ad avere un posto corridoio facendo il tenerone con l'addetta. L'arrivo è previsto per le sette del mattino, ora locale. Quindici ore di viaggio con le ginocchia in bocca da classe economica.
«Una dormitina e passa tutto», dice la hostess con un gradevole accento sudamericano.
«Eh già!», risponde lui, pensando vaffanculo.
È ancora a Roma e si è già perso. Infila le porte sbagliate, è in ansia per la marca da bollo sul passaporto, teme sempre di aver perso il volo e si tranquillizza solo se qualcuno seduto vicino a lui nella sala d'aspetto ha il suo stesso biglietto. Allora ne copia i movimenti, stando ben attento a non farsi scoprire. Non vuole qualcuno con cui chiacchierare, ha orrore

dell'idea di un compagno di viaggio che attacchi bottone. Per evitare un chiacchierone, è disponibile a sedersi su un sedile sporco di forfora.

Passa il metal detector dopo un blocco di venti minuti dovuto a un giapponese con due involti lunghi e sospetti. Alla fine Sandrone gli passa davanti e sbircia nei monitor a raggi x. Negli involti ci sono due crocifissi di metallo e gli addetti si grattano la pera indecisi se siano o meno un'arma contundente.

Altre ore d'attesa, altre passeggiate tra i negozi, con marche che il Gorilla vede solo quando parte, come il prosciutto al pepe degli autogrill, e televisioni che mandano il *Maresciallo Rocca*. Il Gorilla si siede su una panca arancione, spazzando con la mano avanzi di noccioline americane, e immagina un mondo parallelo dove ci sia la par condicio tra guardie e ladri. Allora ci sarebbero i telefilm del *Ladro Rocca*, e il *Ladro Colombo*.

Aspetta. Chiamano il suo volo in orario. Si mette in coda pensando che è troppo tardi per scappare.

Secondo giorno. Alla fine è questo un viaggio intercontinentale, la variante su ali di una gita in torpedone per il santuario di qualche madonna. Le stesse vecchiette imbarazzate, lo stesso odore di piedi, scoregge e panini al salame. Il suo compagno di sedile è un argentino che lavora in Italia come portiere di notte, e dopo cinque minuti gli fa già vedere le foto delle figlie lasciate in città e gli spiega per filo e per segno dove vive. E gli spiega, anche, la differenza tra lo spagnolo e il castigliano locale. *Coger*, per esempio, che in spagnolo è il verbo *prendere* che si usa per i mezzi pubblici, *coger* il bus, in Argentina si usa per *fottere*. L'argentino ride, il Gorilla, cui della lingua importa un cazzo, pensa a quanto sarebbe bello se esistesse la presa vulcaniana.

Intanto impara il trucco per sopravvivere a un viaggio di quindici ore: bere come una spugna. Si fa due bottigliette di vino, due birre, due whisky.

Si sveglia che è giorno. Il Socio ha riempito di appunti il retro di un depliant. Parole castigliane con l'esatta pronuncia in alfabeto fonetico. Il vicino di posto non ha più voglia di parlare, è stato spremuto come un limone per tutta la notte. D'ora in poi baderà bene ad attaccare bottone con gli italiani sperduti. Il Gorilla butta un occhio dal suo lato. Non capisce cosa sia la massa scura sotto di lui, poi distingue le anse e il mare in lontananza. È il Rio de la Plata. Per un attimo il Gorilla ci si perde, quasi contento di essere partito.

Poi atterrano.

Di Buenos Aires sente solo l'odore, perchè all'arrivo già deve prendere un altro aereo. Il portiere di notte gli fa da guida non richiesta all'aeroporto e il Gorilla scopre che la sua valigia non è mai stata imbarcata per Cordoba, meta finale, ma attende la mano del padrone in qualche antro della dogana. Motivi di sicurezza.

Alla partenza della coincidenza manca meno di un'ora. Il Gorilla corre a recuperare il suo enorme trolley semivuoto, portato con la speranza di riempirlo di souvenir a poco prezzo. Correrebbe, anzi, perché tra lui e la dogana c'è il muro invalicabile di un milione di turisti di ritorno.

Il Gorilla cerca di infiltrarsi nella fila dei diplomatici, vuota, con l'addetto che sembra annoiarsi, ma ovviamente viene respinto. Attende. Passa la barriera che è già ora di imbarcarsi, corre a prendere la valigia ai nastri, scopre di dover fare il check-in da capo, e per fare il check-in deve passare ancora la dogana.

È una corsia detta Pista verde, teoricamente veloce, per i voli interni. Quando arriva un passeggero, l'addetto alla sicurezza preme un bottone sul muro. Se si accende una luce verde il passeggero può passare e tanti saluti, se si accende quella rossa, torna al controllo bagagli. Al Gorilla si accende la luce rossa, torna al controllo bagagli. Finalmente riesce a liberarsi dal loop doganale e imbarca di nuovo la valigia, poi corre al terminal dei voli interni.

A Cordoba lo recupera LV. LV è un personaggio da raccontare. Ha i capelli bianchi di un direttore di lager e l'accento tedesco, ma è di Bologna. Si è trasformato durante i lustri passati come addetto culturale italiano, è un mutante d'ambasciata. Occhiali, maglietta a righe, è un borbottio ininterrotto di pensieri dati alla luce, di monologhi interiori mascherati da dialogo. Sessant'anni e rotti, una inspiegabile passione per il romanzo poliziesco. Però ha smesso di aggiornarsi nel 1989. Parla di autori morti e sepolti senza gloria come fari della cultura, cita giornalisti e critici dimenticati come luminari. Mentre guida verso la città rivela il grande segreto. È uno strutturalista. Pentito però. Il Gorilla non si preoccupi.

Il Gorilla, che lo strutturalismo l'ha sentito citare solo nelle canzoni di Guccini, si distrae con il paesaggio, sul quale vorrebbe informazioni che il suo ospite non gli fornisce. Tra l'aeroporto di Cordoba e la città c'è un'avenida enorme, con tutto il sapore del Sudamerica da cartolina. Cioè sembra il lungomare di Gabicce, senza il mare e molto più lungo, negozi, bar e alberghi. Ci sono quasi trenta gradi, nel suo cappotto nero il Gorilla suda.

Il suo albergo è il Windsor, dove rimane giusto il tempo per scoprire che non c'è il canale porno. Il minibar sì, però, e decide di mantenere il tasso alcolico come cura per il jet lag. Beve un whisky locale, economico ma decente, poi usa il bagno. Piccolo incidente quando cerca di farsi un bidet. L'acqua schizza fino al soffitto. Lo zampillo è tipo fontana, parte dal centro del sanitario verso l'alto con una notevole pressione. Il Gorilla pensa di lasciarlo così, come una fontana da camera, poi desiste e cerca di usarlo per lo scopo proprio, ma senza riuscirci.

Il pranzo è a casa di V., nella zona universitaria della città.

I due vuotano una bottiglia di chardonnet locale, piuttosto buono. La colf argentina prepara il pranzo. All'italiana, assicura V., con pasta di grano duro importata direttamente. Al Gorilla si piegano le orecchie, lo spaghetto all'estero gli fa molto viaggiatore italiota, mentre lui recita sempre da uomo di mondo.

Si siedono a tavola, servizio buono con posate d'argento. V. racconta l'esoterismo del suo lavoro, di cui si fatica a capire lo scopo. Lingua italiana per i figli degli immigrati italiani, per esempio. Non corsi professionali o di inserimento, e neanche di lingua locale. Ci manca che insegnino anche a fare la pizza e a cantare la sceneggiata. In attesa che la serva scodelli la pasta, V. mostra un po' dei depliant culturali che ha fatto di suo pugno e distribuisce nelle scuole, qualcosa che nella grafica e nel contenuto sembra un ciclostile degli anni Settanta per gli asili popolari. Senza politica, sia chiaro, ma con tanti disegni di glorie locali come Tex Willer. Poi foto di bambini con la bandiera italiana, storie vere di famiglie separate dall'immigrazione.

V. fa velatamente capire che per il governo gli immigrati all'estero sono serbatoi di voti, occorre tenerli legati alla madrepatria.

Il Gorilla, che si sente coinvolto in quella puttanata, s'incupisce. Per fortuna arrivano i maccheroni rosa shocking.

Ecco la ricetta. Si fanno bollire le barbabietole, poi si trasformano in purè, si aggiunge formaggio (tipo quello pressofuso con la carta rossa che viene affettato per i toast) e panna acida. Voilà il sugo all'italiana. Italiano coma la pizza con le polpette a forma di Topolino. Il Gorilla si chiede da quanti anni V. non metta piede in patria.

Finalmente V. lo lascia andare, e il Gorilla parte arzillo a vedere Cordoba. E a fare shopping contando sulla forza dell'euro. Si era spaventato per i prezzi esagerati, poi ha capito che il simbolo del dollaro è in realtà lo stesso del peso, e adesso non c'è più la parità. Ci vogliono tre pesos e mezzo per fare un euro, si può andare alla grande. Se si trova qualcosa da comprare. E sembra difficile.

La Cordoba dei negozi sembra divisa per incubi. L'incubo Marzotto, viali e viali con solo negozi di vestiti. Prezzi bassi e qualità cattiva, per quanto possa capirne uno che ha bisogno di consigli anche per i pedalini. Marche diverse, dal giovane all'elegante, e telerie, e negozi di cappelli, e lenzuola. Poi, dieci viali più in là, arriva l'incubo Aiazzone. Solo negozi di mobili, mobili e suppellettili. Visti i prezzi, non c'è bisogno dell'Ikea. Poi l'incubo Moira Orfei. Solo negozi di animali. Decine, in vetrina gabbie e scatole trasparenti, tutte vuote. Le guarda tutte schiacciando il naso, sperando di vedere qualche cucciolo carino, ma solo in uno solo riesce a scorgere qualcosa di vivo, un pappagallo vecchio e bizzoso in una voliera enorme, grande come un armadio a quattro ante. Il pappagallo rifiuta qualsiasi contatto, continua a spulciarsi.

Tra un negozio e l'altro, ci sono però due presenze costanti. Baracchini che vendono sigarette, birre e fotocopie (bel mix), e Internet café. Gli Internet café, i *locutorios*, sono infiniti. Per un peso e mezzo, fate voi il calcolo, si può navigare un'ora e ti danno anche il caffè gratis.

66 Il Gorilla scarica la posta e cerca di attaccare bottone con una telefonista carina con i parenti in Piemonte poi, leggermente oberato dal nuovo e dal consumo, decide di fare acquisti a tutti i costi. Prima si compra un panama. Trenta pesos. Un perfetto esempio di artigianato locale, con paglia e midollino. Lo tiene in testa fino a quando scopre l'etichetta: made in China.
Poi libri.
Il primo è un impulso doloroso. *Amor Y Anarchia*, la vita urgente di Soledad Rosa. Il Gorilla Soledad la conosceva di striscio. Argentina, anarchica, finita in mezzo agli arresti del cazzo a Torino nel 1998 per gli attentati all'Alta velocità della prima ondata, poi suicida come il fidanzato. Adesso tutti riconoscono che era innocente, ovviamente, ma tanto importa solo ai centri sociali torinesi e ai punkabbestia.
Poi due fumetti di Oesterheld.
Oesterheld è quello che ha inventato l'Eternauta e Mort Cinder, il viaggiatore del tempo. Poi ha scritto di un'invasione aliena contro gli sfigati della Terra, con le nazioni ricche che si alleano con gli extraterrestri per sfruttare il Sud del mondo. Una storia strana, a ben vedere, e non sapremo mai come andrà a finire perché sono arrivati i militari veri a far sparire l'autore. Nel 1977, insieme alle quattro figlie. I loro corpi non sono mai stati ritrovati. I suoi lavori sì, però, grazie al disegnatore Alberto Breccia che li ha seppelliti in giardino fino alla democrazia. Cioè a questa cosa qui.

Il Gorilla si siede a un tavolino e beve una birra con il libro di Soledad davanti, che nella foto ha le manette e manda a fare in culo il fotografo bella allegra. Il Gorilla sente qualcosa dentro che preferisce non sentire, in questi casi, perciò finisce la birra e si addormenta.
Il Socio mette via il libro e decide che qualcosa non quadra. Quello che ha visto sino a quel momento non ha niente a che fare con l'Argentina di cui ha letto sui giornali, l'Argentina della crisi e dei morti di fame, dei *pataccones*. Qui sembra una succursale di Milano, le stesse vie e la stessa gente. Attacca bottone con il cameriere, è l'unico cliente e può dedicargli del tempo. Il cameriere è affabile e preciso.
Apre una cartina davanti al naso del socio. «Questo», e indica, «è il centro di Cordoba. Qui non si vede *nada*, tutto a posto. Ma sai quanti abitanti ha Cordoba?»
«Un milione e duecentomila», risponde il Socio, che ha studiato.
«Bravo gringo. Un terzo di quelli, qui non ce li incontri. Vivono nelle "villa miseria", quartieri di periferia. Lì la gente non ha più niente. Se ci entri di notte, ti sparano o ti rubano tutto».
«Ci starò alla larga», dice il Socio.
«Però, qui non vedi neanche i country», dice il cameriere. «Che sono il contrario delle villas miserias»
Poi spiega al Socio che i country sono l'ultima moda per quelli che ancora possono pagare. Sono quartieri chiusi e protetti, per entrare devi pas-

sare la sorveglianza e dichiarare da chi vai in visita. I più belli hanno tutto all'interno, dai negozi al club sportivo, altri sono solo condomini ammassati e chiusi, barrios protetti.

Il Socio decide che è lì che vuole andare a vedere, quando tornerà da Mendoza. Perché Mendoza è la meta del giorno dopo, il centro della produzione vinicola di tutta l'Argentina. Il Gorilla sarà contento.

Terzo giorno. Per la prima volta da molto tempo il Gorilla ha un incubo. Un attacco di claustrofobia. Il Gorilla sogna di dover fare il viaggio di ritorno in una scatola di metallo che lo stringe. Mentre si dibatte per riemergere, il Gorilla pensa veramente che non può farcela, che rimarrà bloccato a undicimila chilometri da casa. Poi si sveglia, sudato. È alla scrivania, dove il Socio stava prendendo appunti. Deve aver sentito l'agitazione del Gorilla dentro di sé, e averla ritenuta troppo sgradevole da sopportare. Adesso dorme tranquillo, senza incubi e, forse, senza sogni. Il Gorilla immerge la faccia nel lavandino pieno di acqua fredda. Ha ancora il senso di soffocamento. L'ha provato, in passato, più volte di quanto ammetta. È successo anche in galera, a Civitavecchia, quando lo avevano preso per la manifestazione contro la centrale nucleare di Montalto di Castro, nell'86.

I suoi polmoni si allargano. Respira e le sue paure gli sembrano ridicole, da vecchia zia. Torna alla scrivania. Gli appunti del Socio seguono le sue nuove ossessioni argentine. Il Socio è affascinato dalle scomparse.

Vuole saperne di più su Gardel, l'idolo, di cui aveva visto una fotografia sulla copertina di un settimanale. Gardel era bellissimo, non si sapeva se fosse nato in Francia o in Cile da madre francese, aveva cantato il tango facendo innamorare uomini e donne. Poi era scomparso volando con un aereo privato in Bolivia, nel 1932. Aveva cinquant'anni, il suo corpo è bruciato nell'esplosione, o forse è sparito. A lungo in tutto il Sudamerica le sue fotografie sono rimaste appiccicate sui cruscotti dei *collectivos*. Nel caso che qualcuno lo vedesse, per indicargli la via di casa. In molti lo credono ancora vivo e centenario, Martin Mystère lo ha fatto approdare tra i maya. È un semidio della musica, di quelli che indicano la via tra la terra e il cielo, e lì rimangono sospesi.

Un'altra scomparsa che affascina il Socio è quella del dottor Favaloro. Un medico argentino, di origine siciliana, inventore del bypass. Aveva creato una fondazione per aiutare chi non aveva i soldi per l'operazione. Favaloro si è ucciso nel 2000, quando il governo gli ha tagliato i fondi. Depresso, hanno scritto i giornali. Adesso lo sarebbe anche di più, perché in Argentina stanno sparendo anche i bypass.

Il Pami, il servizio di assistenza, è in bancarotta totale. Gli ospedali ci sono ancora e si assicura il normale funzionamento, anche se le ambulanze non si spingono mai dentro le baraccopoli a raccogliere i feriti, e i servizi specialistici sono un lusso per pochi. Quando fai domanda per un bypass, il Pami lascia passare più tempo possibile prima di rispondere, così che il paziente muoia prima. Pami è anche il soprannome dei vecchi, che adesso hanno la pensione decurtata del 70 per cento.

Il Gorilla comincia a fare la valigia. Nuovo giorno, nuovo viaggio. Lascia l'albergo di Cordoba, al quale tornerà il giorno dopo, per una puntata a Mendoza, a 900 e rotti chilometri.
Mendoza è la città del vino, e il vino argentino ha poco da invidiare a quello italiano. Ci sono cantine dappertutto, e vigne, irrigate con un sistema di canali artificiali molto sofisticato.
Il Gorilla viaggia accanto al suo abituale accompagnatore, il crucco bolognese V., ora in fase depressiva. Il ministero gli ha detto che deve organizzare la tournée argentina di Iva Zanicchi, ed è appena reduce da quella, tanto fallimentare quanto sponsorizzata, di Amedeo Minghi. Il ministero estero della Cultura è ormai un imbarazzante ufficio eventi per i marchettoni del governo, per gli amici degli amici. Il Gorilla lo spaventa fingendo di aver letto di un viaggio argentino di Massimo Apicella, il posteggiatore canterino. V. ci crede e suda fino a quando il Gorilla ammette lo scherzo. Sempre che lo sia davvero.

Di Mendoza, come il solito, il Gorilla vede poco. L'università è una vera cittadella. Unico neo, è attaccata a una villa miseria, case basse in mattoni e creta cruda, molto simili ai pueblos dei film western. La decana della facoltà di lingue spiega al Gorilla che l'università finanzia regolarmente il reinserimento degli abitanti della villa miseria in case pagate dal comune, in città, ma le baracche si riempiono di nuovo nel giro di pochi mesi. E si ricomincia da capo.
Dentro la facoltà viene accolto da lettrici d'italiano e decani vari, di cui fatica a capire gradi e responsabilità. Poi c'è il dibattito, le domande sulla filosofia del male che non capirebbe in italiano figurarsi in castigliano, le foto ricordo. La facoltà lo colpisce per quanto è linda e pulita. Non c'è una scritta sul muro, un tatzebao, un volantino. Potrebbe essere un seminario di gesuiti.

Mentre V. e i professori chiacchierano sotto il porticato, il Gorilla segue come una falena il suono di una musica lontana di tamburi e grida. Viene da un altro edificio della facoltà, quello di Scienze sociali, l'equivalente del nostro Scienze politiche. Al terzo piano, in uno stanzone di cento metri quadrati, stanno stipati centinaia di studenti che agitano bandiere e gridano a ritmo. Difficile dire quello che sta succedendo. Una manifestazione non è, e neanche una festa. Il Gorilla becca un tizio simpatico, uno studente assai fuori corso, con la barba nera e lunga e la maglietta di un gruppo musicale. Sembra Zulu dei 99 Posse.
Zulu, di cui non capisce il nome, spiega al gringo che in quel momento si stanno scrutinando i voti per le elezioni dei rappresentanti degli studenti. Si sono presentati dieci gruppi diversi, tutti di sinistra, e il combattimento

è serrato. A quanto pare, il potere dei rappresentanti degli studenti è reale, lo dividono con i rappresentanti dei professori e dei laureati. Visto che sono tutti di sinistra, Zulu spiega, il clima è comunque festoso, con tifo da calcio e grandi risate.

Ricordando gli scazzi tra i gruppi italiani, che si menavano anche sulle virgole di Mao, il Gorilla non può che apprezzare. Già che c'è, Zulu lo invita alla festa post elezioni, in un locale alternativo che si chiama Brahama, nel quartiere spagnolo.

Il Gorilla accetta e inventa una scusa per sganciarsi dopo la cena ufficiale, con decani, professori e compagnia bella.

A tavola chiacchiera con la preside della facoltà di italiano, napoletana in odor di pensione. Con lei, il Gorilla ritrova un filo rosso, quello di Maria Soledad, che per Assuntina è un ricordo dolente. È stata la preside a fornire alla polizia le registrazioni universitarie di Soledad, registrazioni che provavano come Soledad fosse in Argentina quando sono esplose le bombe ai cantieri del Tav. Peccato che a quel punto Soledad si fosse ammazzata già da un pezzo. Veniva da una buona famiglia, che adesso, forse, farà causa allo Stato italiano. Se avranno bisogno di un investigatore senza licenza, il Gorilla è disponibile anche gratis.

Dopo cena, il Gorilla riesce a schiodarsi e comincia la ricerca del Brahama, che sembra essere un caffè, o un locale, che nessuno conosce. Gira per un'ora, a piedi, seguendo le vaghe indicazioni che gli ha dato Zulu. Alla fine prende un taxi che lo scodella a un metro dal suo albergo. Il Brahama è lì, ed è uno dei locali più scalcinati dove il Gorilla abbia mai messo piede. Dei tavoli rimane solo lo scheletro di metallo con residui di legno penzoloni, le sedie non hanno schienale e qualche volta neppure sedile, i muri cadono a pezzi. Però, nell'insieme, si respira un clima piacevole, da centro sociale di quartiere. Anche la musica è buona, mista rock, e arriva dagli mp3 di un computer, scassato quanto i tavolini, collegato all'impianto dal bancone delle birre.

Seduti ai tavolini solo ragazzi, chiaramente studenti, tranquilli. Il Gorilla beve un paio di birre con il timore che qualcuno dei ragazzi si alzi e gli chieda se è venuto a cercare suo figlio. Comincia a sentirsi un po' a disagio, gli mancano i riferimenti. In quel locale alternativo, se alternativo è sul serio, i ragazzi sono un po' troppo bravini. Nessuno che si faccia una canna, o discuta animatamente. Tutti chiacchierano a bassa voce o si tengono la mano. E poi non c'è traccia di politica. I muri sono pieni di scritte e graffiti, ma nessuno parla di qualcosa che non sia amore, figa o musica. Non una falce e martello, non un Che.

Sentendosi un guardone di coppiette, il Gorilla finisce la terza birra, poi decide che la festa per le elezioni è stata rimandata. O forse il partito di Zulu non ha vinto e sono a casa con le orecchie basse. Comunque sia, è il primo pacco argentino. Porta fortuna.

70 *Quarto giorno.* I giornali locali portano in prima pagina le manifestazioni dei *piqueteros* a Buenos Aires. Sembrano dei no global, con i fazzoletti sulla faccia, ma sono invece i disoccupati organizzati, che stanno litigando con il governo per via dei sussidi di disoccupazione. Ieri, dicono i giornali, hanno tenuto in ostaggio per nove ore il ministro del Lavoro, impedendogli di salire in ufficio. La polizia non è intervenuta, ma il governo assicura che i responsabili saranno tutti duramente perseguiti.

Il Gorilla legge tutto questo, poi guarda Cordoba, dove è tornato dopo i fasti di Mendoza, e non capisce come mai lì sia tutto così tranquillo. Cordoba è grande come Milano, ha un terzo della popolazione sotto il livello di povertà, ma non succede niente. Anche l'università, dove è passato a farsi un giro, sembra aliena dalla politica. Niente capannelli, giornali sui muri, volantini. Forse è vietato, forse essere uno studente oggi è talmente un privilegio che i ragazzi non vogliono rischiare di farsi espellere. In realtà, non sembrerebbe.

La professoressa con cui parla si lamenta degli studenti fuori corso, che sono un sacco, e del tasso di nullafacenza dei suoi allievi. Si lamenta anche degli stipendi, già che c'è. Un professore di prima nomina guadagna sui quattrocento pesos il mese, che se erano pochi con la parità, adesso sono una miseria assoluta. Per starci dentro fanno doppi e tripli turni, lavorando anche dodici ore al giorno. Nessuno di loro può permettersi una casa in un barrio sicuro, o country club, come quello che il Gorilla va a visitare nel pomeriggio.

Si chiama Jockey club, ed è uno dei più nuovi, costruito negli anni Settanta. Quattro chilometri quadrati di pelle bianca rinchiusa in una doppia barriera di filo spinato, tremila famiglie in altrettante casette disseminate tra i prati verdi del golf. Il Gorilla passa il controllo di sicurezza all'ingresso, due guardie private in una guardiola, che esaminano documenti e automobile, poi si aggira lungo la strada ad anello che fa da perimetro. Le case sono una diversa dall'altra. Vanno dall'orribile riproduzione della villa di Rossella O'Hara, ad ardite sperimentazioni postmorderne a forma di pezzi del domino, chiesetta di campagna, rustico monofamiliare, torre di vetro. Ogni casa ha la sua piscina, il suo pezzo di giardino all'inglese dove spruzzano innaffiatoi automatici. Nei campi e lungo il ciglio della strada giocano i bambini, molti biondi, o si rincorrono in bicicletta: la strada asfaltata ha continue strettoie per impedire che le automobili vadano troppo veloci e li travolgano. Sui prati giocatori di tutte le età lanciano palline in giro.

Il Gorilla raggiunge il suo ospite, la moglie di un potentato italiano. È una signora rumena sulla cinquantina, che lo riceve in una villa tra le più decenti, in legno scuro, arredata all'interno con una mescola di stili da far accapponare la pelle: paraventi cinesi e tavoli simil Ikea. La signora, che parla con un gradevole accento difficile da identificare, offre al Gorilla una torta di ricotta, poi gli racconta la storia del Jockey.

Fino agli anni Cinquanta, i country erano solo un club sportivo per i *fazenderos*, i latifondisti che sono ancora oggi il vero potere dell'Argentina, con i loro migliaia di chilometri quadrati di proprietà agricole circondate dal filo spinato, con le loro centinaia di migliaia di pecore che scorazzano libere, con i loro cavalli inglesi, gli unici che un gentiluomo deve possedere. Poi i *fazenderos* hanno capito che in quegli appezzamenti di terreno potevano costruire le case dei loro sogni, separate dal caos e dallo sporco della città. Protette, separate, pulite.

Al Jockey è successo negli anni Settanta. I proprietari hanno bonificato il terreno dove prima seppellivano i cavalli morti e lo hanno reso edificabile. Negli ultimi anni, i country sono diventati il sogno proibito della gente bene, accessibile solo alle fasce più alte, come i diplomatici della missione italiana e dei vari consolati che hanno sede a Cordoba. Per loro sono i posti più sicuri in Argentina, racconta la donna.

«Certo, una volta si stava tranquilli anche a Buenos Aires, ma poi è cambiato tutto», dice.

«È cambiato tutto con la crisi economica?», chiede il Gorilla.

«No, è cambiato tutto da quando non ci sono più i generali. I generali sapevano mantenere l'ordine».

Al Gorilla casca la mascella per terra. Ha presente la signora che cosa ha fatto il regime? La signora alza le spalle, indifferente. Il Gorilla raccoglie la mascella e decide di trovarsi in un film. Di quelli sull'Inghilterra coloniale, con Alec Guinnes che prende il tè versato dai servitori indiani mentre fuori sta per scoppiare l'apocalisse. E lui che parte sta facendo? Preferisce non chiederselo. Mentalmente chiede scusa alle madri di piazza di Maggio, perché non sputa in faccia alla tipa e se ne va. Preferisce ascoltare, e poi fino al suo albergo sono troppi chilometri, a piedi.

Per fortuna la potentata cambia argomento, e passa a parlare di investimenti immobiliari. Poi si ferma. Il Gorilla vorrebbe fare un giro esplorativo?

Certamente.

Camminando, il Gorilla passa davanti a un gruppo di muratori seduti all'ombra, ad aspettare il camion che li riporterà a casa. Sono tutti indios, e agli occhi stranieri del Gorilla, sembrano abbastanza stanchi e infelici. Perché gli indios, nei country, ci entrano solo per fare i lavori pesanti. Sono i muratori, gli idraulici, i portinai, le bambinaie, le cuoche, i caddies. Fanno la spesa e lavano il culo ai padroni bianchi. Anche da noi è lo stesso, si potrebbe dire. In fondo, quello che in Argentina fanno gli indios, in Italia lo fanno i filippini, gli algerini, gli egiziani. Tutto giusto, non fosse che gli indios in Argentina ci sono arrivati qualche millennio prima della massa di cazzoni che gioca a golf tra i cadaveri.

Il Gorilla ha un flash da film dell'orrore tipo *Zombi*, con i bianchi che urlano spaventati mentre migliaia di indios e straccioni delle villas miserias premono sulle reti di recinzione, le fanno saltare, poi cominciano a spaccare teste con i picconi, a scannare, a bruciare ville e casette. Il suo sguardo si incontra con quello impassibile di un muratore. Si chiede se stia pensando la stessa cosa.

72 *Quinto giorno. Cordoba. Merda. Quattro giorni e sono ancora solo a Cordoba.*

Il Gorilla si butta sul letto a guardare i Power Rangers alla televisione, doppiati in spagnolo. Si addormenta mentre un uomo polipo attacca il Power Ranger dai capelli verdi.

Il Socio si sveglia, spegne l'orrore televisivo e nonostante il caldo che ammazza già alle nove del mattino, cambia maglietta e jeans per un completo nero, con cravatta nera.

Chiama un taxi. Il taxi si allontana dalla città, puntando verso la linea delle montagne. Sono le Preande, se il termine si può utilizzare. Il Socio chiede all'autista cosa siano quelle strisce bruciate che segnano l'asfalto ogni tanto, l'autista risponde che sono i segni dei *piqueteros*. Per bloccare il traffico tendono tra i due lati della strada delle matasse di filo elettrico e poi lo incendiano. Il fumo, grasso e nero, si vede a chilometri di distanza e zebra il percorso in modo indelebile.

A quindici chilometri da Cordoba, il taxi si ferma. In quel punto, in uno spiazzo brullo tra due campi di soia, sorge un complesso largo quaranta ettari. Sono edifici bassi, in cemento, circondati da una doppia recinzione di filo spinato. Nel filo spinato passa la corrente elettrica, e un cartello avvisa del pericolo mortale che si corre toccando. Il Socio chiede al tassista di fermarsi, paga la corsa e scende a piedi fino alla garitta. Mostra al soldato i documenti, il soldato annuisce e dice che lo stanno aspettando. Poi chiama un commilitone e fa dare al socio un passaggio con la jeep sino all'ingresso dell'edificio. L'ingresso è un enorme cancello elettrico. Dietro il cancello una decina di guardie disarmate. Davanti al cancello un cartello. Il cartello dice: «Nuovo Carcere di Bove Padre Saint Martin». Il Socio è riuscito ad avere un permesso di visita. Bel posto, adatto a lui.

Il cancello si apre con uno scatto elettrico.

A fare da cicerone è il direttore del carcere. È seguito da un vice, responsabile della sezione minorile, poi dal responsabile della sicurezza interna. Mano a mano che si scende di grado, il colore della pelle si fa più scuro. In fondo alla scala ci sono gli indios locali, mapuches e altri, considerati dai bravi bianchi inaffidabili e delinquenti. In molti vorrebbero la sterilizzazione di massa. Di quelli rimasti, visto che già ne hanno ammazzati un sacco. Ci sono paesi che prendono il nome da stragi di indigeni, come Mattanza...

Gli indios dell'Uruguay e del Cile, invece, sono considerati ottimi lavoratori. Sono loro che fanno i muratori ovunque. Poi ci sono gli scuri di origine andina, poi via via salendo sino ai chiari come il direttore. Il direttore, che porta una divisa tipo vigile urbano con le stellette, la stessa dei suoi colleghi, è una persona gentile e spiega di aver fatto due anni di specializzazione in Scienza carceraria, o qualcosa del genere.

La piccola delegazione arriva nella parte del complesso dedicata al personale, una cubotto di cemento con aria condizionata, a due piani. I corridoi finiscono sempre in piazzette rotonde, con al centro un cubo di cristallo con la guardia che apre le serrature elettriche dei cancelli. La sala riunioni possiede un lungo tavolo e finestre panoramiche. Qui il direttore spiega al Socio che nei quaranta ettari del complesso carcerario vivono 2.200 prigionieri. In Italia starebbero in un decimo dello spazio, in un millesimo.

I bracci sono quattro: minorile, giudiziario, penale normale e penale per i recidivi. I bracci hanno sia la sezione maschile che quella femminile. Il personale è di novanta persone, a turni di venti. Il Socio vuole fare un giro?

Certo.

Il direttore scorta l'ospite nella zona minorile, con le scuole (si è minori sino a ventun'anni e si può studiare sino all'università, dentro), il teatro per le rappresentazioni, il parco giochi all'aperto per i figli dei prigionieri.

Che non si facciano un'idea negativa della prigione, dice il direttore.

Certo, risponde il Socio.

Il Socio conosce l'insegnante d'informatica, una cicciona gentile, e incontra qualche lavorante, prigionieri con la pettorina gialla, liberi di muoversi all'interno del carcere. Studia il rapporto con le guardie, sembra tranquillo. Le guardie non urlano, i prigionieri non bestemmiano e non minacciano. Un carcere modello. Usciti dalla sezione minorile, il direttore mostra all'ospite la sezione medica, quella con lavanderia e cucina, il parlatorio per gli avvocati, stanzette separate da un vetro: da una parte il prigioniero, dall'altra l'avvocato, ci si parla via telefono.

Alla fine è identica a una prigione statunitense, non fosse che non è affollata e il tasso di violenza sembra minimo. Il direttore assicura che il clima è buono e che lo strumento di coercizione più usato è quello della diminuzione delle visite coniugali.

Visite coniugali? Be', in Argentina i prigionieri possono scopare. Una volta alla settimana se fanno i bravi, una volta al mese se fanno i cattivi. Questo diminuisce di molto la tensione interna e, ovviamente, gli stupri omosessuali.

Anche i rapporti con l'esterno sono molto più ampli che in Italia. Si può telefonare cinque minuti al giorno con un telefono pubblico. Le visite sono permesse una volta la settimana, venerdì, sabato o domenica, in stanzoni con tavoli rotondi. Puoi mangiare con il tuo caro prigioniero e passare con lui tutta la giornata. Si entra alla mattina e si esce alla sera.

La visita prosegue. Attraversano i corridoi segnati da ferite verticali per l'aerazione sino alla sezione, diciamo così, residenziale.

Il Socio vuole vedere una cella?

Ma certo.

La cella è singola, sei metri quadrati, con letto, fornellino e cesso a vista. Di metallo monoblocco, identico a quello dei treni Etr. Forse li fa la stessa ditta. Il Socio cercherebbe l'etichetta se non temesse di mostrarsi troppo interessato.

74 Dalla finestra, il Socio capisce che non si può vedere l'orizzonte. Una collina artificiale blocca lo sguardo. Su questo, tutto il mondo è paese. In galera non si vede il cielo.

Il Socio ringrazia. È pronto a lasciare l'edificio. Il direttore tossicchia. Se vuole, dice, ci sono due italiani che sarebbero lieti di incontrarla. Sono prigionieri. Li hanno beccati con due borse con quindici chili di eroina. Condanna a otto anni, sconteranno la pena in Argentina, perché non ci sono ancora leggi per l'estradizione internazionale. Il Socio vuole? È un'opera buona.

Il Socio acconsente.

L'incontro avviene nella stessa stanza dove il direttore ha illustrato la galera all'ospite. Uno dei due prigionieri ha circa sessant'anni e ha la faccia di chi ne ha vissute di tutti i colori. Viene da Bagheria e il Socio pensa che probabilmente ha fatto il manovale della malavita sin da piccolo. L'altro è un giovane sulla trentina, con il baschetto e lo sguardo fisso. Non ti guarda mai in faccia, legge libri di filosofia e diritto e ha quasi dimenticato l'italiano. Inciampa spesso nelle parole, passa allo spagnolo senza accorgersene. Vogliono la revisione del processo, dice. Sono stati discriminati. Sono condannati per traffico internazionale, ma come è possibile se la polizia li ha beccati prima che passassero la frontiera? Tentato traffico non è traffico. Come tentato omicidio non è omicidio. Se ti sparo con una pistola, punta un dito verso il Socio, ma tu non muori, non è omicidio. Giusto. Il Socio concorda. Assicura che porterà il loro caso all'ambasciata. Li saluta.

La guardia lo accompagna fino al cancello, poi la solita jeep sino alla garitta. Il Socio chiede che gli si chiami un taxi, poi decide di fare una sorpesa al Gorilla, si addormenta con la schiena alla parete.

Il Gorilla si sveglia con gli occhi pieni di galera, gli si rizzano i peli sul collo. Per la miseria, pure questo. Dell'Argentina sta vedendo proprio la merda. Dove cazzo è il tango? Il bandoneon? Dove sono i gauchos della pampa? Mentre aspetta il taxi il cielo si annuvola di colpo. Poi cominciano a scendere goccioloni enormi che gli si stampano sulla pelata.

Appena arriva in albergo gli danno la notizia. Il temporale è diventato una tempesta e ha abbattuto una delle torri di controllo dell'aeroporto. Tutti i voli sono sospesi per due giorni.

Sesto giorno. Buenos Aires è una città implosa. Se non sei argentino non puoi capirla davvero, come il peronismo.

Il Gorilla la attraversa su un taxi che percorre l'enorme tangenziale che parte dall'aeroporto Eze e sbocca nell'Avenida 9 luglio, la strada più grande del mondo. Ai lati della strada si alternano palazzi gotici, grattacieli di vetro (non molto alti) e villas miserias. Metà della popolazione della capitale federale dell'Argentina, diciotto milioni di persone, è disoccupata. Il ceto medio è andato a puttane con la crisi, le villas si sono espanse e continuano a crescere, alternandosi a quartieri poveri e ricchi.

C'è differenza tra una villa miseria e un quartiere povero. Sembrano fatti uguali, baracche in mattoni nudi e recinzione, ma nei quartieri poveri puoi girare anche se non ci abiti, magari con un po' di attenzione. Nelle villas miserias no. L'autista ci tiene a mettere in guardia il Gorilla.

Il Gorilla è la faccia incredula di chi non è ancora certo di avercela fatta, di essere scappato dal buco nero fatto di università di periferia e ristoranti italiani. In tasca ha cinquecento dollari, dono dell'istituto di cultura per non meglio specificati servizi, il biglietto con l'indirizzo dell'albergo, in centro, quattro stelle che ne valgono tre, e un cestino di foglie di coca secche.

Le foglie gliele ha regalate uno del consolato, come ricordo del paese. Il Gorilla ha provato a masticarne un paio e non fanno un cazzo. Dovrà comunque farle fuori o regalarle prima di imbarcarsi per l'Italia. Non ci tiene ad andare a fare compagnia ai due italiani che ha conosciuto al supercarcere.

Si svacca in stanza. Fa un giro di canali guardando una puntata di *Buffy l'ammazzavampiri* con sottotitoli in castilliano (*La Cazatrice*), poi telefona a F.

F. è una sua vecchia amica, e per un certo periodo, è stata anche un grande amore non corrisposto. Risale al 1990, periodo di Leoncavallo. Più vecchia di lui di un paio di anni, era partita subito dopo per tornare nella terra dei padri. Ha avuto il suo numero da Kix, che l'aveva incontrata a *Baires* durante uno dei suoi viaggi. Le ha scritto, sono d'accordo di sentirsi, la chiama.

F. lo invita a casa sua, alla Boca, il quartiere genovese davanti al porto sul Rio de la Plata. Il Gorilla chiama un taxi sconcertando la portiera, che gli consiglia di far arrivare a domicilio la sua amica. La Boca non è per turisti soli, dice.

Io non sono un turista, pensa il Gorilla. Io sono un gorilla. Quello che non mi ammazza mi fortifica, e se mi ammazzano ho finito di tribolare.

E poi che *lindo*, essere accoppati su un marciapiede di Buenos Aires, la città della nostra cattiva coscienza.

Anche il tassista gli sembra perplesso quando si infila nelle viuzze della zona portuale, con le case all'italiana, ricoperte di legno verde e le lunghe file di negozi chiusi e vuoti. Il tassista lo lascia su un portone graffitato, F. scende ad aprire.

All'inizio hanno paura a guardarsi. Lei a lui sembra più piccola e davvero più vecchia, lui a lei sembra molto più grasso e stanco. Non si toccano quasi, mentre si danno il rituale bacio singolo sulla guancia degli argentini. Lei lo fa salire in casa e lo lascia solo mentre prepara un mate.

Il Gorilla si guarda intorno. La casa è tanto enorme quanto distrutta. Il Gorilla regala le foglie di coca, che F. guarda stupita, come faremmo noi se un cinese venisse in Italia a regalarci la pasta Barilla. Poi racconta che sta tirando avanti da sei mesi con il sussidio di disoccupazione, trenta dollari al mese porca puttana, e che per due anni ha fatto un sacco di politica con i *casseroleros*, i *piqueteros*, i gruppi di base. Insieme con altri aveva occupato una banca per farci una *street-radio* e la sede di Indymedia, poi sono stati sgomberati. È passabilmente soddisfatta di Kirchner, il presidente argentino che tutti chiamano K, forse il meglio che poteva capitare. Peronista, naturalmente, ma molto diverso da Menem, che era un peronista liberale.

F. è allegra per la notizia del giorno: la fabbrica tessile Broockman, una delle più importanti del paese, è stata data agli occupanti per decreto del Senato. In Argentina l'economia riparte dal basso, sono ormai duecento le fabbriche *recuperadas*, cioè autogestite dagli operai. Non va sempre liscia, qualche volta la polizia sgombera, ma poi gli operai rioccupano, e producono roba migliore di quando lo facevano sotto padrone.

Per esempio, adesso le ceramiche di una fabbrica *recuperada* non sono più decorate secondo i disegni di qualche stilista internazionale, ma portano le immagini tradizionali degli indios andini. E sono molto più belle, e la gente le compra anche per solidarietà, per condivisione culturale.

Poi F. si alza: ti va di fare un giro?

Certo, dice il Gorilla.

E la guarda prepararsi, trovando nei movimenti di lei quello che conosceva e amava del suo corpo. Che di colpo gli torna perfettamente in mente, odore e sapore compresi. En passant, F. adesso sta con una ragazza di ventisette anni.

Escono per la Boca. La via di F. è parallela alla riva. Dall'altra parte del porto una villa miseria, di quelle toste. F. c'è passata una volta sola e l'hanno rapinata con la pistola alla tempia, portandole via soldi e bicicletta. Pochi soldi e bicicletta scassata. Se vendevano la pistola tiravano su di più.

Passeggiano lungo la Ricoleta. Le case da quel lato, dice F., sono tutte occupate. Sono una serie di case compresse l'una nell'altra come quelle delle Cinque Terre da noi, piene di fori e crepe. La maggior parte dei vetri è scomparsa o tenuta insieme con il nastro adesivo. Ogni tanto la polizia sgombera, ma poi la gente rioccupa. Non hanno altro posto dove andare, se non vogliono finire in una villa miseria. Una delle porte ha una A incisa. Lì ci vive un anarchico famoso, l'intellettuale di Boca. Ma non è in casa, il Gorilla non lo incontrerà.

Camminano lungo la riva, passando chiatte e barconi intrisi di petrolio. Un poliziotto solitario, vecchio e con la sigaretta pendula, li guarda passare in silenzio.

F. e il Gorilla arrivano a un palazzo in stile coloniale, con un grande striscione sulla porta aperta. Davanti, una ragazza raccoglie offerte. Entrano. È un unico salone enorme, che si intuisce essere stato lussuoso. A un tavolo mangiano quattro o cinque indios, un paio di giovani spostano cassette di legno, un branco di ragazzini sporchi da far paura si rincorre nella polvere. Sul fondo un fuoco di legna fa da cucina, la parte dell'altro lato è quasi completamente riempita da un murale del Che, vicino a un piccolo crocefisso e un'immagine di Evita Perón. Era una banca. Adesso ci vivono. F. presenta il Gorilla a uno degli attivisti locali, un ragazzo con una fascia lurida attorno a una ferita sulla mano che si è procurato lavorando il ferro. Il ragazzo accoglie il Gorilla come un vecchio compagno, e gli racconta che il suo lavoro, ogni giorno, è quello di procurarsi la carne per cinquanta persone. Il governo, che ha riconosciuto l'occupazione come centro di accoglienza, passa loro pane e alimenti vari, poca roba, ma non la carne. Sta a lui far mangiare la gente a sufficienza.

In alto, lungo le navate, ci sono letti e lampadine nude. Prima o poi costruiranno dei separè, ma non è la cosa più urgente, si adattano a stare tutti ammucchiati.

Si salutano, baci e abbracci, poi il Gorilla si dà appuntamento con F. per la sera e prende un taxi per la zona turistica.

Zup, pochi minuti ed eccolo in un altro mondo. Da andare fuori di matto. Lascia come mancia dieci volte il prezzo della corsa, in tutto cinque dollari, il tassista quasi gli bacia i piedi.

Di nuovo in albergo, il Gorilla viene recuperato all'ora di cena da F. e vanno a recuperare la sua fidanzata H. in piazza Sant'Elmo. Fa un freddo becco, sei gradi, e il Gorilla trema nella sua giacchetta. Che cazzo di tempo, escursioni termiche di venti gradi e passa. H. è seduta a un tavolo con un'amica. Capelli neri, snella, gli zigomi alti.

Per il resto della sera le due ragazze lo portano in giro. Prima ristorante giapponese, dove si stroncano di vino e mangiano un pessimo sushi, poi un pub finto irlandese. Alle due sono tutti cotti. Soprattutto il Gorilla, che ha bevuto l'imbevibile. Via in un altro locale. È un luogo alternativo, sembra il bar di un centro sociale italiano, piccolo e stretto, con una scala a chiocciola che porta al piano superiore, dove ci sono tavolini e cesso. Anche i tipi che sbevazzano sembrano gli stessi che potresti trovare al Leoncavallo o al Forte Prenestino. Identico il look, l'apparenza di appartenenza sociale, la mescola di studenti, punk, ragazzi bene. Davanti alla porta, però, sostano due *patavicas*, due buttafuori, piuttosto tesi, vestiti come rapper americani eleganti e dello stesso colore di pelle.

Per entrare H. deve farsi riconoscere dal padrone. Che si siede al loro tavolo (bacio a tutti, Gorilla compreso e ormai abituato), barbetta, baffi e giubbotto di pelle con spillette. Il giorno prima il padrone ha buttato fuori due spacciatori di coca, che gli hanno sparato addosso, mancandolo. Per un po' la sorveglianza sarà necessaria.

Tirano le quattro del mattino, poi il Gorilla riaccompagna a casa di F. le due ragazze e rientra in albergo.

La luce è saltata, gli tocca fare otto piani a piedi con la testa che gira. Il cameriere che lo accompagna gli chiede dove sia stato di bello.

Il Gorilla spiega come meglio può, il cameriere si allarma.

Il Gorilla è entrato e uscito dalle zone più malfamate di Buenos Aires che non siano villas miserias. Il giorno prima, a un metro dal bar dell'ex fi-

78 danzato di H., hanno ucciso a coltellate un turista per fregargli le Timberland.

Settimo giorno. Le ragazze vanno a recuperare il Gorilla alle tre del pomeriggio. Hanno deciso che quel pomeriggio la prima meta deve essere il corteo del Gay Pride argentino, che parte da piazza di Maggio. Il corteo è molto meno frequentato di quelli simili italiani. Tre, quattromila persone, con tutto il folklore del caso. Drag queen alti due metri, ragazze che si baciano, ragazzi pieni di piercing.
Ascoltano la musica dal vivo fatta da un gruppo rock piuttosto scadente, le ragazze salutano qualche amico mentre il Gorilla si fa un giro per studiare da vicino la Casa Rosada. Sul pavé della piazza sono disegnati i simboli delle Madri, un volto stilizzato con il fazzoletto stretto sotto la gola. Nel corteo, c'è anche una rappresentanza delle Madri, che partecipano a tutte le manifestazioni importanti del paese. Polizia niente, se non qualche sbirro in borghese con il walkie talkie. Sembra quasi impossibile che sia lo stesso paese dove negli ultimi due anni sono stati uccisi una quarantina di manifestanti. Soprattutto in provincia. Però il signor K sta cercando di cambiare la polizia e fa dichiarazioni di fuoco. Per esempio, oggi sul giornale dice che la maggior parte dei rapimenti a scopo di lucro ha dietro qualche poliziotto. Tutti sanno che i poliziotti fuori servizio si trasformano in rapinatori, e sono i rapinatori peggiori. Quando è qualcuno delle villas miserias a rapinarti, ti rende le chiavi di casa e i documenti. La polizia ti picchia, o ti stupra, e ti porta via anche le mutande.
F. riesce a spiegare al Gorilla la genesi della crisi, e finalmente il Gorilla ci capisce qualcosa. Prima ci fu la «parità», la cosiddetta Fiesta di Menem. Per dieci anni, con il peso che valeva come il dollaro, sembrava che gli argentini fossero tutti ricchi. Certo, i turisti non venivano più, visto che ormai l'Argentina costava come il Giappone, ma si poteva comprare all'estero e viaggiare. Gli argentini, però, non si fidavano e approfittando del cambio favorevole, avevano fatto i depositi in dollari. Oppure era politica della banca fare investimenti in dollari.
Poi c'era stato il Coralito. Non si potevano più ritirare i soldi dalla banca, non ce n'erano più per coprire i conti correnti. Da un giorno all'altro. Poi, Cavallo, l'economista, aveva obbligato alla conversione. Tutti i conti correnti in dollari erano stati tramutati in pesos.
Poi c'era stata la svalutazione. Il peso era tornato al suo valore reale. Risultato, i conti in banca e le rendite a quel punto valevano un quarto di prima. Una magica operazione che aveva salvato le casse dello Stato, ma non gli argentini. A guardarlo, un gioco di prestigio perfetto. Cavallo, adesso, vive a Miami, inutile chiedersi con i soldi di chi. Non a caso, le banche oggi in Argentina sono il vero nemico. Quelle che non sono vuote o distrutte, sono protette da inferriate e portoni di ferro, che la notte si riempiono di scritte o vengono bruciate.
Cenano in un ristorante di lusso, un po' decaduto visti i tempi, con le fo-

to di Gardel appese ovunque, poi partono per l'ultima tappa. Una sinagoga occupata. È stata presa il pomeriggio, adesso c'è una festa di inaugurazione.

La sinagoga è nel quartiere Barraca, tra la Boca e il fuori. Il tassista si rifiuta di farli scendere in strada e cercare a piedi il luogo. Non è il caso, dice. Girano per qualche minuto, alla fine H. individua una luce lontana. Il posto è quello. Il Gorilla lascia una mancia principesca di due dollari, scendono e camminano lungo una strada deserta. Bussano a un portone di legno, poi tirano una corda che fa suonare una campana lontana. Apre una giovane punk rapata a zero. È il posto giusto.

Della sinagoga originaria rimangono solo le tracce, con la sala del tempio circolare adesso occupata da un gruppo teatrale che mette in scena una specie di commedia dell'arte politica. I giovani, un centinaio, neanche troppo malmessi, tipo centro sociale italiano, a parte qualche ubriaco che balla da solo contro le pareti, e i cani, un sacco, che si rincorrono e abbaiano, ridono come dei pazzi. Il Gorilla finge di divertirsi a quella che è una satira di grana grossa.

Viene presentato come un compagnero italiano, conosce gli attivisti: fanno parte dell'Mta, il gruppo di *piqueteros* anarchici duri e puri. Sono quelli da cui spesso gli altri prendono le distanze, i più controversi. Vendono opuscoli con la storia di due loro militanti, uccisi due anni prima su un ponte di Buenos Aires in diretta televisiva. A colpi di pistola in testa, il fatto aveva suscitato un certo scandalo, ed era stato uno dei chiodi nella bara dell'ex presidente Duharte.

Mentre le ragazze chiacchierano, il Gorilla esamina le pareti. Ci sono ancora le tavole della Torah in marmo, e due lapidi scritte in caratteri ebraici che elencano una serie di morti. Non ci sono indicazioni sulla data: forse sono i soci benemeriti, oppure i caduti in qualche guerra.

Il trio riparte. Prendono un taxi. Fanno il viaggio abbracciati, come un trio improbabile. Davanti all'albergo, non sanno più cosa dirsi.

Ci scriviamo?

Si scriveranno.

Il Gorilla rimane a guardare il taxi che riparte, sentendosi orrendamente triste. *Desmasiado corazon.*

Entra a fare la valigia.

ANCORA

Un guardiano del faro, che sa che il viaggio non è di chi va, ma di chi resta e guarda andar via. Una donna salutata come quelli che passano e i gabbiani e il sale nell'aria, una donna che sconfigge lo spazio angusto del faro fino a far invidia al mare. Un'ancora, un ancora. Un racconto della narratrice che nel 2005 ha esordito col bestseller **Ma le stelle quante sono.**

GIULIA CARCASI

A scuola mi avevano insegnato che Ulisse era la personificazione del viaggio. Sapevo a memoria la traiettoria del suo percorso, gli incontri che non lo convincevano, le Sirene e la maga Circe e i nomi di quelli che cercavano di cambiare strada al suo destino.

Di Penelope, giusto un cenno.

«Era una donna che guardava sempre dalla finestra», diceva di lei la maestra.

E io piccolo mi chiedevo come facesse quella donna a stare sempre ferma lì davanti, avevo sì e no dieci anni, mi bastava stare immobile pochi minuti che mi formicolava la gamba destra.

Ne sono passati di anni, ho avuto tempo di dimenticare le isole di Ulisse, i suoi incontri sbadati, le sue tentazioni e certezze, ho avuto tempo di distruggere e ricostruire, sono più esperienza che memoria. Ora so che il viaggio non è di chi va, è di chi resta e guarda andare via.

È di chi controlla dalla finestra, di chi vede allontanarsi la scia di una nave, una coda alla quale per un attimo vorrebbe attaccarsi con tutte e due le mani.

Ne ho viste di navi andare via, hanno fatto ritorno tutte, tranne una.

Quando tornerà, se tornerà, non credo, ve lo farò sapere: è mio dovere, sono il guardiano del faro. Segnalo se il mare è chiassoso o se si è addormentato, stanco, come un bambino dopo aver fatto mille capriole. È un lavoro di vista sottile e muscoli immobili.

È un lavoro di solitudine e pochi metri quadri: vivo nel faro, non posso muovermi di qui, potrebbe capitare qualcosa in mia assenza. È una stanza omologata per uno, c'è un letto a una piazza e una piccola credenza dove tengo i bicchieri e le scorte di cibo e un fornelletto dove metto a scaldare il caffè.

Una volta al mese scendo a farmi una passeggiata per il porto.

Preferisco scendere di domenica, quando la gente si riversa nelle strade, quando c'è il mercato e gli ingenui s'illudono di fare affari. Preferisco la domenica, mi sembra che tutti siano in festa per me.

Incontro le persone e i gabbiani e il sale nell'aria e saluto, con il corpo, con la mano e con un cenno della testa, tolgo il guinzaglio ai miei muscoli e mi riapproprio dei movimenti.

Vado a pranzo da Luigi, da ragazzini nuotavamo insieme, lui sempre tre bracciate più avanti.

Lui andava spesso in barca con papà, io no, a me saliva la paura.

Il mare sai dove comincia e non sai dove finisce.

Mi capitava di immergermi e di vedere tra le alghe mani pronte a prendermi le caviglie e trascinarmi giù.

Mi sono sempre sentito fragile, fragile e pesante: era facile annegare.

Ero un pesce d'acquario, non di mare.

Conoscevo i sedimenti dell'acqua, la bassa marea, il bagnasciuga.

Luigi, invece, conosceva il mare che non ha radici, l'ha insegnata anche ai figli quell'acqua che scorre.

Mette in una pentola il sugo di pomodoro, ci fa affogare il pesce, poi lascia ad abbrustolirsi il pane e mi apparecchia la zuppa.

È una persona che è una catena di montaggio, Luigi, non perde minuti, li guadagna.

Mangiamo in fretta, siamo figli della stessa fame, mangiamo in silenzio, siamo figli della stessa educazione, abbiamo avuto lo stesso padre, con il sale in mezzo alle rughe della fronte, la stessa madre che vociava dalla finestra per chiamarci, per sentire le nostre voci di ritorno e pensare: «Dio, grazie sono vivi». Siamo uomini che guardano con la coda dell'occhio e le parole scomode se le tengono per sé.

Luigi non mi dice che Maria s'è sposata e io faccio finta che non lo so.

S'è sposata sette anni fa, m'ha mandato un telegramma, l'avevo aspettata per mesi e mesi una sua lettera, un rigo appena, e lei mi scrive: «Mi sono sposata» e non lo so perché me lo scrive e non lo so con che tono lo devo leggere, scelgo io, lo leggo col tono crudele della rivincita e allora penso che quel rigo era meglio se non arrivava, che magari si dimenticava di spedirlo, penso questo, ecco, tutto qui. Penso che potevi venire tu, Maria, a leggermelo, così il tono lo capivo meglio.

Saluto Luigi, ci vediamo il mese prossimo.

Passeggio per le strade di quest'isola, dove si cammina tanto per stare di nuovo allo stesso punto.

Me ne torno al faro, con le gambe stanche e la testa che mi pesa di idee.

Ti ho incontrato una domenica come tante, una domenica come queste, ti ho salutato come saluto quelli che passano e i gabbiani e il sale nell'aria. Sei stata tu che in quel saluto hai voluto vedere qualcosa in più, come quando a ogni scintillio del mare ti mettevi a gridare: «Guarda, i delfini» e io lì a spiegarti: «Sono tonni, Maria, solo tonni.»

Ricordi quando sei venuta a trovarmi quassù?

Hai detto che questa stanza era stretta, hai detto o ci mettiamo uno appiccicato all'altro oppure non c'entriamo. Ti sei messa troppo vicino, Maria, io sono un fiammifero, se mi stuzzichi mi accendo.

Ti sei guardata intorno e hai detto: «Me ne vado, è troppo piccolo per due».

No, Maria, è piccolo per uno, ma se vieni tu, non vedi come si moltiplicano le pareti e si allarga il pavimento? Se vieni tu, questo posto diventa grande in un attimo, diventa tanto grande che fa invidia al mare. Se vieni tu.

Pochi giorni dopo sei venuta di nuovo. Mi hai portato una vaschetta di gelato, si era già sciolto prima che facessi in tempo a salire.

«Sono tornata», hai detto, spuntando nella mia stanza.

«Hai fatto male».

«Lo so».

Mi sono fatto più vicino, per darti un bacio.

«Sei ancora in tempo ad andartene».

«Lo so».

Sei rimasta immobile e mi hai lasciato fare.

Venivi sempre più spesso, d'estate mi portavi le fragole e le bibite fresche e d'inverno il limoncello che preparavi tu con le tue mani, ti lasciavo credere che mi piacesse, lo mandavo giù in fretta e sorridevo, ma era troppo tosto, Maria, ci dovevi mettere meno alcool e più scorza di limone.

Però sono gusti, magari adesso il tuo limoncello piace davvero a tuo marito, magari lui è forte di stomaco, ti chiede il bis e il tris e il quadris, non lo so come si dice, però non si sforza di mandare giù e sorridere, gli viene naturale.

Siamo andati avanti un anno, in questa stanza che si restringeva ogni volta che te ne andavi.

Avevi ventinove anni, ti sembrava che fosse tempo di fare un figlio, tua madre ti diceva che c'era una scadenza, ti diceva che col tempo una donna si guasta.

Ce ne stavamo lì, abbracciati, mi facevi l'elenco delle cose che avresti insegnato a tua figlia: il punto a croce e l'uncinetto e la zuppa di pesce e il limoncello. «Il limoncello no, ti prego», pensavo.

Ma soprattutto, avresti insegnato a tua figlia ad essere smaliziata, come tu lo eri, le tue gambe troppo lunghe, le tue risate rumorose.

«Fai chiasso quando ridi», ti ho detto una volta e ti sei offesa e ci hai messo un attimo ad andare via.

Sei tornata il giorno dopo, ti sei affacciata nella stanza, mi hai chiesto: «Ti sei deciso a chiedermi scusa?», era questa la tua contraddizione, non ero io a scendere al porto e correre da te, eri tu che venivi da me a riscuotere le scuse.

Ti dicevo «Sì» e tu mi ti mettevi di nuovo seduta affianco e ridevi e facevi più chiasso di prima.

Continuavi a parlare di un figlio, mi dicevi: «Gli puoi insegnare il mare e la vita di barca e la pesca. Non c'è nessuno che *sa* il mare meglio di te».

Confondevi lo spettatore e il pubblico, Maria, non c'è nessuno che *guarda* il mare meglio di me, io controllo le barche degli altri, le loro pescate, non ho una rete mia, non posso insegnare niente a tuo figlio, posso dargli la vista precisa e i muscoli immobili.

Cominciavi a cambiare tutto.

Si sa, le famiglie sono rivoluzioni: hanno un vocabolario di parole ristrette, che vanno pronunciate come un inno.

«Libertà, Fraternità, Uguaglianza», gridavano i francesi.

«Famiglia, Figlio, Casa», gridavi tu a me.

Una volta hai provato a trascinarmi fuori dal faro, hai dovuto mordermi il braccio per farmi staccare la presa, ci sei riuscita, ma ti sei accorta che ero un uomo faticoso.

«Di che hai paura?», mi chiedevi.

«Degli spazi che non posso riempire», ti rispondevo, tu sembravi non capire e forse non c'era niente da capire, c'era da lasciar perdere e basta.

Sono un pesce d'acquario, non di mare.

E tu, Maria, vai bene per l'oceano.

Tua sorella ti ha mandato una lettera, ti ha scritto: «Un amico di mio marito è interessato a te, ti ha visto su una foto, gli sei piaciuta, lui è una persona onesta, un lavoratore, ha da poco passato i quarant'anni e ha un desiderio acceso di mettere su famiglia».

L'hai letta in pochi minuti quella lettera e subito mi hai proposto: «Se vieni con me, andiamo da mia sorella, vedrai che il marito ti trova lavoro, ce ne andiamo da quest'isola, andiamo a vivere in città, io e te, e a quell'altro gli dici che sono tua, lo dici ad alta voce, così lo sento pure io e mi tremano le ginocchia».

«Non posso».

Al solito ti sei offesa e ci hai messo un attimo ad andare via.

La mattina dopo, prima di partire, ti sei affacciata nella stanza, mi hai chiesto: «Ti sei deciso a venire?».

No, Maria, io le navi le vedo andare via, non ci salgo.

«Tu, in fondo, non mi vuoi bene», hai detto andandotene.

Sbagli, io ti voglio bene in superficie, al centro, in fondo e anche oltre, anche se tu raschiassi il fondo, troveresti ancora un po' di bene per te.

Tu parti, con una valigia enorme, hai infilato tutto lì dentro, non tornerai perché hai scordato una maglietta o una gonna troppo corta o quel paio di sandali con cui ci stai comoda.

Parti e nella tua scia io mi perdo.

Ma prima o poi, tutti tornano, Maria, anche Ulisse è tornato.

Solo la tua nave non l'ho più vista all'orizzonte, sta facendo un giro largo.

E forse, un giorno, anche tu ti deciderai.

Risentirai un odore noto.

Ritroverai una stanza uguale a come l'hai lasciata: il tempo non ha spostato un oggetto.

Moltiplicherai di nuovo le pareti, allargherai il pavimento e questo spazio non sarà più stretto com'è adesso.

E mi offrirai il tuo limoncello tosto, con troppo alcool e poco limone. Lo butterò giù in un sorso e ti dirò: «Ancora, Maria». Ancora.

BIOGRAFIE DI METALLO

*Salvatore l'autista di 'scassone', il boss Beckenbauer,
il soldato Pietro, la bambina Giovanna... Storie dell'espresso
Vesuvio di notte, di quella zona di guerra permanente
che è il nostro Sud, storie racchiuse in biografie di metallo
portate al collo, e raccontate dall'autore di Gomorra
(premio Viareggio come 'Opera prima').*

ROBERTO SAVIANO

Porto sempre la piastrina al collo. Mi sembra di portarla da quando sono nato. È una piastrina militare, c'è scritto il mio nome, il mio cognome, la data e il luogo di nascita, il gruppo sanguigno e una frase in latino di Terenzio. Quanto basta per farmi riconoscere, quanto basta per sintetizzare me stesso persino. Quanto basta per portarmi in forma scritta appeso al collo. Non ho fatto il militare, eppure porto la piastrina come un elemento d'ordinanza della mia vita quotidiana. Tutti, o quasi tutti quelli che conosco hanno la piastrina al collo, nome e cognome incisi, biografie di metallo penzolanti. Sembra essere la moda dei rapper, una cifra stilistica dei giovinastri di periferia, una provocazione di pacifisti, in realtà piuttosto uno degli elementi determinanti per comprendere la mia terra, il mio paese, la mia gente. Un mio vecchio compagno di scuola alle medie, Salvatore, era stato riconosciuto grazie alla piastrina. Salvatore lavorava come «scorta» ai tir carichi sino all'inverosimile e che quindi dovevano evitare i posti di blocco. I tir sovraccarichi o infarciti di coca o hascisc viaggiano quasi sempre con due macchine civetta che monitorano le strade che dovranno percorrere prima del loro passaggio, segnalando i posti di blocco o la presenza eccessiva di auto di carabinieri e polizia. In presenza di forti posti di blocco il camionista decide di uscire dall'autostrada rientrandovi qualche chilometro successivo, aggirando il posto di blocco o, se questo non fosse stato possibile, interveniva quella che in alcune zone chiamano «la scassona». Ossia una macchina mal messa che segue, sempre a distanza, i carichi importanti e in caso di necessità si avvicina ai posti di blocco guidando in maniera vistosamente pericolosa, così da farsi fermare e riuscire a impegnare il posto di blocco e far passare indisturbato il carico. Salvatore faceva l'autista di *scassone*. Lui era diventato famoso perché quando scortava i tir e non riusciva ad essere fermato ai posti di blocco, non considerava la missione fallita, ma tamponava apposta auto a caso, causava incidenti di proposito, così per emergenza il posto di blocco si disfaceva per bloccare il traffico e gestire il disastro. Un modo violento per eliminare un posto di blocco. Finì male, Salvatore. Si ribaltò con la sua auto dopo aver volontariamente tamponato un fuoristrada per poter attirare l'attenzione della polizia e far sciogliere un posto di blocco. L'auto prese fuoco, ma non completamente, e così le fiamme se lo sono cotto lentamente, il motore bruciava e il fumo nero entrava nell'abitacolo. Quando arrivarono i vigili del fuoco Salvatore era completamente bruciato. Seppero identificarlo subito perché portava la piastrina. Anche lui, come tutti. Nome, cognome, data e luogo di nascita e poi il gruppo sanguigno. E sul rovescio, il nome della sua fidanzata. Un'aggiunta alla sua biografia di metallo. Ormai medici, vigili del fuoco e poliziotti, sbirciano sempre con le mani sotto il collo cercando la piastrina, così si evitano di dover veder nelle tasche, prendere i documenti, chiedere il nome ai moribondi. E quando non la trovano è come se si trovassero di fronte ad un ingenuo, come un giovane che non ha indossato il casco, un'imprudenza di chi vagando per territori di guerra non si adegua. La piastrina è un oggetto cafone, scomodo. Ogni volta che si abbraccia questo francobollo di metallo freddo fa fare salti di reazione se finisce a contatto con la pelle dell'abbracciato, e con l'estate te lo trovi appiccicato con la colla del sudore in petto e quando ami è lì a ciondolare sul naso o addirittura le finisce in bocca. Non c'è amico che non mi abbia mostrato la sua piastrina morsa, secondo loro, dalle loro donne, e più strizzavo gli occhi sul metallo più non vedevo che microscopici graffi. Ogni graffio un canino femminile diverso, secondo le loro leggende. La piastrina è la traccia di un paese in guerra. Di una parte di paese in guerra. Il Sud. Il Sud ha il primato negli ultimi vent'anni di mortalità violenta giovanile. Meridionali sono la parte maggiore di morti ammazzati nelle guerre tra clan, meridionali sono la parte maggiore di ragazzi che crepano nelle missioni all'estero. E la piastrina è forse inconsapevolmente questa traccia. Militari, civili, criminali, operai edili che crollano dalle impalcature, tutti con il medesimo ciondolo, tutti la stessa fine. Come i suoi conterranei crollati dalle impalcature o morti bruciati, riconosciuti da questa bizzarra collana, così Pietro Petrucci 22 anni, il più giovane soldato morto in Iraq, a Nasiriyya, fu riconosciuto dalla piastrina dopo la terribile esplosione. Pietro Pietrucci veniva da Casavatore, un territorio funestato dalla guerra di camorra, prima di partire per l'Iraq un giornale locale raccogliendo un suo commento aveva scritto che «si muore più facilmente a Napoli che in Iraq». Non è andata così, ma la sua è una biografia di guerra, di chi neanche per un attimo ha creduto di poter vivere una vita maledettamente serena. Perché chi nasce in certi meridiani questa ambizione non solo non la possiede ma non riesce a crederci, neanche con tutti gli sforzi della volontà. La piastrina è la biografia mobile, l'elemento di cittadinanza di nuovi flussi di emigrazione. Si parte, si abbandonano fronti interni per fronti esteri, si lasciano territori e le linee della speranza, o forse semplicemente i sentieri di sfogo sono i treni espresso. Gli unici ancora in grado di spostare migliaia di persone, senza che il costo del biglietto pregiudichi il movimento. Gli espressi sono un'altra dimensione di treno. Gli Eurostar sembrano a confronto non un altro mondo, ma semplicemente altre dimensioni di luce, di spazi, di tempo, di odore, di clima. Chi non prende l'espresso Vesuvio di notte, la domenica sera, non conosce davvero il paese. Ogni fermata, una bestemmia, ogni bestemmia, una storia che viene fuori che riesco ad ascoltare o raccontare, con la speranza di addormentarmi o addormentare. Si dice che sugli espressi da un lato della tasca devi avere il biglietto e dall'altro il coltello. In realtà si esagera ma la folla, l'uno attaccato all'altro, ti costringe ad una continua situazione di tensione. L'ultima volta che ho preso l'espresso Vesuvio è stato qualche giorno fa, tutti fuori dagli scompartimenti con le teste poggiate sui finestroni a prendere l'aria rinfrescata dal movimento del treno, ma a volte si va così piano che sembra entrare aria rovente. In silenzio. Un'emigrazione fantasma. Ingegneri e ambulanti, informatici e idraulici, l'unica emigrazione che si riesce a mappare è quando per cause di lavoro bisogna cambiare residenza. Ma è raro farlo nei primi cinque anni e così ci si ritrova con un'emigrazione fantasma, che non si può comprendere perché non lascia tracce formali. L'emigrazione Sud-Nord, è immensa. Ogni anno una città come Foggia si trasferisce al Nord, una emorragia che sa di diaspora. Un laureato su tre va via dal Sud, secondo le statistiche, ma se consideriamo che le statistiche si basano su dati formali, in realtà sono tre su tre che vanno via. Sono in attesa di cambiare residenza, ma per le statistiche sono rimasti al Sud. Io la porto addosso non come dato statistico ma come ulcera nello stomaco. Con nessun amico rimasto qui. Con nessun parente rimasto qui. Con addosso la sensazione di fallimento, perché se sei rimasto al Sud sei uno scarto, una *lota*, un peggiore. Se hai qualche capacità, beh queste non possono che portarti al Nord. E chi rimane questa verità se la sente nello stomaco e chi ritorna guarda chi è rimasto cercando di capire, di pesarlo con gli occhi, di intuire quale difetto l'abbia costretto a non partire. Ogni volta che viaggio sull'espresso Vesuvio qualcuno prima o poi si avvicina e racconta la storia di Beckenbauer, boss dei Quartieri Spagnoli, il cui soprannome ha oscurato completamente il suo nome, Salvatore Cardillo. La sua somiglianza al calciatore tedesco, lo fece ribattezzare solo ed esclusivamente Beckenbauer. Il boss all'inizio della sua carriera faceva lo spallone, portava la coca attraverso i treni espresso, su a Milano. Sugli espressi si nasconde la coca sotto i sedili di uno scomparto e si prende posto qualche posto più in là, per tenere sotto controllo la situazione. Così fece anche Beckenbauer. Ma al suo primo viaggio ci fu un controllo dei carabinieri, scovarono la roba e lui non ebbe il coraggio di difendere il «carico», di prenderlo e cercare di fuggire di vagone in vagone e magari catapultarsi fuori dal finestrino. Questa è l'abilità degli spalloni. Lo lasciò sequestrare, terrorizzato dall'essere arrestato. Il capoclan quando seppe di questa leggerezza, lo ignorò. Non lo punì, ma lo relegò ai margini del clan, come se fosse stata la prova della sua incapacità di essere un personaggio in grado di diventare uno «buono», un boss. Beckenbauer si presentò a Santa Lucia, al bar dove si ritrovano tutti gli uomini del clan. Non si avvicinò troppo per non essere freddato, ma cacciò la pistola ed iniziò a spararsi nelle gambe: prima la sinistra, e dopo essersi azzoppato urlante e scivolato a ter-

ra per il dolore spostò la canna sulla gamba destra e fece fuoco. Quello che
non gli aveva fatto il boss, la punizione che non aveva ricevuto da lui se la
infliggeva lui stesso. E così si spianò la strada per la crescita nel clan, siccome solo chi pone la propria vita al secondo posto dopo l'affare, merita
davvero la rispettabilità, l'autorità, il rispetto. Le storie sugli espressi fioc-
cano continue, ripetute, da giorni ormai si parla della bambina. La chiamano così, soltanto. Bambina. Morta mentre lavorava. Giovanna Curcio,
15 anni, a Montesano sulla Marcellana, vicino Salerno. Lavorava in una
fabbrica di materassi. I macchinari avevano preso fuoco, e invece di fuggire come le altre operaie la piccola Giovanna e Anna Maria Mercadante di
49 anni hanno tentato di spegnere le fiamme. Se prendono fuoco i macchinari, avrebbero preso fuoco anche i loro stipendi, avranno pensato, o forse
no, solo un gesto istintivo, ci sono delle fiamme, si cerca di spegnerle. Ma è
stato fatale andare a prendere l'acqua in bagno, riempire i secchi. Tutto ha
preso fuoco in un attimo. E così è stato inutile urlare, le persone fuori sen-
tivano ma tutto in un attimo è diventato rovente. La fabbrica di materassi
di lattice era divenuta un inferno in una manciata di minuti. Giovanna e
Anna Maria sono state trovate abbracciate. Bruciate vive. 15 e 49 anni.
Non avevano le piastrine, ma erano lo stesso in guerra. Un lavoro che ha il
sapore della condanna, in una regione «rossa» che avrebbe dovuto avere
l'ossessione della sicurezza sul lavoro, della lotta al lavoro minorile, della
necessità di rendere dignitoso il lavoro sull'eccellenza, su prodotti che poi
avrebbero circolato in ogni parte d'Italia. «Giovanna non è andata via ed è
morta per questo» oppure «Giovannina ha fatto la fine di molte ragazzine
che vivono dalle nostre parti e si tirano su le maniche per lavorare e invece vanno a morire» ed anche «Giovanna non doveva finire così» e ancora
«E adesso i politici che dicono?» e alcuni «I miei figli devono crescere via
da qui, via dalla mia terra»: queste le frasi che si ascoltano durante il lungo viaggio sugli espressi, durante le traversate sul Vesuvio. I nuovi emigranti, facce che non superano i trent'anni non fanno altro che parlare di
lei, con una rabbia di chi sa che si sta allontanando da un territorio in
guerra, dove lavorare significa rischiare, e dove il salario è una concessio-
ne e le tredicesime vanno implorate. Alla stazione ieri sera ho salutato alcuni amici che partivano. Nord, ovviamente. Un fine settimana, venerdì
sabato e domenica, di lavoro a Milano, per poi riuscire a campare gli altri
giorni della settimana a Napoli. Una emigrazione di tre giorni a settimana.
Incredibile, non raccontata, silenziosa. A vendere pelle di dàino, a lavorare su qualche cantiere, a racimolare i danari per gli altri giorni della settimana. Faceva caldo. La mia piastrina era attaccata al collo. Me la sono
messa tra le labbra ed ho stretto i denti. E non c'era altro che metallo, non
c'è altro che me stesso. Il mio nome. Me stesso. Solo.

IN LIMINE

Una storia di emigrazione, in prima persona. Una storia come tante, come troppe. Una storia unica e diversa, come tutte, come ciascuna. «Oggi, finalmente, viaggerò. Sono contenta perché è quello che volevo da tantissimo tempo, però muoio dalla paura. Di che cosa ho paura? Non lo so, ma ho paura».

MOHAMMED BOUISSEF REKAB

Sono le due e mezza.

L'altro ieri mi hanno avvisato che la barca avrebbe dovuto essere qui a quest'ora. Avrei voglia di vedere in faccia il «Mjazni» che dirige tutta l'operazione. Gli direi grazie per avermi accettato sulla sua barca e lo guarderei con aria sorridente. Dentro di me però lo odio con tutta l'anima. Lui è il colpevole e a causa sua ho dovuto prostituirmi per lungo tempo fino a risparmiare il denaro che si è preso. Ah, e se mi capita l'occasione e se tutto va bene, farò il suo nome perché lo arrestino. Beh, credo che sarebbe una stupidaggine, dato che sbarrerei la strada a tanti altri che hanno bisogno di lui per arrivare in «Spanya». Inoltre, non potrei farlo perché non conosco il suo nome. Nessuno di quelli che stanno qui, conosce il suo nome. Sappiamo solo che lo chiamano il «Mjazni». Guardo se quella di fianco a me ha l'orologio.

«Mi dici che ore sono, per favore?».

«Le due e venticinque».

«Che orologio di merda! È avanti. Mancano cinque minuti. L'ho pagato dieci *dirham* all'entrata della stazione degli autobus di Tetuán. Il tipo che me l'ha venduto aveva tra le mani tantissimi orologi come questo, agganciati l'uno con l'altro perché non gli cadessero: formavano uno strana collana del tempo. Quello stronzo mi ha giurato e spergiurato che era un "buon orologio"».

Chi sarà? Non sarà che il «Mjazni» è arrivato in anticipo? Non credo. Chiudi subito la porta che sto morendo di freddo! Questo tipo qui è innamorato di quella ragazza di Casablanca. Continua a fare avanti e indietro senza fermarsi per portare ogni genere di cose alla sua donna; però a me scoccia parecchio che apra la porta ogni due per tre. Mi ricorda quel tipo noioso che veniva a cercarmi alla pensione perché passassi la notte con lui a casa sua. Andava bene perché mi pagava una bella somma, però mi dava molto fastidio quando tentava di coccolarmi e dimostrarmi affetto o amore o non so che cosa. È probabile che neanche alla casablanchese piaccia essere trattata in questo modo.

Caspita, devo di nuovo fare pipì! Vado di corsa prima che qualcuno mi passi avanti. Ma che schifo; che puzza! Cerco di trattenere il respiro fino a quando non finisco. Impossibile! Devo respirare questa porcheria. È già un mese che vivo in questa casa e oggi, finalmente viaggerò. Sono contenta perché è quello che volevo da tantissimo tempo, però muoio dalla paura. Di che cosa ho paura? Non lo so, ma ho paura. È come se sapessi che qualcosa di brutto si sta avvicinando, come quando faccio del male a qualcuno e ho i sensi di colpa. E se mi prende la polizia? Spero che non mi venga voglia di fare pipì durante il viaggio. Ma non mi arresteranno di sicuro!

Finalmente ho finito di fare pipì; sono andata a orinare neanche un'ora fa, e adesso guarda quanta pipì ho fatto. L'innamorato è lì a dare fastidio alla casablanchese.

Sono già le due e mezza; adesso sì che è ora.

Farà come quell'individuo che mi ha fatto aspettare tutta la notte? Non posso dimenticarmi di quel figlio di puttana. Ero con un'amica in cerca di clienti e sono passati due tipi in macchina, ci hanno invitato ad andare con loro e non abbiamo rifiutato, perché era quello che volevamo. Ci hanno portate in una casa vicino a Cabo Negro, ad alcuni chilometri da Tetuán. Quello che aveva scelto la mia amica si è infilato in una stanza, e quello che doveva venire a letto con me ha detto che doveva parcheggiare meglio la macchina ed è uscito: lo sto ancora aspettando! La cosa che mi ha fatto più girare le palle è stata che ho dovuto aspettare l'alba per tornare a Tetuán; e, ovviamente, quella notte non ho guadagnato neanche un centesimo. Spero che il «Mjazni» non ci pianti in asso come quel tipo.

Si è intascato quindicimila *dirham* e non è detto che non mi faccia partire! Muoio dalla voglia di andare in «Spanya»; là troverò lavoro in fretta. Sono certa che nel primo bar in cui entrerò mi prenderanno. Se il «Mjazni» ci sta imbrogliando, a chi lo denunciamo?

L'«Haji», quando si è preso i soldi – ha detto che erano per il «Mjazni» – mi ha assicurato che là quello che non manca è il lavoro. Continuare ad andare a letto con gli uomini? Perché no? Magari ho fortuna e mi capita uno di quei vecchi *nesrani* che si innamorano delle marocchine e mi sposa. Allora sì che si sistemerebbe tutto.

Il mio orologio fa le tre meno venti e di quel bastardo neanche l'ombra. È già in ritardo di cinque minuti; mi hanno detto che di solito è puntuale. Mi fa male la schiena; credo che mi stiano venendo le mestruazioni. Sarebbe orribile iniziare a perdere sangue durante il viaggio. Inoltre dovrei aspettare una settimana per stare con un uomo, se non trovo lavoro. E se succedesse? Dove mi cambierò il *fems*? Sulla barca saremo tre ragazze e il resto tutti uomini. Appena arriva il «Mjazni» e ci porta con sé, non m'importa che mi vedano cambiarmi assorbente, per niente, mi hanno visto così tanti uomini che uno più o uno meno non mi darà alcun fastidio. Che stupida! Al buio, chi vuoi che mi veda?

In «Spanya» cercherò di risparmiare dei soldi per comprarmi una casa in paese; molte ragazze che ho conosciuto lo hanno fatto. E raccontano che puoi lavorare in un bordello; dicono che pagano molto bene; l'unica cosa è non farsi notare, per evitare che la polizia ti veda e ti arresti. Se trovo lavoro come fissa, metterò da parte tutti soldi che mi danno. Così potrò averne abbastanza per una casa mia, presto. Se non ho fortuna, allora in un bar o da qualche altra parte, pur di guadagnare un buon stipendio. Finalmente! Ecco che arriva il «Mjazni».

«Uscite come vi ho detto, uno alla volta e senza far rumore!».

È vero, ci hanno detto come dovevamo uscire e chi sarebbe andato per primo e chi sarebbe andato dopo. Ogni persona che sta nella stanza sa dopo di chi dovrà uscire. Io devo uscire dopo un ragazzino di circa diciassette o diciotto anni. È alto e vestito molto male, per me non sarebbe stato un buon partito! Ma adesso mi devo concentrare su quello che faccio. Ecco che tocca a lui! Devo alzarmi per uscire, mi metto in piedi per seguirlo. Mi trema tutto il corpo. Maledette mestruazioni! Guarda in che momento dovevano arrivare! Altre volte, quando ho le mestruazioni, non tremo così; sicuramente è dovuto all'agitazione del momento.

Fuori non si vede assolutamente nulla. Ma tutti conosciamo il sentierino che conduce dalla casa alla riva, come il palmo delle nostre mani. Nessuno fa il minimo rumore. Si sente il mormorio delle onde del mare, ma non si vede niente. È un rumore pacato, ciò significa che non c'è il mare mosso. Ci hanno spiegato di prendere per mano quello che ci precede, di non staccarci l'uno dall'altro per nulla al mondo, poiché avremmo potuto perderci nel buio. La notte era scura, senza luna, fredda e minacciava pioggia. Questo freddo mi ricorda casa mia, i miei fratelli e i miei genitori. I miei genitori? No, soltanto mia madre. Mio padre se n'è andato via quando ero ancora molto piccola. Ricordo l'ultima volta che l'ho visto: è entrato infuriato e ha picchiato me e i miei fratelli, ha litigato duramente con mia madre e se ne è andato; non l'abbiamo mai più rivisto. Ho i brividi per tutto il corpo! Il viso dei miei fratelli lo ricordo perfettamente, come se fossero davanti a me in questo istante. Nessuno di loro ha voluto continuare a stare nella baracca dove vivevamo e ognuno ha preso la sua strada. Ci lamentavamo spesso del freddo che faceva e del fatto che non c'era nulla per ripararci… Dove staranno andando? Questo non è il sentiero che porta alla riva. E questo rombo di un motore? È un furgoncino; inizio a scorgerlo. Qualcuno sta fumando dentro. Devo fare attenzione a non mordermi la lingua, i denti non vogliono smettere di battere. Io e mia madre eravamo rimaste sole nella baracca. Quante volte abbiamo bisticciato! Ricordo che credevo di odiarla a morte quando non mi lasciava uscire. Ora darei qualsiasi cosa per averti qui con me, mamma! Il furgoncino mette in moto. La faccenda dell'andare con il furgoncino io non la sapevo. In «Spanya» potrò avere le comodità che mi sono sempre mancate. Mi sa che sto perdendo sangue. Che roba! Vediamo come me la cavo a prendere un *fems* dalla borsa! Ecco. Tra me e il tipo che sta alla mia sinistra c'è appena lo spazio per muoversi; lo spingo un po' per riuscire a mettermi il maledetto assorbente.

Quando stavo con mia madre, non poteva comprarmeli e cercava in giro pezzi di stoffa che mi metteva e che poi buttava via quando erano inzuppati di sangue.

Quanto tempo sarà già passato? Mezz'ora? Credo di sì. Ho imparato a misurare il tempo che passa senza guardare l'orologio. Cosa sono queste luci sulla strada? Mio Dio, speriamo che non ci arrestino! Il furgoncino rallenta. Non si ferma! Una luce sorta da una torcia elettrica si muove davanti a noi. Chi saranno, poliziotti o doganieri? Vedo solo delle ombre muoversi. Grazie a Dio il furgoncino va avanti. Ho la nausea; sento che ci sono molto curve; allora sono costretta ad appoggiarmi a quello che sta davanti a me; e successivamente, anche loro si devono appoggiare a me. Le luci del furgoncino sono l'unico segnale che indica che stiamo passando per questi luoghi a queste tarde ore della notte. Adesso svolta a destra. Accidenti che trambusto!

«Preparatevi! Non c'è tempo da perdere!».

Questa voce mi è nuova, ad oggi non l'avevo mai sentita. Sarà questo il «Mjazni»? Credo che sto per vomitare.

Ci tirano fuori alla bell'e meglio e ci fanno mettere in fila indiana. In testa c'è quello che aveva parlato un momento prima; lui ci guida. Ancora il rumore delle onde, però questa volta è molto più fragoroso. Il freddo mi ridesta dal torpore.

«Allora, le tre donne si avvicinino alla luce che sto per accendere!».

Non ci penso due volte e mi avvicino alla luce di una torcia.

«Salite subito!».

Mi dirigo di corsa verso la «barca». Le altre due fanno lo stesso. Ondeggia troppo. Riuscirà ad arrivare sull'altra sponda? Mi si sono bagnate le scarpe; adesso me ne sono accorta. Non so come sia successo. Gli uomini stanno salendo uno a uno. Ci staremo tutti? Siamo noi tre e ventidue uomini, più quelli che ci portano.

Fa un freddo pungente; il cuore mi trema.

«Buona fortuna e addio!».

L'autista se ne va. Vedo allontanarsi la luce della torcia.

«Mio Dio, speriamo che vada tutto per il meglio! Voglio diventare un essere umano come tutti gli altri, non chiedo altro».

Quando arriveremo se remano solo questi due? Dovrei cambiarmi, ma non me ne frega niente se sporco tutto di sangue. Smettono di remare! Cosa succede? A poppa sta accadendo qualcosa. C'è un terzo individuo ad accompagnarci. Si accende un motore. Di certo così arriveremo presto sull'altra sponda! Che felicità!

Sono certa che il mio destino cambierà a iniziare da ora.

(traduzione di Sara Chiodaroli)

NATURALISTI PER CASO, SULLE TRACCE DI DARWIN

Tornare nei luoghi di Darwin per vedere come si è evoluta l'evoluzione, proponendo in diretta una miscela di racconto, didattica e ricerca scientifica: questo l'obiettivo di un'armata di scienziati e cantori che ripercorrerà il viaggio della Beagle. Con qualche differenza: all'epoca Darwin si mangiò le tre classi di prove più importanti dell'evoluzione, oggi specie protette...

TELMO PIEVANI

Di certi viaggi sono importanti i preparativi. Prendete per esempio uno studente ventiduenne di Cambridge, sopravvissuto con una certa fatica all'esame del terzo anno, già medico mancato a Edimburgo con gran disappunto del padre, che deve attendere per quattro mesi la partenza di un modesto brigantino della regia marina inglese pronto a condurlo nei mari del Sud. Il 29 agosto gli era arrivata la proposta di partecipare alla spedizione come accompagnatore di buona famiglia del capitano, un certo Robert FitzRoy, ventiseienne aristocratico, di idee piuttosto conservatrici e dal carattere instabile. Per un aspirante naturalista, disposto a farsi parroco di campagna pur di coltivare in pace le sue passioni per la sistematica e la geologia, era un'occasione irripetibile. Nelle intenzioni la nave avrebbe dovuto costeggiare il Sudamerica per tre anni, facendo una ricognizione di porti e canali ad uso commerciale, ed era quindi ben fornita di strumenti scientifici.

L'invito proveniva da John S. Henslow, cattedratico di botanica a Cambridge, ma l'autorevolezza della firma non era bastata a convincere il padre: un secondo fallimento in carriera sarebbe stato troppo per la reputazione della casata. Alcuni mesi prima l'austero genitore aveva sentenziato, in una delle previsioni meno azzeccate della storia, che quel ragazzo dedito alla caccia e alle collezioni di insetti non avrebbe combinato granché nella vita. Ma una parola buona era giunta dal facoltoso zio Jos Wedgewood, di cui il padre si fidava. Valeva la pena partire, aveva scritto il pragmatico industriale della ceramica, perché un viaggio così tempra lo spirito, è l'occasione per vedere uomini e cose di mondo, e dopotutto «la storia naturale si addice perfettamente a un ecclesiastico».

Ciò che viene prima di un viaggio è spesso tanto contingente quanto ciò che viene dopo. Il comando era stato dato a FitzRoy perché, oltre alla stesura delle carte nautiche, costui avrebbe dovuto riportare in Terra del Fuoco tre indigeni che erano stati «civilizzati» in Inghilterra per una sorta di bizzarro esperimento antropologico. Prima che l'offerta fosse girata al ragazzo l'avevano rifiutata già in tre, per impegni ecclesiastici o familiari: chissà come sarebbe andata se quel viaggio attorno al mondo l'avesse fatto un altro. FitzRoy sulle prime non apparve entusiasta di condividere gli spazi angusti della nave con un giovane di tendenze politiche progressiste, e per di più nipote di un noto libertino illuminista. Ma la solitudine in mare gioca brutti scherzi. Il precedente capitano della nave si era sparato un colpo a largo del Brasile e FitzRoy, sotto la postura altezzosa e il profilo affilato, nascondeva il timore di avere una predisposizione ereditaria al suicidio dopo che uno zio, ministro dell'Interno di Giorgio IV, si era tagliato la gola durante un attacco di depressione. La profezia si autoavvererà tragicamente per FitzRoy molti anni dopo, ma adesso occorreva trovare un compagno di viaggio senza andare troppo per il sottile.

I due si annusarono e non si dispiacquero. Le buone maniere prevalsero sulle tendenze politiche, anche se FitzRoy, seguace della fisiognomica, azzardò la previsione secondo cui il giovanotto non sarebbe riuscito a concludere il viaggio: «La forma del suo naso denota mancanza di energia e di determinazione». Ignaro dell'infausto pronostico, l'aspirante naturalista iniziò in grande stile i preparativi a Londra, cominciando da un ottimo fucile da caccia grossa (per animali e per cannibali, non si sa mai), un telescopio e una bussola. L'11 settembre andò a vedere la nave a Devonport e ne rimase sconvolto: era piccolissima, 27 metri per 7, per 73 uomini di equipaggio, con una cabina di tre metri per tre in poppa, da condividere con il vicecartografo, e come giaciglio un'amaca tirata in diagonale. Il brigantino era in ristrutturazione e la partenza, prevista per fine settembre, fu rimandata più volte fino a novembre.

Lo studente si preparò con scrupolo, pur non essendo ovviamente il naturalista ufficiale di bordo. Il maltempo fece rinviare ancora la partenza fino a dicembre. Il giorno 10 salparono, ma una bufera di vento in mare aperto sconvolse i piani del comandante, che fu costretto a rientrare immediatamente. Ci riprovarono il 21, ma era bassa marea e la nave finì in secca prima di uscire da Plymouth. Nel frattempo il ragazzo ebbe il tempo di assaggiare il terribile mal di mare che non lo avrebbe mai abbandonato, per cinque lunghi anni. A Natale l'equipaggio si ubriacò nelle locande e ci volle tutto Santo Stefano per riportare l'ordine a suon di frustate. Il 27 mattina il capitano diede l'ordine di spiegare le vele ad una leggera brezza di levante e finalmente la nave salpò. Il secondo giorno ricominciò la tempesta e le sofferenze pestilenziali del mal di mare su quell'amaca peggiorarono. All'inizio dell'anno nuovo giunsero alle Canarie, paradiso ambito da qualsiasi naturalista, ma a causa di un'epidemia di colera scoppiata in Inghilterra il *Beagle*, così si chiamava quel brigantino, non poté attraccare e fu lasciato in quarantena. FitzRoy ripartì subito impaziente per le Isole di Capo Verde e da lì in poi è il *Viaggio di un naturalista attorno al mondo* di Charles Darwin.

94 *Scienziati e cantori sulle scie di Darwin.* Un viaggio può essere inteso come il tentativo inutile di fuggire se stessi o come il desiderio di trovare la risposta a un rovello interiore. Nel caso di Darwin fu un romanzo di formazione, frutto di un'aspettativa indefinita, di una speranza incerta per un'esplorazione che lo avrebbe condotto a nuove domande. Partì convinto della bontà delle opere del Creatore in natura, tornò con un'intuizione segreta da mettere alla prova. Sono passati 175 anni. Ebbene, nei prossimi mesi predizioni rischiose e pericoli di un viaggio tanto avventuroso saranno indegnamente simulati – con il conforto dei mezzi forniti ai naviganti del XXI secolo, un po' di humour ma nessun antidoto al mal di mare – da un'armata improvvisata di scienziati, di scrittori e di cantori, unita dall'intento di ripetere quel tragitto rivoluzionario. Un modo interessante e scanzonato per avvicinarsi al 2009, l'anno del bicentenario della nascita del naturalista inglese.

Il *Beagle* sarà gloriosamente rappresentato da *Adriatica*, una barca a vela di 21 metri e quattro cabine simil-darwiniane, ma senza cannoni e fruste, che ha appena completato un altro giro del mondo raccontato dalla serie televisiva di *Velisti per caso* condotta da Patrizio Roversi e Susy Blady, insieme ad amici come Davide Riondino e molti altri. La rotta ripercorrerà fedelmente la parte sudamericana del viaggio originario, che occupò ben quattro dei cinque anni complessivi, ma sarà percorsa in senso inverso, per comodità degli skipper contemporanei e scomodità dei capitani di allora che non avevano lo stretto di Panama. Quindi si partirà dalle Galapagos in dicembre, scendendo poi lungo il Perù e il Cile fino a Ushuaia nella Terra del Fuoco, risalendo quindi dalla Patagonia verso la Penisola di Valdes, Montevideo, la costa brasiliana e infine Salvador de Bahia sulla rotta di rientro nel maggio 2007.

A bordo si alterneranno sedicenti narratori omerici, che non mancheranno di rivisitare punti salienti, stranezze e illuminazioni del primo storico passaggio, esaltando per comparazione la nostra inadeguatezza di occidentali ancora alle prese con il creazionismo, ma anche scienziati, ricercatori e studenti che dovranno, in undici tappe per mare e per terra affidate ciascuna ad una università italiana, far rivivere le esperienze e le scoperte del grande naturalista inglese alla luce delle conoscenze attuali. L'ipotesi è che tornare oggi nei luoghi di Darwin per vedere come si è evoluta l'evoluzione, proponendo sul campo e in presa diretta una miscela di racconto, didattica e ricerca scientifica, possa rappresentare un'occasione inedita per condividere il significato di una rivoluzione scientifica e culturale epocale, sottraendosi per una volta agli stereotipi della divulgazione classica.

Di porto in porto l'eterogenea comitiva rivedrà i paesaggi degli arcipelaghi che tanto colpirono Darwin. Le sue lunghe perlustrazioni interne nel continente sudamericano saranno la traccia per permettere a un'équipe di paleontologi italiani di far conoscere alcuni scavi fondamentali per le nostre attuali conoscenze sui dinosauri, ma anche per discutere, con i nostri biologi molecolari, di un test genetico forense che possa permettere di risalire con certezza all'identità di alcuni resti riesumati di desaparecidos argentini. Sotto l'occhio curioso ma non protagonista delle telecamere, gli scienziati svolgeranno le loro ricerche e le dovranno raccontare a un testimone o disturbatore televisivo che cercherà di interpretarle a modo suo. Circumnavigando l'America del Sud i filoni di indagine si allargheranno anche, in Ecuador, alla biodiversità, ai danni della biopirateria e alle strategie di adattamento più ingegnose delle specie equatoriali; ai fondamenti della teoria dell'evoluzione nel laboratorio a cielo aperto delle Galapagos; alla vulcanologia e ai terremoti nella tappa di Valparaiso; ma anche alla biologia marina, alla geologia, alla ricerca di vita su altri pianeti, alle società dei primati, alla difesa delle economie e delle sapienze indigene. Darwin – prima della traversata a rotta di collo che lo riporterà a casa – ebbe il tempo di incontrare la schiavitù, che avversò per tutta la vita come «la più grande maledizione sulla Terra», gli indigeni, che parvero ai suoi occhi di gentleman vittoriano una manifestazione di umanità animalesca, la flora e la fauna delle foreste pluviali, le conformazioni geologiche di cui intuì l'enorme profondità temporale, i fossili dei mastodonti sudamericani estinti, i volti dei gauchos, le testuggini e i fringuelli delle Galapagos, di cui non intuì affatto il messaggio a prima vista.

La via gastronomica alla scoperta scientifica. Cosa scopriranno invece i
naturalisti per caso del 2006 è difficile a dirsi. Nemmeno quel ragazzo di ventidue anni, del resto, aveva le idee chiare nel 1831, ma era entusiasta e meticoloso «come un bambino con il suo giocattolo nuovo», annoterà Fitz-Roy. Raccolse di tutto, lo spedì a casa a far analizzare da studiosi più esperti, compilò osservazioni senza apparenti preconcetti e alla fine si lasciò pervadere da un dubbio. Ne nacque un'avventura intellettuale che non ha nulla da invidiare alla circumnavigazione del globo.
Darwin, prima che fosse Darwin, era un naturalista affascinato dalla teologia naturale di William Paley e dall'idea che i meravigliosi adattamenti naturali fossero un buon argomento per dedurre l'esistenza di un sommo «progetto intelligente». Anche se qualche perplessità lo aveva già sfiorato alla lettura dell'opera trasformista del nonno Erasmus, una simile fascinazione non dovrebbe stupire, se solo consideriamo la pregnanza, nelle scienze naturali inglesi di primo Ottocento, delle idee religiose difese dal blocco sociale e accademico anglicano. Non esisteva ancora una classe di scienziati professionisti e stipendiati. Quando, tornato dal suo viaggio nel 1836, concepirà una spiegazione alternativa del succedersi delle specie sulla Terra, il peso angoscioso della scoperta sarà così opprimente da indurlo a parlarne con pochissime persone e in modo molto prudente. Nel 1844, in una lettera all'amico Joseph Hooker, scriverà che rendere nota la sua idea sarebbe stato «come confessare un delitto». Per fortuna, abbiamo i suoi taccuini segreti redatti con maniacale precisione dal 1837, pagine intense ed emozionanti, scritte sull'onda dell'entusiasmo per il montare inarrestabile di una costruzione teorica illuminante e per lui sempre più evidente. Men-

tre è in viaggio le sue convinzioni creazioniste «normali» cominciarono a convivere con l'osservazione della realtà dell'evoluzione. Le vaghe intuizioni sulla trasmutazione delle specie maturate negli anni di studio incontrarono ben presto gli schemi osservati in natura e ne nacque una curiosa alchimia di idee. Il naturalista dilettante divenne un enciclopedico vorace. «Qui originano tutte le mie concezioni», scriverà, e il viaggio di *Adriatica* cercherà proprio di rievocare questa archeologia delle idee darwiniane. Darwin negli anni goliardici dell'università era membro di una combriccola di ghiottoni la cui prerogativa era quella di assaggiare in compagnia le carni più strane e talvolta ripugnanti. Un'esperienza ai limiti del commestibile che gli tornerà utile. Nell'*Autobiografia* ricorda di aver unito tre insiemi di dati per arrivare alla sua scoperta. Primo, i fossili di animali estinti con caratteristiche simili a specie viventi, come la corazza dell'armadillo attuale che richiama quella del gliptodonte: in effetti, in viaggio mangiavano armadilli. Secondo, il modo in cui animali affini si sostituiscono l'un l'altro procedendo verso sud nel continente sudamericano: per la precisione, si accorse che aveva di fronte un esemplare di una specie nuova di nandù, poi chiamata *Rhea darwinii* in suo onore, mentre la stava mangiando sul *Beagle* insieme all'equipaggio e i primi resti ossei della nuova specie sono in realtà scarti di un pranzo. Terzo, la particolare distribuzione delle specie alle Galapagos: il vicegovernatore gli descrisse le variazioni isola per isola nei carapaci delle testuggini, di cui pure ci si cibava regolarmente. In pratica Darwin si è mangiato le tre classi di prove più importanti dell'evoluzione: una sorta di «via gastronomica» alla scoperta scientifica, oggi difficilmente ripetibile (non erano ancora specie protette...).
Le diversità nei becchi dei fringuelli verranno dopo, perché non si mangiano ma soprattutto perché non si annotò le isole di provenienza. Osservò invece la variazione geografica degli uccelli mimi e insinuò: «La zoologia degli arcipelaghi sembra compromettere la stabilità delle specie». Sono i primi scricchiolii. Mentre ancora solca gli oceani, l'ipotesi rivale, il creazionismo, gli appare sempre più inutile e poco elegante. Nelle *Ornithological Notes*, scritte a bordo fra il 1835 e il 1836, lo tormenta una domanda: perché Dio avrebbe dovuto creare apposta tanta varietà da isola a isola? Perché tanto spreco di energie?

Lenta confessione di un delitto. Al ritorno Darwin comincia a ricevere i risultati delle ricerche fatte dagli esperti sui suoi reperti di viaggio. L'ornitologo John Gould gli spiega che i fringuelli delle Galapagos appartengono a dodici specie distinte. Nel Taccuino B arriva l'illuminazione e disegna l'«albero della vita». Nei commenti a margine annota questi concetti: «rami che si estinguono», «antenati comuni», «moltiplicazione delle specie». C'è tutta la teoria dell'evoluzione, tranne la selezione naturale. Sta già pensando che «i cambiamenti non derivano da volontà degli animali ma da legge di adattamento». Lo scricchiolio è diventata una crepa.

Poco oltre rettifica: più che un albero dovremmo chiamarlo «il corallo della vita» ed è curioso pensare a come sarebbe andata se avesse prevalso questa bellissima versione marina della metafora. Concependo la «discendenza comune con modificazioni» delle specie, propone che l'intero sistema di classificazione gerarchica di Linneo sia reinterpretato come un ordine di parentela e di comparsa nella storia naturale. Nel Taccuino D scrive: «Il genere di ragionamento spesso seguito in tutta la mia teoria consiste nello stabilire un punto come probabile mediante l'induzione, applicandolo poi come ipotesi ad altri punti per vedere se li risolve». Ecco l'attrito con la natura, il codice di comportamento scientifico e critico che Darwin applica in quegli anni e che subito contrappone, nei suoi appunti, alle spiegazioni alternative del creazionismo.

Ma è solo l'inizio del suo viaggio intellettuale. Una volta confermati i suoi schemi descrittivi, il «fatto dell'evoluzione», deve cercarne il meccanismo generatore. Al ritorno, mentre in patria la teologia naturale continuava a spopolare, le regolarità ripetutamente osservate in contesti simili gli vengono avvalorate da altri dati indipendenti. Si convince che la sua generalizzazione è giusta, ma sa che ha bisogno non soltanto del «come», ma anche del «perché». Ha una spiegazione rivale da sfidare, che gli sembra sempre meno plausibile. Come può un Creatore aver lavorato in modo così poco efficiente, estinguendo forme e sostituendole con altre simili? Perché Dio avrebbe dovuto creare così tanti coleotteri?

Nei mesi successivi altre prove, soprattutto di anatomia comparata e di embriologia, si affacciano alla sua attenzione, allargando la base empirica di quella che ormai chiama affettuosamente «la mia teoria». Comincia a discutere delle attività degli allevatori, che poi lo porteranno alla selezione artificiale come modello per la selezione naturale: «Esiste in natura un qualche processo analogo? Se sì, la natura può realizzare grandi scopi». Nel luglio del 1838 inizia il Taccuino D e in un appunto estivo del 16 agosto seppellisce il creazionismo: «Non è all'altezza della dignità di Colui che si presume abbia detto: "Sia fatta luce", e luce fu, immaginare che Egli abbia creato una lunga successione di vili animali Molluschi». Quel ferragosto deve essere stato decisivo perché nelle stesse ore annota su un altro foglio: «Colui che comprende il babbuino contribuirà alla metafisica più di Locke».

Se non esiste un dio dei molluschi, è pur vero che il naturalista non ha ancora una legge in grado di sostituirlo, solo sensate speculazioni. Legge le opere di Thomas Malthus e del botanico svizzero Augustin P. De Candolle sulle dinamiche popolazionali in fasi di scarsità di risorse e sulla guerra fra specie rivali. La «lotta per l'esistenza» era il tassello che gli mancava e il 28 settembre scrive con enfasi: «Si potrebbe dire che esiste una forza come centomila cunei che cerca di spingere ogni genere di struttura adattata nelle lacune dell'economia della Natura, o piuttosto di formare lacune spingendo fuori i più deboli, al fine di vagliare la struttura appropriata e adattarla al cambiamento». Ha colto il meccanismo causale che gli serviva, anche se lo chiamerà «selezione naturale» soltanto nel 1842. Capisce di avere fra le mani la spiegazione di quello che l'astronomo John Herschel gli aveva descritto, nel 1836 a Città del Capo, come il «mistero dei misteri», l'origine delle specie.

Il 12 marzo 1839 inventa l'immagine della natura arcigna e competitiva: «È difficile credere nella terribile ma silenziosa guerra degli esseri organici che si svolge nei tranquilli boschi e nei campi ridenti», una metafora che sconterà amaramente quando i suoi detrattori ne faranno uso per demonizzare la teoria dell'evoluzione come ispiratrice del «darwinismo sociale», dell'eugenetica razzista e di altre nefandezze che non hanno alcunché da spartire con un giovanotto vittoriano di orientamento politico progressista che scopre come si evolvono le specie.

Un altro genere di conseguenze gli è ben chiaro fin dall'inizio, tanto è vero che tiene gelosamente segreti i suoi appunti. Inizia a compilare a parte i Taccuini M e N, dove annota le questioni «metafisiche» connesse alle sue idee. Approfondisce senza alcuna remora la sua estensione della spiegazione evoluzionistica all'uomo, essendone quindi consapevole fin dal 1837. Non solo, applica il suo materialismo evolutivo al libero arbitrio, ai pensieri intesi come secrezioni dell'organo cerebrale, alle emozioni e agli istinti nell'uomo e negli animali, fatti della stessa pasta. Una lista di temi piuttosto spinosi negli anni Trenta dell'Ottocento inglese.

Nel 1842 compila uno *Sketch* che rappresenta il distillato dei contenuti dei taccuini, nel quale sintetizza l'impianto logico del processo di selezione naturale. È un'idea tanto semplice quanto potente: il punto di partenza per Darwin è che animali e piante variano allo stato domestico, ma la stessa variazione si osserva anche allo stato naturale; come alcune tendenze interne alla variazione vengono privilegiate dagli allevatori attraverso l'incrocio selettivo, così esiste un meccanismo analogo in natura innescato dalla lotta per la sopravvivenza. In tale contesto i portatori di variazioni vantaggiose avranno più possibilità di sopravvivere e quindi di trasmettere alla discendenza i loro caratteri. Ecco il mulino paziente della selezione naturale, «rigida e minuziosa», che setaccia la variazione e fa evolvere le popolazioni: «dunque nel corso di mille generazioni differenze infinitesimali devono inevitabilmente incidere».

Non è un'idea di immediata comprensione – Darwin lo confesserà nell'*Origine delle specie* – perché sfida proprio quel senso comune e quell'intuizione prescientifica che animavano la prosa trascinante di un Paley. Ciò che per molto tempo era apparso così intuitivo, ora si mostrava però nella sua illusorietà. È l'idea risolutiva ed elegante che cercava dal 1837, un principio causale in grado di spiegare la realtà dell'evoluzione, ma sa che assomiglia sempre più a un «delitto» per la buona società dell'epoca. Il motivo è semplice: si tratta di un meccanismo automatico, di tipo demografico e statistico, completamente naturale, che non richiede alcuna causa finale, alcun progetto, che non prevede il futuro, ma che spiega l'evoluzione di tutte le specie, compresa la nostra.

Come un selvaggio guarda una nave. Quella di Darwin è una rivoluzione
culturale non ancora metabolizzata. Le sue idee dispiacciono, anche se al
momento la gradevolezza estetica ed emotiva non è ancora un criterio
sufficiente per rifiutare una teoria scientifica. Ciò che stupisce, semmai, è
che ancora oggi si provi più angoscia a sapere di essere cugini delle scim-
mie antropomorfe, piuttosto che a sapere di essere seduti su un sasso va-
gante alle periferie di una galassia al cui centro risiede un vorace buco
nero. Abbiamo emozioni decisamente antropocentriche.

Il creazionismo è una fenice che risorge, perché risponde di volta in volta
ad esigenze profonde, oltre che a interessi politici, sociali ed economici precisi. Così, nel secolo da poco cominciato, il lupo ha indossato le vesti
d'agnello della cosiddetta Dottrina del disegno intelligente, che rende
quello strano rapporto di amore e odio fra Darwin e Paley paradossalmente attuale. Mentre *Adriatica* solcherà gli oceani sulle rotte di Darwin, nuovi e illustri epigoni europei, come il cardinale di Vienna Christoph Schon-
born, avranno reso l'*Intelligent Design* una dottrina a pieno titolo inter-
confessionale: non più solo protestante, ma anche cattolica.

E non più solo cristiana, poiché, pur con le dovute differenze, emergono
anche una trattatistica creazionista di matrice ebraico-ortodossa, un viva-
ce creazionismo di ispirazione vedico-hinduista e varie espressioni di ag-
gressivo antievoluzionismo in ambienti islamici radicali. In Inghilterra
l'organizzazione islamica al-Nasr Trust organizza la Islam Awareness
Week, durante la quale vengono denunciate le falsità del darwinismo.
Mentre la sponda del fondamentalismo islamico europeo si alimenta degli
scritti di Tariq Ramadan, in Turchia altri gruppuscoli islamici come Harun
Yahya sferrano attacchi verbali durissimi contro gli evoluzionisti, asso-
ciando le loro ricerche ai peggiori crimini del nazismo e dello stalinismo.
Una simile letteratura trash esiste anche in Italia: basti citare il caso recente del libro di Giulio Meotti, *Il processo alla scimmia*, che qualcuno ha se-
riamente recensito.

Soffia dunque un gelido venticello interreligioso sulla chioma argentea di
Charles Darwin, ancora una volta bersaglio dei fondamentalismi risorgen-
ti, ma non basterà per infliggere il mal di mare agli staffettisti di *Adriatica*. Nello *Sketch* del 1842, dopo aver citato come splendido esempio di
evoluzione la discendenza comune delle specie di rinoceronte asiatiche ed
essersi posto la domanda su come possa un creazionista dar ragione di
questi infiniti dettagli di diversità e di imperfezione, Darwin conclude: «I
miei modelli cessano di essere espressioni metaforiche e diventano fatti in-
telligibili. Noi non guardiamo più un animale come un selvaggio guarda
una nave, cioè come un qualcosa di interamente al di fuori della sua comprensione, ma proviamo molto più interesse nell'esaminarlo». Potrà sembrare incredibile, ma un secolo e mezzo dopo questa scoperta alcuni preferiscono continuare a guardare i viventi come il selvaggio di Darwin guarda
una nave all'orizzonte: come il prodotto di una mente irraggiungibile, tanto lontana da non meritare un briciolo di onesta curiosità scientifica.

TACCUINO DEL PRIMO VIAGGIO IN EUROPA

Dall'acquisto di un Vangelo o di un pettine ad abbozzi di trame da sviluppare, a idee cui dedicare una vita quali l'anarchia, la liberazione dei servi della gleba o lo scrivere romanzi 'senza giudicare': frammenti dai taccuini dell'autore di Guerra e pace tenuti a 29 anni, nel 1857, all'epoca del suo primo viaggio in Europa.

LEV NICOLAEVIČ TOLSTOJ

Presentazione di Carla Muschio
La verità è nel movimento

Un taccuino è ancora più intimo di un diario perché sono pensieri in déshabillé, frasi appuntate in fretta per un uso successivo, dall'acquisto di uno spazzolino per le unghie a idee cui dedicare una vita quali l'anarchia, la liberazione dei servi della gleba o lo scrivere romanzi «senza giudicare». A differenza dei taccuini i diari, perlomeno quelli di Tolstoj, hanno già una forma più compiuta che tiene conto di un possibile lettore. Infatti Tolstoj darà da leggere alla futura moglie, Sof'ja Andreevna, i diari scritti prima di conoscerla e continuerà poi con lei un rapporto di scambio di diari, inizialmente gioioso e poi penoso negli anni dei dissapori coniugali.

Leggere e tradurre queste pagine è quasi imbarazzante per la straordinaria vicinanza allo scrittore che esse offrono, ma sta proprio in questo il loro valore.

Ho scelto di tradurre i taccuini di Tolstoj della prima metà del 1857, epoca del suo primo viaggio in Europa. Tolstoj ha ventinove anni, è già uno scrittore apprezzato e ha già fondato una scuola per i suoi contadini, ma non ha ancora scritto Guerra e pace e Anna Karenina. Ha già concepito un piano per la liberazione dei suoi servi della gleba, anticipando il decreto imperiale del 1861, ma non ha ancora avuto la celebre «crisi» che lo porterà a scelte radicali di rifiuto della sua classe sociale e della sua collocazione nel sistema letterario.

Eppure la grandezza di Tolstoj in questi taccuini c'è già tutta, nell'emergere di mille pensieri che vanno in tutte le direzioni, frutto di un continuo interrogarsi su se stesso e di una sconfinata curiosità e passione per la vita.

Mi pare da imitare Tolstoj viaggiatore: tutto osserva e nota, eppure non si perde nel tentativo di vedere ogni cosa, nella smania di cambiare continuamente luogo. Scrive che «la verità è nel movimento», ma dimostra in queste pagine che i movimenti che realmente contano sono quelli interiori.

4 gennaio 1857. Pietroburgo. La verità è nel movimento – e basta. Per comprendere veramente un poeta bisogna comprenderlo in modo tale da non vedere altro che lui e quindi solo chi è capace di capire veramente la poesia può essere ingiusto con gli altri poeti.

Le persone geniali non riescono a studiare in giovinezza in quanto hanno un presentimento inconscio di dover conoscere in modo diverso dalla massa, dalla storia.

Per il romanzo *Giovinezza*. Lui non sa perché, ma a quelle condizioni gli è impossibile vivere. Gli è necessaria l'ispirazione. Il suo benefattore è un egoista, poetico e buono d'animo. [...]

9-21 febbraio (1). Appunti di viaggio di questo periodo nel diario. Devo comperare: spazzolino da denti, spazzola per le unghie e per i capelli. 3. Un pettine pieghevole e uno grande, portafoglio, rifare le camicie. Cappotto. Rue des Arcades, *derrière* Madeleine n. 11 (2).

Per fare pratica di lingua francese ho dato una barca di soldi a una donna francese. Il generale nel vagone. Insegnante di italiano e di inglese. Ginnastica. Il banchiere. *Cache-nez* (3).

Prefiggersi di raggiungere la perfezione in ogni campo è la geniale unione di due estremi. In letteratura, come nell'arte, un estremo è solo la personalità, l'altro è sempre costituito dalle esigenze del lettore. La francese ci è riuscita.

Nessuno come i francesi ha capito che la sfacciataggine affascina le persone. Addirittura un pugno sul naso, ma dato con decisione, spinge chiunque a scansarsi e per di più a sentirsi colpevole. Mi ha suscitato questo pensiero il discorso di Napoleone e Triat a ginnastica, con il tamburo e il basso.

14-26 febbraio. Il peggio in letteratura è imitare se stessi. Il disprezzo per gli altri dato dal successo, un successo inaspettato, è fortissimo. Lear doveva essere un usurpatore.

Finché sei giovane salti da una credenza all'altra e hai qualcosa a cui appigliarti. Quando un uomo intelligente usa a lungo una credenza, questa si indebolisce e le più deboli cadono. Meno ne restano, più intensa è l'azione distruttiva della forza dell'intelligenza. Felice colui che, quando ancora ne ha tante, lega una credenza alla vita e la fissa con la debolezza e l'abitudine.

Una mattinata al Caucaso: montagne, ombre, spazi in lontananza, grida di fagiani. Così modesto che fa apposta a parlare peggio. Suppone un tale ingegno *nell'altro* che non finisce il discorso, non solo non lusinga, ma dice solo il brutto.

16-28 febbraio. La favoletta di Andersen sull'abito. Lo scopo della letteratura e della parola è di far capire le cose a tutti tanto da credere a un bambino.

(1) In Russia fino al 1917 vigeva il calendario giuliano, che allora era indietro di 12 giorni rispetto a quello gregoriano, in uso nell'Europa occidentale dal 1582. Quindi il 9 febbraio russo corrisponde al 21 febbraio di Parigi.
(2) Tolstoj era notoriamente inaccurato nello *spelling* in tutte le lingue, compreso il russo. Nel testo di questa traduzione ho conservato lo *spelling* dell'autore, anche se sbagliato, per tutte le parole in lingua straniera.
(3) Sciarpa.

19 febbraio-3 marzo. La supponenza e il disprezzo per gli altri di uno che occupa una posizione vile nella monarchia è simile alla supponenza e all'indipendenza di una puttana.

28 febbraio-12 marzo. Digione. Qui c'è libertà proprio perché non c'è stranezza che tu sei disposto a fare che nessuno abbia fatto prima di te, *dandy*, eccentrici e semplici; e così ne risulta che il meglio è che uno faccia come più gli aggrada. Libertà.[...]

29 marzo-10 aprile Ginevra. Chiesa, sapone, polvere, *scarpe*, carte, i Tolstoj, ombrello, orologio, calamaio.

In Balzac, una donna dice disperata: *Je travaillerais* (4) e tutti inorridiscono.

Il mio vecchio metodo di scrittura, di quando scrivevo *Infanzia*, è il migliore, bisogna sviscerare tutti i sentimenti poetici, o con il lirismo, o in una scena, nella raffigurazione di un personaggio, di un carattere o della natura. Il piano dell'opera è un fatto secondario, cioè i dettagli del piano.

Le parole del Vangelo, *non giudicare*, sono profondamente vere nell'arte: racconta, raffigura, ma non giudicare.

30 marzo-11 aprile. Lettere a Turgenev, a Nekrasov e alla zietta. La domenica per la società e la festa, il resto del tempo, lavorare comunque seguendo il piano. Domani, fino alle 12 lettere e *Il danneggiato*, alle 12 in campagna, poi dal dottore. Prima e dopo di pranzo *Il fuggiasco*.

Non ho concluso niente. Domani: dalle 6 scrivere *Il fuggiasco* e andare a Vevey con il libro. Domenica.

Ci sono due intelligenze. Secondo una di queste, quella logica, piccola, la civiltà fa progredire; bene, secondo l'altra, guardando dall'alto, c'è pari compensazione in assenza della civiltà. Secondo una terza intelligenza, ancora superiore, un'area dove posso solo gettare uno sguardo fugace, ambedue sono giuste.

Comperare un Vangelo, leggerlo ogni giorno, sera e mattina, cosa che faccio già da due giorni.

Leggere la storia.

Una signora con le guance rosse che ride in un angolo per i calzoni di un ufficiale.

1-13 aprile Ginevra. La corruzione e lo schifo della borsa, delle ferrovie eccetera ci appaiono come corruzione perché sono cose nuove e difficili, solo i bricconi e i malvagi, costretti a cercare strade difficili, sono capaci di farne uso.

Un viaggio con un ragazzo innocente, la sua visione delle cose.

La nazionalità è l'unico ostacolo allo sviluppo della libertà.

È possibile un'assenza di leggi, ma dovranno esserci delle misure per evitare la violenza.

Les individus ne délèguent au pouvoir que la somme de liberté, qu'ils ne peuvent, ou ne veulent plutôt, exercer pour un terme plus ou moins long.

(4) Lavorerò.

Mais dans un état chaque jour il vient de nouveaux citoyens et de nouvelles occasions pour exercer le pouvoir, qui peut être ne sont pas de cet avis (5). Nelle immagini di Balzac c'è una possibilità, non una necessità poetica.

Il futuro della Russia è nello spirito cosacco: libertà, eguaglianza e servizio militare obbligatorio per tutti.

I diplomatici dovrebbero essere persone molto morali che diffondono idee comuni a tutta l'umanità e annientano le nazionalità.

Basta far indossare a un uomo la divisa, allontanarlo dalla famiglia e battere il tamburo per trasformarlo in una belva. [...]

Nello stesso momento si mettono croci e si sospira per gli uccisi di Rashtad e Bonaparte ammazza 4 mila persone a Jaffa.

La debolezza del direttorio sta nel fatto che hanno ammazzato tutti, non è rimasto nessuno. Il sangue è solo male.

Perché non sopportare più l'orrore dell'anarchia? Distruggendo l'anarchia, la crei. Se non ci fosse stata la storia di Cesare non ci sarebbe stato nemmeno Napoleone.

Il 18 Brumaio è riuscito perché non c'è stato sangue.

Ci sono due tipi principali di persone: i più vecchi e i più giovani. I più vecchi hanno ricche doti e arrugginiscono, vengono amati ma sono dannosi; i più giovani, dal naso gibboso, che vengono fuori a fatica, poiché si sentono cattivi, il nostro fratello, col naso rincagnato, non siamo amati, ma noi siamo utili.

20 aprile-2 maggio Clarins. Nell'infelicità russa uno dice spesso: gloria a te, Signore. [...]

Gli inglesi hanno letto tutti Shakespeare, Byron, Dickens, tutti cantano, suonano, vanno in chiesa, sono dediti alla famiglia, ma tutte queste sono comodità della vita, non un'esigenza del mondo interiore: questo dorme.

La lusinga agisce sugli stupidi così: per essere come li dipinge chi li ha lusingati, sono pronti a fare qualsiasi cosa; sulle persone intelligenti essa agisce mettendoli in uno stato d'animo felice.

Hanno dato alla gente una dottrina della felicità e loro stanno a discutere in che anno, in che luogo e chi ha dato loro tale dottrina.

Il tipo del tubercolotico: sincero in modo irritante, ora vivere, ora morire. Ora dolce, ora crudele. [...]

29 aprile-11 maggio Ginevra. Spiegazione del magnetismo di Lafontaine: allontanarsi dalla realtà col corpo ed ecco che l'anima raggiunge l'inconscio. Il corpo è cosciente. Gli inglesi al Savoy. Sera, i savoiardi bisbigliano, davanti a me una ragazzina conduce una mucca. Dietro la gonna azzurra si vede il sedere rosso della mucca. La mucca è molto più in basso della bambina.

---

(5) Gli individui non delegano al potere altro che quella parte di libertà che non possono, o piuttosto non *vogliono* usare per un periodo più o meno lungo. Ma in uno Stato ogni giorno ci sono nuovi cittadini e nuove occasioni di esercitare il potere e magari costoro non sono di quest'avviso.

104 Probabilmente il compito principale dell'uomo è l'amore, non l'abnegazione. Dimenticarsi di sé è così delizioso che un uomo dimentico di sé per rabbia, per gloria, per interesse è grande! Un bambino è carino, in preda all'agitazione è onnipotente. L'anima non ha coscienza di sé, c'è solo il corpo. *Dio ha dato all'uomo un'anima onnipotente e l'ha incatenata al corpo.* Dimenticare il corpo significa aumentare il potere dell'anima.

Si sveglia alle nove, alla finestra gli alberi, tremolano le ombre verde scuro e già ronzano api e mosche.

Ripulisce il sentiero, il badile batte contro i sassi, c'è odore di erba appassita e di terra.

Nei suoi appunti Napoleone dimentica completamente che gli zar vengono su dal popolo, proprio come lui; si aspettava dei rivolgimenti in Europa dalle persone, dai signori.

4-16 maggio Clarins. Scrive la sorella di Puščin: mi dispiace per questi ragazzi, crescono! Quante preoccupazioni li aspettano. Ha attraversato la vita con fiducia e dice che non ha colpa lei per gli orrori della vita, doveva andare così. È così forte lei stessa che non ha rimpianti per il suo passato *ma si dispiace per il futuro degli altri.*

«Regali felini», incisivo lessico familiare.

Non mi ha mai sorriso un pensiero più felice del romanzo sulla vita di un proprietario terriero russo.

Un vecchio dice con un gesto energico che tomba si farà.

La vicinanza della morte, non per cause esterne ma interne: vecchiaia, malattia, è il miglior argomento della fede. Tu non trovi niente, confusione ovunque; a giudicare dal tempo che hai impiegato per cercare di districarti in questa confusione vedi che non ti basterà il tempo per districarti del tutto. Meglio prendere una fede antica, secolare, tranquillizzante e infantilmente semplice. Non è un ragionamento, lo senti. Signore Gesù Cristo, abbi pietà di me.

Tabacco. Il conto del libraio. Blusa, pennello; lassativo, scarpe.

In giovinezza l'uomo intelligente vive in una sfera dove si mischiano tutte le concezioni, più o meno tutto è verità e non esiste verità. Con gli anni decidi secondo l'orientamento generale. *Caractère, coeur* (6), aristocratico: tutto ha valore e significato. Più o meno un codardo e poi due o tre occasioni di coraggio. Ci sono menti *infruttuose*, che credono ai concetti principali, li generalizzano; altre menti prendono le opinioni già fatte e cambiandone senza posa la disposizione elaborano l'utile. Le idee preconfezionate delle masse contengono sempre una porzione di verità. Tra l'altro non è che i primi siano *sterili*, da loro deriva un'arte morale. Confusione. Signore Gesù Cristo, abbi pietà di me.

Per *Il lontano Paul.* Una bambina di quattordici anni, s'innamora. È molto sviluppata per i suoi anni. Lui si vergogna, è imbarazzato. Lei: non capisce, è così pura. [...]

(6) Carattere, cuore.

Napoleone I con il concordato ha tolto l'usurpazione e la menzogna alla latinità. *Je suis le médiateur naturel ente le passé et le présent. Les rois peuvent avoir besoin de moi contre les peuples débordés.*

Le roi de Prusse. Je lui ai fait beaucoup de mal, mais j'en aurais pu faire bien plus (7). Spiegazione di tutta la concezione morale di Napoleone.

Per *I cosacchi*. Un ufficiale giovane, innamorato, amato da tutti, che viene ucciso.

Una donna parla del suo amore fisico a letto: che brava!

10-22 maggio Mi sono rifugiato dalla cameriera, è stata vista. Che succede? Sua Eccellenza M.I. si è coricato. Legge una lettera e ridacchia. Opera il bene senza farci caso.

Per *Il lontano Paul*. Il principale vecchio, Puščin, e il nipote malato di tisi. Codice d'onore: non aprire le lettere, uccidere in duello, combattere, non perdonare le offese, per una sorella che non si stima ammazzare un amico che si stima.

12-14 maggio. La Tormozova alleva un artista e il figlio di un capitano povero, una *vecchietta suscettibile* e infinitamente buona.

La donna cattolica lava i morti, presta il suo aiuto e prega in ginocchio.

Il vecchio vedendo la manifestazione si mette a piagnucolare. Per il *Romanzo di un proprietario terriero*: che il vecchio vada economicamente in rovina.

Hanno diritto di incolpare il sistema solo coloro che l'hanno amato e si sono svincolati da questo.

13-25 maggio. Tutti i governi sono pari quanto a bene e male. Il massimo ideale è l'anarchia.

Ho letto Proudhon, che è logico, materiale; ho visto chiaramente i suoi errori, come lui vede chiari gli errori degli idealisti. Quante volte vedi l'impotenza della tua mente, che si esprime sempre come unilateralità, e vedi ancor meglio questa unilateralità nei pensatori e nelle personalità del passato, soprattutto quando essi si completano a vicenda. Per questo l'amore, che unisce in un unico tutto tutti questi punti di vista, è l'unica legge infallibile dell'umanità.

Da cavaliere, tratta sprezzantemente la moglie, ma è contento quando gli dimostrano le virtù di lei.

Più di tutto trovò buffo quel cretino del tagliaboschi. Profumo di gigli.

Se la Russia oltre alla bandiera della religione e del popolo esponesse quella della repubblica o perlomeno della Costituzione, avrebbe pace.

Kómme her und küsse mich.

Par l'amitié. Mon coeur est tout attristé, je pleure en réalité (8).

20 maggio-1 giugno Interlaken-Grindewald. *Frühstück* (9). *Tirlili*. But-

---

(7) Io sono il mediatore naturale tra il passato e il presente. I re possono aver bisogno di me contro i popoli oppressi. Il re di Prussia. Gli ho fatto molto male ma avrei potuto fargliene assai di più.
(8) Vieni a darmi un bacio. Con l'amicizia. Il mio cuore è molto addolorato, piango vere lacrime.
(9) Colazione.

106 ta solo *merde* e *schlechtes setter* (10). Ha combattuto a Napoli, *religiöse leute* (11). La bellezza di Grindewald e le donne come contadine russe. *Gutenhabe* – libertà. 25 figli. Caprette, ristorantino. *Gutenhabe. Er steht. Donnerwetter* (12). Silenzio dell'inverno, scorre l'acqua, un uccellino si infila dentro, neve, valanga. Passaggio per lastre di roccia. Fiori dai vivi colori, valanghe in montagna. *Anstand. Gämse* (13). Sul culo all'ingiù. Stanchezza, ho bevuto acqua come una capra. Lepri (ho tutti i nomi). Stanchezza, colpo di sole. Cascate. Lunga stanza, stufa, silenzio, tristezza. Fare i conti con i cacciatori. La Svizzera: panchine e panorama a pagamento, contrasto con il *mužik* russo. Reichenbach. Milchbach. Pioggerellina leggera, afa, il lago passando per i sentieri. Saša dice che nuoterà verso il centro. A Avants 4-20, a Alières 1-50.

Le quaglie stridono, c'è silenzio. Un vecchio con la vodka, uhi uhi. L'ubriachezza nella vita è necessaria. Se non c'è l'ebbrezza del piacere, l'ebbrezza del lavoro. [...]

25 maggio-6 giugno Berna-Clarins. Odore di fienagione e di pesce, un luogo verde in basso, tirano fuori dall'acqua la rete a strascico.

27 maggio-8 giugno Clarins. Musica sull'acqua, rari colpi di fucile, sole brillante. L'uomo è contento di vivere perché vivere è bello.

28 maggio-9 giugno. Sono sdraiato a letto, la luna illumina la stanza e una mosca, credendo che sia giorno, batte contro il vetro.

Molto giovane, ha riordinato la stanza e si rallegra della sua bellezza, di una bottiglia sotto lo specchio che brilla nel sole.

Per *Il lontano Paul*. Un gran signore concorda facilmente con le idee liberali, ma cosa deve fare? [...]

Per *Giovinezza*. Prova le carriere dello studioso, del proprietario terriero, dell'uomo mondano, del funzionario civile e infine la carriera militare. Questa gli riesce, forse perché non gli richiede nulla, oppure perché, persa ogni energia, è capace di percorrere ogni strada, dove non farà più nulla, però nemmeno sbanderà. All'inizio, attimi di disperazione. [...]

31 maggio-12 giugno Clarins-Ginevra. La varietà delle razze e delle persone è una dimostrazione del miglioramento. Altrimenti, a che servirebbe? Mattina. Silenzio della segale, luminosità, verde scuro, dritta come un fuso, l'afferri con la mano, è fresca, umida.

Panchine marce, le assi del parapetto sono cadute, le radici degli alberi hanno delle fenditure su cui cresce il muschio. E in alto il sole, la giovane vita di uccelli e foglie.

Un certo forte sentimento di inquietudine: forse un presentimento o forse felicità. *Scrivere* I cosacchi *e* Il lontano Paul, *senza fermarsi per farlo bello, basta che scorra e non sia privo di senso.*

(10) Merda e maltempo.
(11) Gente di chiesa.
(12) È in piedi. Che il diavolo lo prenda.
(13) La buona educazione. Capre selvatiche.

2-14 luglio Chambery-Lanlebourg *Il danneggiato*. Mi sono messo una camicia da notte pulita e sono felice. [...]

6-18 giugno Saint Martin-Gressoney. Università. Vita – caffè – tranquilla vita politica. Viaggio con un italiano. Broferio. Diligenza. L'allegrone italiano fa arrabbiare.

Due di San Martino, uno quieto, poi un proprietario terriero ignorante e una dama. Dibattito su Napoleone e sulla religione. Discorsi osceni in presenza di una donna, amore e rispetto per i bordelli. Passeggiata a piedi con Voltaire. Notte. Vigne terrazzate e lucciole. Aria malinconica.

7-19 giugno Gressoney. Voltaire porta il catafalco.

8-20 giugno Gressoney-Chambave. Rarità dell'aria e chiarezza dei suoni in montagna – un bastoncino contro la roccia. – Odore – di piscio caldo, di grano schiacciato, di segale in fiore e in generale profumi onesti, sani. Un bambino portato da *maraine* e *parrain* (14). Scende lungo il pendio un bel ragazzo che canta. Il cuculo tra i monti. La pineta sopra Brusson. Silenzio, uccelli (mostruose sono le persone). [...]

10-22 luglio San Bernardo-Evian. La valle è inondata dall'azzurro. Inondata di lilla, rocce, segale abbattuta – nel Valais.

Un operaio ubriaco, si lamenta dei francesi.

Un procuratore di reclute dai movimenti tondi.

15-27 giugno Clarins. Sull'erba passa un carro. Un tintinnio diverso e innaturali lunghe ombre confuse sull'erba.

Mar'jana dagli occhi grigi, i capelli neri.

Per *Giovinezza*. Sto a letto da solo, ronza una mosca.

Il popolo russo è capace di vivere in una repubblica. Nelle sue concezioni il governo non è una necessità ma una casualità. Il popolo accetta lo zar essenzialmente grazie alla sua capacità di sopportazione. *Vivre et laisser vivre* (15). E perché lo zar dovrebbe andarsene, se lui sta bene così?

Solo i francesi e gli abitanti della Svizzera francese hanno la caratteristica di provare un piacere innocente per i suoni della propria voce.

Per *I cosacchi*. Un campo coperto di rugiada sotto la luna – trasparente e chiaro.

La critica è una sciocchezza, perché la critica è un punto di vista globale, infallibile, disumano. L'insulto e l'adulazione sono possibili solo nella critica. [...]

Il bosco è tetro, l'erba chiara, nera da sotto. Sembra che cadano gocce e sono insetti.

24 giugno-6 luglio Berna-Lucerna. Un signore con i capelli e la barba che gli incorniciano il volto si bea della sua abilità, getta dei pezzetti di cibo in bocca, infila il pane sulla forchetta, fa tutto come se fosse: uno, due.

25 giugno-7 luglio Lucerna. L'intelligenza che possiedo e che amo negli altri è quella in cui la persona non crede a nessuna teoria; sviluppando le

(14) Madrina e padrino.
(15) Vivi e lascia vivere.

teorie, le distrugge tutte e, senza portarle a conclusione, ne costruisce di nuove. Ad esempio: la teoria dell'oggettività e della soggettività nella creazione artistica è una fesseria.

Ecco una sottodivisione che si trova su tutt'altro piano: compito dell'arte è individuare dei punti focali e metterli in evidenza. Questi punti focali, secondo la vecchia suddivisione, sono i caratteri dei personaggi, ma possono fare da fuoco anche i caratteri delle scene, dei popoli, della natura...

Il sentimento del protestantesimo è l'orgoglio. Quello del cattolicesimo e il nostro: *humilité* (16) in tutta la vita. Non volevano abbandonare il povero tirolese, ma è affare suo il compito di salvare a fatica l'anima: ecco l'orgoglio.

27 giugno-9 luglio. Un luminoso mezzogiorno, gelosie chiuse, sono solo in camera, arriva non so da dove un leggero suono di pianoforte.

30 giugno-12 luglio Zarnen-Beckenried. Quando sei in buona salute, c'è bel tempo e sei immerso nella bellezza della natura, che impressione ti fa un mendicante e che felicità dargli qualcosa! Odore di fieno fresco, acidulo, nel fienile.

Un giorno felice! Dopo aver giocato con i bambini, un viale interrotto segnato dai noci; sono solo, la sera è chiara, si rivelano il lago e le montagne sommerse dall'azzurro, un organetto in lontananza.

Due ragazze con il gozzo, sul terrazzino d'ingresso di una casa, leggono il Vangelo sillabando.

Una famiglia celebra il riposo della sera, un vecchio e tanti bambini piccoli seduti accanto su una panchina.

Sarei passato davanti ai bambini senza fermarmi, reagendo ad essi con un'impressione fugace e distratta, e invece adesso ci siamo lasciati gridando *adieu* e nel mio animo palpita un sentimento di amore per loro, soprattutto per il *Kaiser*; magari anche loro avranno pensato: ecco un buon viaggiatore solitario.

4-16 luglio Lucerna. Un tedesco grasso senza cravatta racconta come fa a lavarsi la schiena. È orrendo con la sua salute. Lo si potrebbe ammazzare anche solo per questa salute.

Da dietro le carte spunta un vecchio proprietario, risuona una musica, lui batte i piedi. I cani sono sazi e freschi.

7-19 luglio Lucerna-Zug. Il sole brilla sulla sua finanziera lustra che gli copre le spalle forti.

Il vecchietto ha stivali larghi, puliti, che fanno delle onde e una vecchia finanziera terribilmente pulita.

Sogno: discuto dei meriti dei russi e dei francesi, da un carro scende un soldato, io faccio un salto e Sereža bacia in modo sconveniente: c'è allegria.

Spighe di avena coperte di rugiada di primo mattino.

8-20 luglio. Zug-Zurigo. In autunno.

---

(16) Umiltà.

Per *Giovinezza*. Ho letto Eloisa (17).

È più facile morire in presenza dei propri cari, celando a loro la propria sofferenza e paura: tu stesso le senti meno e ti rianima il tuo sacrificio.

Per *Il lontano Paul*. Quattro fratelli e una sorella.

All'estero si trovano degli inglesi e dei tedeschi staccati dal branco. Non provano neanche più a legare con i connazionali, leggono poco le loro cose. Conoscono tutti gli alberghi all'estero e persino i rapporti tra gli albergatori e la situazione delle loro famiglie. Oggi è seduto davanti a me un inglese di questo tipo con una fisionomia da delinquente.

11-23 luglio Friedrichhafen-Stoccarda. Povertà della reggia di Wirtenberg. Il treno all'inizio è una festa, adesso è una casa.

Per *I cosacchi*. Non è pudico ma selvatico.

23 luglio-4 agosto Francoforte-Eisenach. Un signore solleva le gambe, gioca con i bambini, nel complesso è semplice e schifoso, però è una brava persona.

Das war ein Unglück, dass zwischen den Liberalen die gescheidsten Köpfe waren (18)

Il socialismo è chiaro, logico e sembra impossibile come sembrava impossibile il vapore. Bisogna applicare maggior forza, affrontare le avversità e non fare passi indietro. [...]

Concerto di fagotto a Mosca.

8 agosto, Jasnaja. Falciare il campo e continuare a falciare. Coprire la serra. Trasferire Agaf'ja Mixajlovna. Saška in giardino. Non picchiare. Sigarette, scarpe, carta. Picchiano i contadini. Amore, inganno reciproco. Romanzo di un proprietario terriero russo. Peccato liberalizzare Sereža. Un'izba ai lavoratori.

Amministratore Ivan Ivanovič. Coprire l'argine in pietra, intonacare la *dépendance*, fare le porte e le stufe.

Il registro dei lavori è in disordine e complesso.

Il letame. Quietanze, 500, 400, 70 e 450. La paglia. Elenco degli stipendi. Mandare a Nekrasov 200 rubli. Le mie disposizioni. Chi vuole la libertà? Raccapezzarsi riguardo alla paglia e al letame.

Ai contadini poveri dare agevolazioni per un anno sui tributi in natura, e se no, tra i domestici.

Per la costruzione del mulino. La canapa. Il fieno. Scavare una fossa per raccogliere l'acqua dalla riserva di taglio e dal bosco di betulle.

(traduzione e cura di Carla Muschio)

---

(17) Si tratta di *La nouvelle Héloïse* di Rousseau.
(18) È stata una disgrazia che tra i liberali ci fossero le menti più capaci.

HERAT

*Uno scritto degli anni dell'università, dove 'il nostro
corrispondente' Čechov descrive una città abitata solo
da principi e impalati, confinante con posti impronunciabili
a stomaco vuoto, presso le cui porte si vendono mele, donne,
prugne e simili... Una città dove oggi sono stanziate
le italiche truppe 'di pace'. Sarebbe bene appropriarsi
dello scherno di Čechov contro chi pretende di intervenire
su civiltà che non conosciamo.*

ANTON PAVLOVIČ ČECHOV

**Presentazione di Carla Muschio
Un sorriso contro l'ignoranza**

Negli anni dell'università Čechov manteneva sé e la famiglia con pezzi umoristici che pubblicava su riviste popolari e questo è uno di essi. Per incredibile coincidenza parla della città dove oggi sono stanziate le truppe «di pace» italiane. È difficile capire in profondità le battute di un testo umoristico di più di un secolo fa, ma la sua idea principale è ben comprensibile e, purtroppo, attualissima: l'ignoranza che si ha delle civiltà a noi lontane rende ridicola la pretesa di intervenire su di esse.
Čechov descrive Herat, ma potrebbe essere anche una qualsiasi altra città dell'Oriente musulmano, attraverso i luoghi comuni con cui l'uomo della strada russo se lo figura, e ne ride. E oggi? Spero che nessuno tra chi ha autorità per decidere sulla politica in Afghanistan si faccia trovare impreparato come quel professore di geografia citato da Čechov, che risponde al direttore del ginnasio che Herat «non rientra nel programma»!

Herat
(dal nostro corrispondente)

Herat è *terra incognita*, difficile da digerire per il cervello dei qualunquisti non meno del transito caucasico e del montacarichi, eppure si ritengono in dovere di parlarne proprio tutti, anche le galline del bazar e le oche affumicate. Da che parte sia collocata questa Herat è ignoto anche agli insegnanti di geografia della scuola media appartenenti all'ottava classe della tavola dei ranghi (1). Recentemente un direttore di ginnasio ha chiesto a un geografo suo subordinato dove si trovasse Herat, al che il geografo è andato in confusione e ha risposto: «Questo non rientra

---

(1) Nella Russia zarista vigeva una «tavola dei ranghi» per la carriera ecclesiastica, militare e civile. A ogni «classe» corrispondeva un certo grado di stipendio, prestigio e autorità sulle classi inferiori. Alla «classe» si attribuiva grandissima importanza e Čechov ha dedicato molte pagine, in gran parte umoristiche, all'argomento.

nel programma». L'ignoranza è comunque meno dannosa della conoscenza, tuttavia l'uomo comune ha bisogno di sapere in che direzione
dovrà buttare i pomodori (2).
Gladstone, Defferin e gli altri diplomatici che si sono fatti la mano sul-
l'Afghanistan sono stati tanto gentili da riferirmi, benché non l'avessi affatto richiesto, su Herat quanto segue. Herat si trova in luoghi assai re-
moti tra la Persia e Kabul, confina a nord e a ovest con l'Harasan, a est
con il Kabulistan e il Belucistan: posti che uno non riesce a pronunciare a
stomaco vuoto. Un tempo era un canato indipendente, in seguito inco-
minciò a passare di mano di mano, come la carrozza di Gogol' (3), ap-
partenendo ora alla Persia, ora all'Afghanistan: un giorno il capodistretto
di polizia persiano corre come un disperato per i cortili cercando di riscuotere gli arretrati delle tasse e l'indomani, ecco che l'impiegato dell'ufficio delle imposte indirette afghano fa il giro delle bettole di Herat a in-
coraggiare i bevitori. Si chiama Herat anche la capitale del canato. È
grande cinque volte Kaluga e ha circa 200 mila abitanti. È circondata da
alte mura turrite e, per dare ai nemici la possibilità di entrare e uscire,
nelle mura si aprono cinque ampie porte. Presso le porte si vendono mele, donne, prugne e cose del genere. La popolazione è formata da un misto di persiani, afghani, indiani e altra minutaglia asiatica. Gli abitanti
sono dediti a varie attività artigianali, ma in prevalenza se ne stanno seduti su un palo (4), pagano le imposte, vendono le donne e fanno conversazione con i corrispondenti inglesi. I costumi orientali sono gli stessi di
Tiflis (5): i filistei fanno la lotta con le stecche da biliardo, si mordono il
naso a vicenda e gestiscono gli harem. Anche la lingua è orientale: «Vieni
qua ragazzo che ti do l'uva sultanina» (6). Tutti gli abitanti sono dei principi e vengono chiamati Vostra Serenità. La città è governata dai suoi capi. Il despota principale, un capotribù tartaro (7), funzionario di Stato effettivo, se ne sta seduto su un materasso di piume circondato da odalische, fuma il narghilè e ascolta i rapporti dei commissari della polizia di
quartiere del posto. Le nostre collegiali, senza averne il minimo sospetto,
spesso lo ricamano sui tappeti e sui cuscinetti da divano. Firma le carte
senza leggerle e dopo tutte le relazioni prende sempre la stessa risoluzio-
ne: «Impalatelo!». Il lunedì e il giovedì riceve i postulanti ricchi e fa loro
intendere che anche il giorno di Sant'Onufrij è il suo onomastico e che al-

(2) In russo l'espressione è «buttare il cappello», in segno di disprezzo.
(3) All'inizio delle *Anime morte* di Gogol' c'è una famosa descrizione comica della sconquassata
carrozza di Čičikov, che era passata da varie mani prima di arrivare a lui.
(4) Si tratta della crudele tortura di procurare la morte di una persona infilzandola su di un palo aguzzo.
(5) L'odierna Tbilisi.
(6) In russo in questa frase si prende in giro la pronuncia orientale.
(7) Il termine russo, *murza*, descrive una carica politica ma era anche usato come insulto rivolto
ai musulmani.

le sue odalische piace avere abiti nuovi... I funzionari di grado più basso prendono una mancia per le feste sotto forma di *rakat lukum* (8) , spugne e polvere persica (9). Quanto a sporcizia e tortuosità delle strade, solo Mosca può competere con Herat. C'è così tanto fango che anche i cavalli portano le calosce. Tra le bellezze della città spicca la moschea di Jami Masjid, un tempo famosa e oggi trasformata in rudere, dove nelle notti di luna i segretari delle ambasciate amoreggiano con le giovani illibate di Herat. Università, biblioteche, musei, teatri e altre tentazioni non ce ne sono, in compenso gli harem traboccano.

Herat è degna di nota per la bellezza delle sue donne e ragazze. Le «bellezze di Herat» sono note in tutta l'Asia, anche nella nostra Krasnojarsk. I bey, i capotribù e i nostri intendenti deportati si recano annualmente a Herat per acquistare bellezze per i loro harem. Il territorio di Herat è anche famoso per il suo clima fantastico, le notti meravigliose e la fertilità del suolo. Vi si coltivano il mandorlo, la vaniglia e si alleva il baco da seta. Naturalmente, quando Herat sarà coperta da un mucchio di cappelli (10) e sopra il materasso di piume non ci sarà un capotribù ma un nostro cavalletto (11), questa terra sarà ancora più fertile. Herat è circondata da città che hanno tutte soprannomi asiatici tipo *achki-prundry-chkha*, *kishmish* (12) e *habur-chabur*. Pronunciarle e impararle a memoria è tanto difficile quanto inghiottire un'acerina (13). Un solo nome è entrato nel patrimonio della memoria del pubblico. È Penzhdekh. Chissà perché, questa città è tanto piaciuta ai nostri politici dei mercati del centro (14) che ne hanno fatto la base di un nuovo insulto, finora ignoto: «Amico, ma va' un po' a Penzhdekh!».

(traduzione e cura di Carla Muschio)

(8) Un dolce orientale simile a un torrone morbido.
(9) Un diffusissimo prodotto in polvere contro le cimici.
(10) Vedi nota 2.
(11) Uno strumento di tortura a forma di croce, con una carrucola.
(12) *Kishmish* significa «uva sultanina».
(13) Un pesce di fiume particolarmente spinoso.
(14) In russo si fa riferimento all'Oxotnyj Rjad e al Gostinyj Dvor, grandi magazzini del centro, rispettivamente, di Mosca e San Pietroburgo.

NAPOLEONE E LO SPETTRO

Il racconto di Napoleone condotto per le vie di Parigi da un impiccato fantasma, fino a un nobile palazzo in festa dove incontra Marie Louise... Un inedito italiano dell'autrice di Jane Eyre, *dimostrazione di una prosa già matura nonostante, all'epoca, la scrittrice fosse solo 'una minorenne in vacanza'.*

CHARLOTTE BRONTË

Presentazione di Carla Muschio
Incessante mente

I Bach, gli Holbein, i Benois... Non so se sia la bottega o la combinazione dei geni a far fiorire talenti artistici simili in seno a una stessa famiglia, ma in musica e nelle arti figurative questo accade con facilità. In letteratura, invece, non conosco caso più stupefacente di quello della famiglia Brontë.

Il padre è parroco di campagna nelle brughiere dello Yorkshire: fino al 1820 a Thornton, poi a Haworth. Nascono in fitta sequela sei figli. Le due primogenite moriranno bambine, nel 1825. La terza è Charlotte (1816-1855), seguita da Emily (1818-1848), Anne (1820-1849) e dall'unico maschio, Bramwell (1817-1848). Nel 1821, quando la nostra Charlotte ha soli quattro anni, la madre muore. I bambini cresceranno sotto le cure di una zia. Il padre si premura di coltivare in loro il pensiero, la cultura e soprattutto la fantasia.

Animando un gruppo di soldatini, i quattro piccoli Brontë inventano interi mondi (Angria, Grondal e altri) in cui vivono avventure fantastiche. Essi stessi si rinominano come fratelli Bell. Questo nome d'arte verrà usato come pseudonimo per la prima pubblicazione delle tre sorelle, una raccolta delle loro poesie: Poems by Acton Bell, Currer and Ellis *(1846). Charlotte, che è «Currer», continuerà a firmarsi con questa identità infantile anche quando sarà famosa e il suo vero nome noto a tutti.*

I Brontë imparano presto a narrare e a scrivere le loro fantasie. È possibile leggere le prove giovanili o addirittura infantili di Charlotte in The Twelve Adventurers and Other Stories *(I dodici avventurieri e altre storie, a cura di C.K. Shorter e C.W. Hatfield, 1925).* Napoleone e lo spettro *è tratto appunto da qui. Si vede che Charlotte teneva molto a questa storia perché in seguito la inserì, come sottonarrazione, in un romanzo ancora assai acerbo,* The Green Dwarf *(Il nano verde). Prima di commentare la storia desidero finire di narrare la vita della sua autrice.*

Raggiunta l'età scolare venne mandata a studiare, come tutti i suoi fratelli, in un terrificante collegio per figli di ecclesiastici. Ella attribuiva ai rigori della vita in collegio la morte delle due sorelle maggiori e si vendicò descrivendola nel suo capolavoro, Jane Eyre. *Ma di nuovo sto correndo avanti.*

114 *Dal 1831 al 1832 Charlotte completò i suoi studi nella scuola di Roe Head, molto più umana, dove ritornò come insegnante nel 1834. Napoleone e lo spettro venne scritto nel 1833, nell'intervallo tra la vita da studentessa e quella da insegnante. Charlotte aveva diciassette anni. Nel 1842 ella compì il suo primo viaggio, a Bruxelles, con la sorella Emily. Furono presto richiamate a casa per i funerali della zia. La sorella si fermò in Inghilterra ma Charlotte decise di ritornare a Bruxelles e stabilirsi lì come insegnante. Nel 1846 venne la prima pubblicazione: la già citata raccolta di poesie, che vendette in tutto due copie.*

Senza lasciarsi scoraggiare dalla mancanza di successo, Charlotte, come le sue sorelle, continuò a scrivere. Tutte e tre divennero scrittrici professioniste e il fratello pittore. E tutti bravi: un caso stupefacente che non mi pare avere eguali nella storia della letteratura. Ecco i titoli delle opere di Charlotte: il già citato The Green Dwarf *(Il nano verde) (1883) e* The Foundling *(Il trovatello), romanzi giovanili;* The Professor *(Il professore), pubblicato postumo, nel 1859; i tre romanzi più maturi:* Jane Eyre *(1847),* Shirley *(1849) e* Villette *(1853); infine un inizio di romanzo interrotto dalla morte dell'autrice,* Emma. *L'opera di gran lunga più nota è* Jane Eyre, *definito da Thackeray «the masterwork of a great genius», il capolavoro di un grande genio.*

Charlotte fu l'unica dei fratelli a sposarsi: nel 1854, con il coadiutore di suo padre. Morì nel marzo 1855, poco dopo essersi accorta che aspettava un bambino.

***

Questo racconto mi ha sedotta alla prima lettura, lasciandomi affascinata e al contempo perplessa. L'ho riletto, gustandolo più lentamente e godendo della ricchezza del tessuto verbale, degli elaborati scenari che si dipingono nella mente. Continuava però il senso di confusione. Mi districavo male nei piani narrativi, che si presentano contraddittori, come un'incisione di Escher. Come può Napoleone comparire all'improvviso in una sala inglese dove il piccolo narratore sta riferendo una sua avventura? E come spiegarsi certe forme verbali: «Egli lo arresta nel nome dell'Imperatore». Perché «egli»? «Vorrebbe tanto saperlo». Perché non «vorrei»?

E poi mi lasciavano perplessa i dettagli storici. La scena si colloca tra il 1810, anno delle nozze con Marie Louise, e Sant'Elena. Ma quando? La Bastiglia c'era forse ancora? Il testo di Charlotte Brontë è un'opera di letteratura e alla fantasia tutto è permesso. Tuttavia, una base storica ho scoperto che c'è. Come spiega Hatfield, il curatore di The Twelve Adventurers and Other Stories, *nella nota introduttiva al testo, il personaggio di Piche (l'identità dello spettro, che apprendiamo in fondo al racconto) è realmente esistito. Il suo vero nome era Pichegru, un generale che aveva partecipato a un complotto per assassinare Napoleone quando costui era console. Il complotto venne sventato, Pichegru fu arrestato e imprigionato. Ancor prima di essere giudicato, «venne trovato nella sua cella, con la cravatta di seta nera tenuta ben stretta attorno al collo da un bastoncino». Viene naturale il sospetto che a farlo strangolare sia stato Napoleone. Ed è proprio ciò che ha immaginato la Brontë in questo racconto: il fantasma* dello strangolato Piche, personificazione del rimorso, torna a tormentare *l'imperatore, mandante, se non esecutore, del suo assassinio. Peraltro, se Piche non fosse stato fermato, sarebbe stato lui ad uccidere Napoleone. La comparsa del fantasma di Piche permette alla Brontë di dipanare una narrazione in perfetto stile «gotico», quella di moda nelle lettere inglesi di quegli anni, ricca di mistero, piena di suspense. Ma perché alla fine del racconto Napoleone compare in modo così irrazionale in un salotto inglese a compiere la sua vendetta sul narratore? Questo fa pensare che la storia contenga per Charlotte (e quindi anche per il lettore) una valenza simbolica, ancor più importante del contenuto fattuale. Ma quale? La mia amica Laura Minetto, con intuizione da scrittrice, mi è venuta in soccorso con una possibile chiave di lettura. Secondo lei il narratore, lo spettro e Napoleone rappresentano vari piani dell'io di una stessa persona. Le istanze di sesso e di morte di cui è turgido il racconto possono essere vissute, sì, ma per natura sono indicibili. Chi le porta alla luce, il narratore, deve essere condannato a morte da Napoleone, che è l'io. È una legge. «Egli», il codice di diritto del mondo dell'inconscio, condanna alla prigione il narratore, incessantemente, perché le pulsioni sotterranee agiscono senza posa. Viene in mente Kafka. In* Napoleone e lo spettro, *come nei suoi racconti, emerge una verità profonda che illumina scrittore e lettore, ma al contempo resta inconscia ad ambedue. Charlotte raggiunge la sua «rivelazione» attraverso la porta del sogno. Ce ne accorgiamo con certezza alla fine del penultimo paragrafo, con la parola «incessantemente»,* incessantly, *che è del tutto incongrua. Poco dopo vediamo i gendarmi futare tabacco in continuazione, senza posa. I gesti, diventati ripetitivi, ci hanno portato in un incubo, da cui si esce solo svegliandosi. Cosa che fanno Bud e Gifford, andando a casa. Ecco una spiegazione allo spaesamento che si prova alla parola «incessantemente». Ma ne ho anche pensata un'altra, più tenera. Non sarà che Charlotte ha semplicemente commesso un errore di lessico, usando quella parola per dire che il narratore è condannato «per sempre»? Se così fosse, il termine starebbe a ricordarci che la Charlotte autrice di questo racconto, per quanto già scrittrice, è anche una minorenne in vacanza.*

Charlotte Brontë: Napoleone e lo spettro

Andato via lui, i due amici rimasero seduti in silenzio per qualche tempo, ma ben presto Bud fu attratto dal suono di una voce proveniente dal gruppo di francesi seduti poco lontano, intenta a leggere o recitare qualcosa. Si avvicinò ad essi. A parlare era un ometto tutto pepe che aveva indosso una giacca e un panciotto marroni con una balza color crema. Mentre Bud si avvicinava egli pronunciava, con una profusione di smorfie e gesti, le seguenti parole:
«Beh, come dicevo, l'Imperatore si mise a letto. "Chevelure", dice al suo cameriere personale, "tira giù quelle tende delle finestre e chiu-

di i battenti prima di uscire dalla stanza". Chevelure fece quanto gli era stato detto, dopo di che raccolse la sua candela e si allontanò. Pochi minuti dopo l'Imperatore ebbe l'impressione che il cuscino fosse diventato alquanto duro, perciò si alzò per scuoterlo. Mentre faceva questo si udì un leggero fruscio accanto alla testata del letto. Sua Maestà si mise in ascolto ma tutto taceva, dunque tornò a coricarsi. Si era appena assestato in uno stato tranquillo di riposo quando venne a disturbarlo un senso di arsura. Si tirò su appoggiandosi a un gomito e prese un bicchiere di limonata dal tavolino lì accanto. Si ristorò con una lunga sorsata. Mentre rimetteva il calice al suo posto si sprigionò un profondo gemito da una sorta di ripostiglio posto in un angolo dell'appartamento. "Chi va là?", urlò l'Imperatore afferrando le sue pistole. "Parla o ti brucio le cervella!". La minaccia non produsse altro effetto che una risatina stridula seguita da un silenzio di tomba. L'Imperatore balzò fuori dalle lenzuola e, coprendosi in fretta con una *robe de chambre* che era appoggiata allo schienale di una sedia, avanzò coraggiosamente verso il ricetto del fantasma. Mentre apriva la porta qualcosa si mosse con un fruscio. Fece un balzo in avanti, brandendo la spada. Non comparve anima né sostanza viva; era evidente che il fruscio era derivato dalla caduta di un mantello appeso a un gancio sulla porta. Quasi vergognandosi di se stesso, tornò a letto.

Proprio mentre si accingeva ancora una volta a chiudere gli occhi, la luce delle tre candeline di cera che ardevano in un candelabro d'argento sopra la mensola del camino all'improvviso si oscurò. Alzò lo sguardo. A schermare la luce era un'opaca ombra nera. Sudando per il terrore l'Imperatore stese la mano per afferrare la corda del campanello, ma un essere invisibile la sottrasse bruscamente alla sua presa e in quello stesso istante la minacciosa ombra svanì. "Bah!", esclamò Napoleone. "Era solo un'illusione ottica". "Ah, sì?", bisbigliò una voce cupa dai toni profondi, misteriosa, vicino al suo orecchio. "È stata un'illusione, Imperatore di Francia? No, tutto ciò che hai udito e veduto è triste realtà, un avvertimento. Levati, tu che issasti lo Stendardo con l'Aquila! Svegliati, tu che reggi lo Scettro col Giglio! Seguimi, Napoleone, c'è altro che devi vedere!". Come si smorzò la voce il suo sguardo stupefatto distinse una forma. Era quella di un uomo allampanato che indossava un soprabito blu bordato di pizzo dorato. Aveva un nero fazzoletto da collo tenuto ben stretto e fermato da due spillettine dietro le orecchie. Il volto era livido, la lingua si allungava in fuori dai denti serrati e gli occhi, lustri e venati di sangue, sporgevano orrendamente dalle orbite. "*Mon Dieu!*", esclamò l'Imperatore. "Che vedo? Spettro, donde vieni?". Lo spirito non parlò ma, avanzando in silenzio, levò un dito facendo cenno a Napoleone di seguirlo. Guidato da un influsso misterioso che lo lasciava totalmente privo della capacità di pensare o agire di sua volontà, egli obbedì senza far motto. Il solido muro dell'appartamento si spalancò al loro avvicinarsi e, quando i due furono passati, si richiuse alle loro spalle con fragore di tuono.

Ora si sarebbero trovati nel buio più fitto se non fosse stato per una pallida luce azzurra che circondava il fantasma, rivelando le umide pareti di un lungo corridoio dal soffitto a volta. Con muta rapidità lo percorsero. Ben presto una rinvigorente brezza fresca che si slanciò con un gemito su per la volta, spingendo l'Imperatore a raccogliere più stretta al corpo l'ampia camicia da notte, annunciò che si stavano avvicinando all'aria aperta. La raggiunsero poco dopo e Napoleone si trovò in una delle strade principali di Parigi. "Onorevole spirito", disse, tremando nell'aria gelida, "concedimi di tornare indietro per mettermi addosso qualcos'altro: farò in un attimo". "Avanti", replicò severo il compagno. Per quanto fosse quasi soffocato da una montante indignazione, Napoleone si sentiva costretto a ubbidire.

Andarono avanti per le strade deserte finché non giunsero a una nobile dimora costruita sulle rive della Senna. Qui lo spettro si arrestò, si aprì il cancello a riceverli ed essi entrarono in un ampio atrio di marmo parzialmente nascosto da una tenda che lo attraversava; dalle sue pieghe semitrasparenti si scorgeva una forte luce che ardeva con accecante bagliore. Davanti a questo sipario c'era una fila di figure femminili, bellissime, riccamente vestite. Ciascuna aveva in testa una ghirlanda di fiori tra i più fini, ma i volti erano nascosti dietro maschere spettrali raffiguranti la testa della morte. "Cos'è tutta questa mascherata?", strillò l'Imperatore, sforzandosi di scuotersi di dosso i ceppi mentali che lo serravano contro il suo volere. "Dove sono e perché sono stato condotto qui?". "Silenzio!", disse la guida, spingendo ulteriormente in fuori la sua lingua nera, che penzolava insanguinata. "Silenzio, se vuoi scampare a una morte immediata".

L'Imperatore avrebbe voluto replicare superando con il suo naturale coraggio il temporaneo sgomento di cui inizialmente era stato vittima, ma proprio allora traboccò un motivo di musica soprannaturale, sfrenata, da dietro l'enorme tenda, che prese a oscillare e gonfiarsi lentamente come agitata da una commozione interna o da una battaglia di venti incrociati. In quello stesso istante l'atrio visitato dai fantasmi fu invaso da un insopportabile miscuglio di odori di corruzione mortale fuso ai più sontuosi profumi d'Oriente. Si udiva ora in lontananza il mormorio di molte voci.

Qualcuno da dietro gli afferrò bruscamente il braccio, egli si voltò di scatto e i suoi occhi si trovarono dinnanzi le note fattezze di Marie Louise. "Come, anche voi in questo posto infernale?", disse lui. "Come siete capitata qui?". "Vostra Altezza, concedetemi di porre la stessa domanda a voi", ribatté sorridendo l'Imperatrice. Egli non rispose, impedito dallo stupore. Ora non c'era più nessuna tenda a schermarlo dalla luce. Era stata tolta come per sortilegio ed era apparso uno splendido candelabro sospeso sopra la sua testa. Era circondato da una moltitudine di dame dai ricchi abiti, ma prive delle maschere di testa di morte, e mischiati ad essa c'erano allegri cavalieri in debita proporzione. Continuava a suonare la musica, ma ora la si vedeva provenire da una banda di suonatori mortali riuniti lì vicino in un'orchestra. L'aria era ancora profumata di incenso, ma era un incenso scevro di fetore.

"Bon Dieu!", esclamò l'Imperatore. "Come è potuto accadere tutto questo e dove mai sarà Piche?". "Piche?", rispose l'Imperatrice, "cosa intendete dire, Altezza? Non fareste meglio a lasciare questo appartamento e ritirarvi per la notte?". "Lasciare l'appartamento! Perché, dove sono?". "Nel mio salotto privato, circondato da alcuni personaggi particolari della Corte che avevo invitato stasera per un ballo. Siete entrato da pochi minuti, in camicia da notte, con gli occhi spalancati e fissi. Lo stupore che ora dimostrate mi fa supporre che foste sonnambulo". L'Imperatore cadde immediatamente in catalessi e vi rimase per tutta quella notte e gran parte del giorno successivo».

Non appena l'ometto ebbe finita la storia una figura abbigliata in un'uniforme color blu e oro si fece strada attraverso la folla di ascoltatori che lo circondava e, toccando questo narratore con una sorta di bastone del comando che teneva in mano, disse: «Egli lo arresta nel nome dell'Imperatore».

«Per cosa?», chiese l'ometto.

«Per cosa!», reiterò una voce dal lato opposto della sala. «Glielo farà sapere lui per cosa. Che significa questo aneddoto scandaloso? Vorrebbe tanto saperlo! Alla Bastiglia immediatamente, incessantemente!».

Tutti gli occhi erano puntati sul latore di questo perentorio mandato e, meraviglia!, ecco proprio l'Imperatore in persona, con il consueto soprabito verde e i pantaloni violetti, circondato da una ventina di gendarmi impegnati a fiutare tabacco in continuazione, senza posa. Ora l'attenzione di tutti era concentrata su *le grand Napoléon*, e *le pauvre petit conteur* venne portato in fretta alla Bastiglia senza preavviso e senza compassione, perché si stava facendo molto tardi e la locanda era piena di animazione e confusione per via dell'eccitazione suscitata negli ospiti dall'arrivo dell'illustre visitatore. Bud e Gifford, per i quali l'Imperatore non costituiva una novità, pensarono bene di andarsene. Percorsero insieme la prima strada e poi, dato che andavano in direzioni opposte, si separarono per la notte.

(traduzione di Carla Muschio)

L'ECONOMIA A DISMISURA D'UOMO

Se tutti gli abitanti del globo vivessero come italiani e francesi,
servirebbero tre pianeti, sei se vivessero come gli Usa.
E il neopensiero della competitività ha fatto proseliti
anche a sinistra. Con buona pace dei fedeli dell'economia,
una crescita infinita in un pianeta finito è impossibile.
L'unica soluzione è decrescere. O meglio, 'a-crescere'.
Vediamo perché.

LUCIANO GALLINO / SERGE LATOUCHE

Luciano Gallino: La teoria della decrescita, di cui Serge Latouche è il padre, è un'opzione ideale che ha un forte contenuto politico, etico ed economico. Per questo credo che abbia tutta la dignità per essere analizzata e messa a confronto con tesi diverse, anche con quella, opposta, che vede nella crescita a oltranza la soluzione di tutti i problemi dell'umanità. Il punto è capire quali siano i contenuti effettivi di questa idea, perché decrescita può voler dire tante cose. Si potrebbe pensare, per esempio, ad una società che continui sì ad essere benestante e ricca, ma la cui ricchezza si fondi sullo sviluppo di settori diversi da quelli su cui si punta oggi. Amerei molto sentire di quali precisi contenuti il professor Latouche ritiene di dover riempire questa tesi che, ripeto, mi pare meriti grande attenzione.

Serge Latouche: Innanzitutto ci tengo a precisare che la decrescita non è una teoria, ma è uno slogan, una parola d'ordine che intende rompere gli schemi classici della crescita, dello sviluppo, dell'economicismo. È un modo per dire chiaramente che bisogna cambiare strada. A rigore dovremmo parlare di a-crescita, come si parla di a-teismo, proprio perché l'idea di fondo è quella di uscire dalla religione dell'economia, dell'economicismo, della crescita, dello «sviluppismo», perché di vera e propria religione si tratta. Ma questo non significa che non ci sia affatto una struttura teorica su cui l'idea della decrescita si basa e che può essere rintracciata nei miei libri, da *L'occidentalizzazione del mondo* all'ultimo *Sopravvivere allo sviluppo*, in cui critico duramente la teoria dello sviluppo. La nostra società, da almeno una cinquantina d'anni a questa parte, è stata totalmente fagocitata da un'economia della crescita, un'economia che ha per unico fine la crescita per la crescita. Qui, infatti, non è in questione ovviamente la crescita finalizzata al soddisfacimento di bisogni. Il punto è che crescere per crescere è una cosa stupida. Ma attenzione: anche decrescere per decrescere è altrettanto stupido. Per questo ho cercato di articolare l'idea della decrescita in un programma politico concreto, anzi, meglio, in un percorso le cui tappe fondamentali sono costituite da quelle che io chiamo le otto «r»: rivalutare, riconcettualizzare, ristrutturare, ridistribuire, rilocalizzare, ridurre, riutilizzare, riciclare.

In fondo dietro l'idea di una società della decrescita ritroviamo un progetto molto più antico, quello di una società autonoma, una società che si dà le proprie leggi e che non è eterodiretta dalle leggi del mercato.

Lei, professor Gallino, suggeriva che la decrescita potesse essere interpretata in realtà come una sorta di crescita alternativa a quella attuale. Ma non sono d'accordo. La parola crescita è una parola perversa. Gli economisti hanno preso in prestito le parole crescita e sviluppo dalla biologia e hanno utilizzato la metafora dell'organismo naturale per spiegare la struttura economica. Hanno però dimenticato di utilizzare l'analogia fino in fondo: in natura gli organismi crescono, si sviluppano, poi iniziano il declino e finalmente muoiono. Gli economisti invece hanno inventato l'immortalità per l'organismo economico. Ma una crescita infinita in un pianeta finito è impossibile.

I concetti di crescita e di sviluppo sono concetti tipicamente occidentali. Io ho lavorato per trent'anni in Africa e mi sono accorto che è impossibile tradurre le parole sviluppo e crescita nelle lingue africane. L'immaginario di quei popoli non contempla i concetti di sviluppo e crescita. Queste parole contengono in sé ciò che per i greci era una delle peggiori qualità umane, la *hybris*, la dismisura. Potremmo dire che una società della decrescita è una società che ritrova il senso della misura. Si tratta di ritrovare un legame con la natura, che è stato rotto. Oggi ritrovare questo legame è diventato un imperativo, se vogliamo garantire la sopravvivenza del pianeta.

Gallino: Io sono molto sensibile a diversi degli argomenti che lei ha affrontato nei suoi libri e che sta richiamando adesso. Sono convinto che nel corso del Novecento lo sviluppo economico abbia superato un limite oltre il quale c'è l'esasperazione, lo smisurato, il fuori controllo. Non bisogna però dimenticare che tutto sommato lo sviluppo ha recato, nei nostri paesi, ma anche in molti altri nel mondo, benefici tangibili. All'inizio del Novecento si lavorava 3 mila ore l'anno e si aveva una speranza di vita intorno ai 50-55 anni, e mi riferisco a paesi a noi familiari come l'Italia o la Francia. Oggi lavoriamo in media 1.600 ore l'anno e abbiamo una speranza di vita che è di quasi quarant'anni più elevata, superando ormai gli 80 anni, quale media della speranza di vita di uomini e donne. Questi dati vanno tenuti in considerazione. Non che questi benefici siano stati un regalo dello sviluppo. Sono state conquiste faticose e sofferte, ma diciamo che lo sviluppo economico ha fornito le condizioni nelle quali quelle conquiste sono state possibili.

Di certo negli ultimi anni si è rotto qualcosa. I dati degli ultimi decenni sono impressionanti. Il mondo è afflitto da 2,7 miliardi di poveri che sopravvivono con 2 dollari al giorno, mentre il reddito pro capite dei paesi benestanti è enormemente cresciuto. Negli ultimi dieci anni nei paesi più benestanti, a parità di potere di acquisto, il pil pro capite è cresciuto all'incirca di 6 mila dollari, mentre gli aiuti per combattere la povertà sono diminuiti di un dollaro, e la sproporzione tra i paesi benestanti e i paesi poveri è diventata spaventosa. Quindi non c'è soltanto il problema di restituire saggezza alla crescita. C'è anche un problema di ridistribuzione, di equità, di giustizia sociale.

Quando si parla di dismisura, bisogna anche conoscere bene gli strumenti di misurazione. Noi sicuramente siamo vittime di una unità di misura che si chiama pil, prodotto interno lordo, che è una pessima misura dello stato delle nostre società. Se viene tagliato un milione di ettari di bosco per fare delle cassette o dei mobili, questo si traduce in un aumento del pil, mentre il fatto che sia stato distrutto un milione di ettari di bosco non incide affatto sulla diminuzione del pil. O ancora, per esempio, se abbiamo 100 mila gravi incidenti d'auto all'anno, ci saranno le auto da sostituire, le auto da riparare, le fatture dei medici e molte altre cose che costituiscono gravi danni per una popolazione, e che tuttavia concorrono all'aumento del pil. Per ragionare su crescita e decrescita, e anche per ragionare su uno sviluppo più equilibrato, bisognerebbe cominciare con l'inventare e adottare misure più sagge della ricchezza di un paese.

Ma perché ad un certo punto si è arrivati alla rottura dell'equilibrio? Uno dei motivi è certamente che la politica ha pienamente assorbito i canoni dell'economia. Oramai qualunque politico ragiona soltanto in termini di pil, e abbiamo visto quanto questa misura possa fallire nel determinare il benessere di una società. Tutto è valutato in termini di costi e profitti, tutto ha a che fare con la competitività. C'è stata una fortissima, e per certi aspetti mostruosa, economicizzazione della politica a tutti i livelli, sia locale che nazionale e internazionale. Il fondamentalismo dell'economia di mercato ha permeato profondamente la politica ed è forse giunto il momento di ristabilire un opportuno conflitto, un'opportuna dialettica tra le due sfere, perché dall'interazione piuttosto che dall'assorbimento della politica da parte dell'economia potrebbe nascere in aggiunta qualche forma di rinsavimento dell'economia stessa, anche se mi pare si tratti di una prospettiva molto, molto lontana. Innanzitutto perché è molto difficile che la politica rinsavisca essa stessa, riprendendo in mano il controllo dell'economia, cercando di puntare a quella che una volta si chiamava democrazia economica, partecipazione, insomma, cercando di ricondurre l'economia nel quadro degli interessi della collettività, della comunità, della città, tornando ad essere Politica con la P maiuscola. Non dobbiamo dimenticare che la scienza economica è nata a fine Settecento come un binomio inscindibile di etica ed economia. Gli economisti scozzesi insegnavano etica nelle loro università, oltre che economia. Oggi, se si menziona la parola etica molti economisti sobbalzano sulla sedia e rispondono che non ha nessun senso voler far interagire l'economia con l'etica e meno che mai con la giustizia sociale.

Latouche: Prima di dire qualcosa anch'io sul rapporto tra politica ed economia, vorrei fare alcune osservazioni su ciò che lei diceva a proposito del ruolo di emancipazione sociale che lo sviluppo ha in parte avuto. Sono molto sensibile, naturalmente, da buon occidentale, ai progressi che la crescita economica degli ultimi due secoli ha portato nei paesi del Nord. Ma ci sono dei «ma». Il progresso tecnico fin dal suo inizio si è sempre basato su energie fossili non rinnovabili, prima il carbone, oggi il petrolio. Abbiamo avuto la crescita al prezzo della distruzione e della predazione della natura e anche al prezzo dello sfruttamento e della colonizzazione dei paesi del Sud del mondo. Voglio essere chiaro. Senza dubbio c'è una crescita positiva fino a un certo punto, ma arriva un momento in cui il benessere si trasforma in malessere. Prendiamo proprio la speranza di vita. Oggi l'innalzamento della speranza di vita è molto più problematica perché si stanno sviluppando nuove malattie, alcune delle quali create proprio dall'attività dell'uomo (si pensi alla crescente incidenza dei tumori). Ed è plausibile che queste malattie si diffonderanno sempre di più, visto l'aumento costante dei livelli di inquinamento ambientale.

Un ex economista della Banca mondiale, Herman Daly, ha fatto un calcolo molto interessante. Ha sottratto dal prodotto interno lordo le spese di «compensazione» e di «riparazione», dimostrando che è vero che guadagniamo sempre di più in termini assoluti, ma che alla fine siamo sempre più poveri in termini di benessere, perché oggi, per esempio, dobbiamo comprare l'acqua, paghiamo per andare in montagna a respirare aria pura di tanto in tanto, eccetera. Herman Daly ha creato un altro indice che si chiama *genuine progress indicator*, un indicatore del progresso autentico, di cui in Italia ha parlato molto il professor Stefano Zamagni. Questi studi dimostrano che, per esempio, negli Stati Uniti fino agli anni Settanta la crescita economica e il benessere sono andati più o meno di pari passo, ma dagli anni Settanta in avanti il prodotto interno lordo ha continuato a crescere, mentre il benessere, il *genuine progress indicator*, si è dapprima fermato e poi addirittura ha iniziato a scendere. Penso quindi che siamo arrivati a un punto della nostra storia in cui la crescita economica crea più problemi che soluzioni.

C'è un momento in cui il processo di crescita e di sviluppo diventa un processo di mercificazione, di trasformazione delle relazioni umane in merci. Questo processo di mercificazione non ha limiti perché è basato soprattutto sul credito. E quando si chiede un prestito si deve poi restituire con gli interessi. E per pagare gli interessi si deve vendere di più, e quindi produrre di più. Ma per vendere di più bisogna convincere la gente a consumare sempre di più. È un meccanismo propriamente diabolico, che oggi rischia di portarci alla distruzione del pianeta. La strada per uscirne sarebbe quella di riportare l'economia sotto il controllo della politica, il che è molto difficile visto che si è fatto di tutto per sottrarre l'economia a questo controllo e renderla totalmente indipendente dalla politica. Oggi si può dire che la politica è al servizio dell'economia, sono le grandi imprese transnazionali che dettano l'agenda politica.

Non è detto però che tutto sia perduto. In questo momento in Francia stiamo lavorando ad un programma politico concreto in vista delle prossime scadenze elettorali [elezioni presidenziali nel 2007]. Questo programma gira intorno a due idee fondamentali. La prima è quella dell'«internalizzazione» degli effetti esterni, cioè l'idea che a pagare i danni ambientali, per esempio, sia chi inquina piuttosto che gli utenti e le generazioni future. Il secondo punto del programma, che è complementare al primo, è la «rilocalizzazione» delle attività produttive.

Bisogna agire su più livelli perché alcune cose che non sono possibili a livello nazionale o internazionale, sono possibili a livello locale, come il fatto che l'amico Riccardo Petrella [presidente del Comitato internazionale per il contratto mondiale dell'acqua] sia stato nominato presidente dell'Acquedotto pugliese.

La cosa più importante però è certamente il cambiamento dell'immaginario collettivo, ma per quello ci vuole una vera e propria rivoluzione culturale.

Dico molto spesso che la decrescita è una scommessa e, come per tutte le scommesse, la vittoria non è affatto scontata. Forse l'umanità deciderà per il proprio suicidio, ma vale la pena scommettere.

Gallino: In linea di principio sono d'accordo con i due provvedimenti che lei proponeva, l'«internalizzazione» degli effetti esterni e la «rilocalizzazione» delle attività produttive. Credo che sarebbero provvedimenti molto utili, soprattutto il primo, però mi pare che questi argomenti vadano integrati con il punto di vista di quei 3 miliardi di persone, poco meno della metà della popolazione del mondo, che sopravvivono con due dollari al giorno, già valutati, intendiamoci, a parità di potere d'acquisto. Se noi andiamo a parlare con un rappresentante di quei tre miliardi di poveri estremi, ammesso che possa esistere, e gli diciamo genericamente che occorre interrompere la crescita e convertirsi a un'economia ecologicamente più virtuosa, molto probabilmente lui ci risponderà: smettete voi di crescere; noi che viviamo con due dollari al giorno abbiamo assolutamente bisogno di crescere. Quello che occorre fare, come ho già detto, è ridistribuire risorse e opportunità. Il mondo per certi aspetti oggi è enormemente ricco, ma, salvo dare un'occhiata distratta alla televisione all'ora di cena, sopporta tranquillamente delle ingiustizie abissali. Vi sono decine e decine di paesi con un reddito medio pro capite di soli 300-400 dollari l'anno (e 600 milioni di abitanti) contro decine di paesi con redditi medi nell'ordine di 25, 30, 35 mila dollari l'anno. Basterebbe una politica economica un po' più saggia, un po' più «politica», per far sì che almeno una parte di quelle ricchezze accumulate in una parte del mondo siano utilizzate per migliorare le sorti di miliardi di disperati. E sto parlando solo di quelli che vivono con due dollari al giorno, ma se vogliamo aggiungerci anche quelli che vivono con cinque dollari al giorno, diventano anche parecchio più della metà della popolazione mondiale. Quindi mi pare che gli importanti argomenti addotti dal professor Latouche vadano integrati con una visione complessiva, che tenga conto dell'assoluta necessità di combattere le disuguaglianze globali e di introdurre nel mondo in generale un maggior *quantum* di giustizia sociale.

Latouche: Sono naturalmente d'accordo. Oggi meno del 20 per cento della popolazione mondiale consuma l'87 per cento delle risorse. Se tutti gli abitanti del mondo vivessero come gli italiani e i francesi sarebbero necessari tre pianeti, se vivessero come gli Stati Uniti di pianeti ce ne vorrebbero addirittura sei. Bisogna anche capovolgere il modo comune di pensare. Non siamo noi che aiutiamo i paesi del Sud del mondo a svilupparsi. Sono loro che aiutano noi e ci consentono di mantenere il nostro tenore di vita. Basterebbe predare loro meno risorse, sia per ragioni etiche sia per la semplice sopravvivenza del pianeta. Certo, se si assume l'idea di Bush padre, il quale aveva affermato che il tenore di vita degli americani non è negoziabile, tutto questo sarà molto difficile.

Come ha detto un sindacalista del Guatemala, lasciate in pace i poveri del mondo e non parlate più loro dello sviluppo! Quando ho scritto il mio libro *L'altra Africa*, mi sono chiesto come fosse possibile che un continente così povero come l'Africa, che rappresenta meno del 2 per cento del prodotto interno lordo mondiale, riesca a far sopravvivere, con forme di autorganizzazione, 600 o 700 milioni di abitanti. Certo che se noi non ci mettessimo lo zampino, depredandoli di una gran quantità di risorse, starebbero molto meglio.

Gallino: Il problema è che non ci sono istituzioni a livello globale in grado di gestire le disuguaglianze e operare per una ridistribuzione reale delle risorse. Io sto lavorando proprio in questi giorni a un saggio sulle disuguaglianze globali e quello che emerge è che non esiste, e non viene neanche ipotizzato, uno strumento di *governance* globale per combattere specificamente le disuguaglianze estreme. Non stiamo parlando delle disuguaglianze tra l'operaio e il dirigente, o tra il commerciante e il chirurgo, qui parliamo di disuguaglianze di 100, 200 volte nei redditi tra la popolazione di una trentina di paesi, sostanzialmente quelli Ocse, e il resto del mondo. Sul piano internazionale per il momento questi strumenti non si intravedono, però sono assolutamente indispensabili. Bisognerebbe almeno che i tre grandi centri del potere economico mondiale – gli Stati Uniti, l'Unione Europea e il blocco indo-cinese – trovassero una qualche forma di accordo. Però, per aprire la strada ad un intervento effettivo di queste grandi potenze economiche e politiche, bisognerebbe lavorare di più anche sul terreno della teoria economica. Tanto per fare un esempio, anche in studi molto dotti, e recenti – prevalentemente anglosassoni, ma ve ne sono pure di italiani e di francesi – si continua a insistere che il problema della povertà del mondo sarà sistemato aumentando la crescita. Su questo punto io do pienamente ragione al professor Latouche, perché è come dire che dopo aver preso una medicina che evidentemente ha fatto molto male, per guarire bisogna raddoppiare le dosi di quella medicina. Siamo veramente alla follia. Follia che comincia nelle università, nei corsi che noi teniamo ai nostri studenti, e continua con le decine di migliaia di laureati che poi vanno in giro per il mondo a diffondere il vangelo della crescita che mette tutto a posto, prendendo a schiaffi anche le statistiche ufficiali, quelle dell'Onu, persino quelle della Banca mondiale. Tutti questi studi concordano infatti nel dire che un periodo di notevolissima crescita, come è stato quello degli anni Novanta, ai poveri ha portato pochissimi dollari a testa. La strada per una *governance* globale, per combattere la povertà, e anche per diminuire il rischio di aver bisogno di altre due Terre a fianco alla nostra per poterci mantenere al nostro tenore di vita, come già diceva Gandhi intorno al 1945, questa lunga strada verso la *governance* globale comincia anche da una revisione delle teorie, delle ideologie, di quelli che sono dei veri e propri «idola» che si diffondono nelle aule scolastiche e universitarie.

Latouche: Sulla questione della *governance* globale penso che quando c'è una coscienza sufficientemente forte del pericolo e contemporaneamente il sacrificio che si chiede non è troppo grande, c'è una possibilità di fare un accordo abbastanza equilibrato. Purtroppo conosco un solo esempio di successo di un accordo del genere a livello internazionale, ma un esempio è meno di niente. Risale al 1987 ed è la firma del protocollo di Montreal per fermare l'emissione di cfc, clorofluorocarburi, la causa principale del buco nell'ozono. Le cose, come sappiamo, sono andate diversamente con il protocollo di Kyoto che gli Stati Uniti non hanno voluto firmare, ma nei prossimi anni, quando i problemi diventeranno ancora più gravi, forse si riuscirà a trovare un qualche accordo.

Il problema ambientale e quello della ridistribuzione delle risorse sono strettamente legati. Per esempio, limitare la deforestazione e la distruzione della biodiversità può mettere i paesi del Sud nelle condizioni di imboccare un'altra strada, di rompere, almeno parzialmente, la dipendenza economica e culturale dal Nord del mondo. Si potrebbe pensare, ma senza troppe illusioni, anche ad istituire delle tasse a livello mondiale, delle ecotasse, come nel progetto della Tobin tax [tassa sulle transazioni valutarie], che è una cosa che un giorno o l'altro andrà fatta.

Di sicuro, però, la cosa più importante è la rilocalizzazione che porta ad una vera de-globalizzazione. Faccio un esempio. Quando mi sono dedicato allo studio dell'impronta ecologica mi sono reso conto che la Francia ha superato la soglia di sostenibilità di un pianeta solo negli anni Sessanta. Questo significa che se tutti gli abitanti del mondo avessero avuto il tenore di vita che i francesi avevano fino agli anni Sessanta, ci sarebbe voluto l'intero pianeta per sostenerli. Oggi invece ce ne vorrebbero tre. Allora mi sono chiesto se personalmente oggi consumo tre volte più acqua, tre volte più cibo, tre volte più elettricità di quarant'anni fa. E mi sono detto: forse consumo un po' di più, ma di sicuro non tre volte tanto. Che cosa è cambiato allora? Negli anni Sessanta la carne che era sul mio piatto era allevata sui prati della Normandia con l'erba naturale. Oggi è nutrita con la soia che viene dal Brasile. Allora, distruggiamo la foresta amazzonica per fare della soia, questa soia fa ottomila chilometri, consuma energia, poi è mescolata con delle farine animali, che rendono le mucche pazze, e alla fine arriva sul mio piatto. Una studentessa tedesca del Wuppertal Institut, Stephanie Böge, ha calcolato che nel 1996 uno yogurt venduto a Stoccarda «incorporava» oltre novemila chilometri. Negli anni Sessanta lo yogurt si faceva ancora con il latte della fattoria del vicino e le fragole del giardino, e incorporava due passi. Allora il punto non è solo il fatto che la società dei consumi ci ha portato a consumare molto di più, ma anche che con la cosiddetta globalizzazione i prodotti incorporano sempre più risorse naturali, con un grande spreco delle risorse stesse. La Germania sta provando parzialmente a ridurre la propria impronta ecologica con il piano energetico. Per riscaldare un metro quadrato di un appartamento in Germania si consuma molta meno energia che in Italia, ancorché sembra che la necessità di riscaldare gli appartamenti sia più forte in Germania che in Italia.

Mi preme aggiungere un'osservazione. Ho davanti agli occhi il numero 2/2006 di *MicroMega* in cui ho letto attentamente il dibattito sul reddito minimo tra Guglielmo Epifani, Francesco Giavazzi, Antonio Bassolino e lei, professor Gallino. La cosa che mi ha colpito di più di quel dibattito, è che anche persone di sinistra, come Guglielmo Epifani e Antonio Bassolino, sono totalmente colonizzate dall'immaginario economico standard e assumono come parola d'ordine la crescita. Ed è incredibile che nel momento in cui il mondo è sull'orlo della catastrofe si voglia a tutti i costi continuare su questa strada.

Gallino: Questo è in effetti un grave problema a cui è legata anche la tendenza, visibile negli ultimi anni, verso un graduale prolungamento del tempo lavorativo e verso la precarizzazione del lavoro stesso. Ho scritto non so quanti articoli e anche un paio di libri in difesa di quello che, usando un'espressione del Bureau International du Travail, chiamo il lavoro decente, il lavoro dignitoso.

Ho spesso polemizzato contro la flessibilità, contro il lavoro precario. Su questo fronte però mi pare che nell'ultimo paio di anni le cose in Italia, ma anche in Francia, stiano un po' cambiando. Insomma inizia ad esserci una certa reazione nei confronti del lavoro precario, del lavoro frammentato, a spezzoni, insicuro. Manca invece quasi completamente, anche a sinistra, una reazione contro l'idea di un nuovo prolungamento dei tempi di lavoro. Anche su questo io mi sono espresso in senso categoricamente contrario, proprio perché ritengo che una delle grandi conquiste del Novecento sia stata la riduzione dei tempi di lavoro. Ricordo quale festa fu, intorno al 1957 o giù di lì, quando la Olivetti, la grande Olivetti di quel tempo, introdusse per prima in Italia il sabato festivo, per cui si usciva dalla fabbrica o dall'ufficio il venerdì a fine pomeriggio e vi si tornava soltanto il lunedì mattina. È stato straordinario, perché milioni di persone hanno acquistato la facoltà di usare come credevano il loro tempo libero, stando in famiglia, andando in giro, godendosi il fine settimana. Questa possibilità di disporre del proprio tempo era sempre stato uno straordinario privilegio della media e alta borghesia.

Quando oggi sento molti dirigenti, direttori delle risorse umane come oggi bisogna chiamarli, e anche molti politici, purtroppo anche di sinistra, sostenere che tutto sommato la competitività della Cina e la globalizzazione esigono che si prolunghino nuovamente gli orari di lavoro e magari che si sia anche più flessibili per essere competitivi, io rispondo, in genere a voce abbastanza alta, che se questa che ci presentano è la nuova modernità, vuol dire che c'è qualcosa di profondamente sbagliato nel progetto complessivo della modernità. Se si utilizzano gli indicatori che il professor Latouche richiamava prima, o anche l'indice dello sviluppo umano delle Nazioni Unite, lavorare più a lungo e spezzettare il lavoro affinché ogni momento della giornata sia produttivo, costituiscono un forte e plateale regresso e non certo un segno di modernità. Non c'è dubbio che questo abbia fatto presa anche a sinistra. Forse mi illudo, ma mi pare che ci sia qualche resipiscenza nell'ultimo anno o due, ma certamente la presa di questa sorta di neolingua, di neopensiero della competitività è tutt'ora molto forte anche a sinistra.

Latouche: La questione della riduzione del tempo di lavoro potrebbe sembrare in contraddizione con la tesi della decrescita. Si potrebbe dire: poiché finora la riduzione dell'orario di lavoro è stata possibile grazie allo sviluppo economico, per continuare a ridurlo bisogna continuare a crescere. Per evitare equivoci è necessario chiarire un concetto fondamentale. Il problema non è la crescita della produttività. Il problema è la crescita senza qualifiche, la crescita per la crescita, senza limiti. La crescita della produttività, invece, è necessaria anche in una società della decrescita: se si circola con la bicicletta, è utile avere una bicicletta più efficiente, tanto per fare un esempio. Il problema è che per due secoli gli aumenti di produttività si sono trasformati in gran parte in aumento di produzione, aumento di consumi, una sempre maggiore distruzione della natura e solo una piccolissima parte è stata tradotta in riduzione degli orari di lavoro. Se consumassimo come al tempo di Marx, basterebbe probabilmente lavorare un'ora o due a settimana!

Bisogna però stare attenti a non considerare la riduzione del tempo di lavoro in sé, scollegata da altri elementi. Alcuni giorni fa ero a Civitavecchia e ho notato che moltissimi cittadini di Civitavecchia lavorano a Roma, e perdono più di due ore al giorno negli spostamenti. Le ore di lavoro effettivo saranno pure ridotte ma la qualità della vita è, se possibile, peggiore.

La sinistra ha abbandonato la rivendicazione della riduzione del tempo lavorativo perché ha accettato pienamente la globalizzazione e, invece, per ridurre gli orari di lavoro bisogna prima di tutto limitare la competizione e rifiutare la mercificazione del lavoro. Oggi con la precarietà, la flessibilità, viviamo una mercificazione totale del lavoro. La sinistra deve ritrovare la cultura della resistenza, sia a livello nazionale che a livello internazionale. Per questo sono contento che i francesi abbiano rifiutato il progetto del trattato costituzionale dell'Unione europea, che scriveva sul marmo l'accettazione della competizione come regola su cui fondare l'Europa.

Gallino: Anch'io, tutto sommato, concordo con il giudizio che lei dà del trattato costituzionale. Lo scorso anno, proprio nel periodo in cui si tenne il referendum io ero a Parigi, alla Cité Internationale Universitaire, e ho seguito un po' il dibattito sui pro e sui contro, sul sì e sul no. Debbo dire che, contrariamente alle interpretazioni che sono state fornite da gran parte dei media, e anche dagli intellettuali e dai politici italiani, quel no dei francesi era un segno di modernità e di anticipazione piuttosto che il segnale di un popolo che guarda all'indietro, che si attarda su scenari che ormai sono definitivamente tramontati. Così come mi è parso un segno di notevole modernità il recente rifiuto dei giovani, ma anche dei sindacati e di altri operatori del mondo del lavoro, del contratto di primo impiego, che era un passo grave verso forme di precarietà pari o peggiori a quelle che esistono in Italia.

Anche da noi c'è qualche speranza che le cose cambino. Nel programma dell'Unione ci sono molte cose ben concepite e ben articolate che vanno nel senso di una riduzione della precarietà del lavoro, e della restituzione del primato al lavoro a tempo indeterminato e quindi ad un lavoro relativamente stabile, ragionevolmente sicuro rispetto alle forme atipiche. Quello che è successo negli ultimi dieci anni, infatti, è che si è stravolta la normalità. Il lavoro discontinuo, precario, intermittente, a spezzoni, è diventato la norma, e il buon vecchio contratto di durata indeterminata è diventato invece qualcosa di atipico, di riservato a pochi. Bisogna rimettere le cose sui loro piedi, mentre negli ultimi anni erano state poggiate sulla testa. Se il governo terrà fede al programma con cui ha vinto, sia pure di poco, le elezioni, si dovrebbero vedere delle novità abbastanza significative.

Latouche: Persino il famoso modello scandinavo, che si vanta di tenere insieme flessibilità e sicurezza sociale, inizia ad avere delle crepe. Ho degli amici che vivono in Danimarca che mi raccontano che persino il loro modello è in pericolo, perché la tendenza generale è quella di una progressiva riduzione di tutte le protezioni sociali. Naturalmente è meglio avere un sistema che dia garanzie di sicurezza di fronte alla precarietà del lavoro, ma il punto è che bisogna porsi un obiettivo a più ampio respiro, un'ambizione più alta che è quella di cambiare strada, cambiare le regole del gioco, deglobalizzare, rilocalizzare e ridurre la competizione a tutti i livelli. Inoltre sul fascino che il modello di welfare dei paesi del Nord Europa esercita, penso che ogni paese debba rispettare la propria cultura, la propria storia, le proprie tradizioni: le cose che sono possibili in Danimarca non sono necessariamente adatte all'Italia.

Gallino: Secondo me è assolutamente necessario avere un grado elevato di protezione sociale e di tutele. In Italia si usa un termine barbaro, «ammortizzatori sociali», un'espressione automobilistica per parlare di condizione umana... un uso lessicale davvero degradante. Il punto però è un altro: da un lato si creano in continuazione lavori «pericolosi», nel senso che sono instabili, che domani possono non esserci, che possono sparire da un momento all'altro; dall'altro si insiste sul fatto che bisogna accrescere la forza e l'estensione delle reti di protezione per tutelare le persone dai rischi del lavoro «pericoloso». Io farei un ragionamento tutto sommato più semplice, che mi pare anche abbastanza vicino al ragionamento di base del professor Latouche: invece di continuare a sviluppare ampi, dettagliati e costosi sistemi di protezione sociale, non potremmo pensare di destinare magari una parte delle risorse, dell'inventiva, della creatività di cui sopra al fine di ridurre il lavoro «pericoloso»? In sostanza, meglio prevenire il malanno che correre poi in farmacia per avere il medicamento. Le protezioni sociali sono ovviamente fino a un certo punto indispensabili, perché vi saranno sempre gli sfortunati, i soggetti deboli, le fasce d'età che hanno bisogno di aiuto. Però questo non dovrebbe distogliere l'attenzione dal fatto che la prima necessità è ritornare ad una ragionevole normalità del lavoro, a un lavoro fondamentalmente decente, a un lavoro intrinsecamente privo di etichette di scadenza. Oggi chi viene assunto con uno di questi contratti atipici è come se si vedesse mettere come badge al bavero della giacca una data di scadenza, e questo lo trovo francamente indegno. Dobbiamo pensare a un lavoro che non abbia di per sé date di scadenza, anche se sappiamo che esistono le crisi, le aziende che falliscono, e molte altre serie ragioni per perdere il posto. Bisognerebbe cominciare con la riduzione dell'insicurezza del lavoro e per quel tot inevitabile di insicurezza che resterà, pensare a costruire reti più efficienti di protezione sociale. Ma non si può guardare soltanto alla protezione, perché altrimenti si continueranno a moltiplicare i tanti, troppi tipi di lavoro insicuro.

E non mi si venga a raccontare la storia del cambiamento della natura del lavoro. In Italia, ma lo stesso vale per la Francia di cui seguo costantemente la letteratura sulla sociologia dell'industria e dove vado spesso, abbiamo milioni e milioni di lavori, decine di milioni sommando le cifre dei due paesi, che sono più o meno esattamente i lavori di cinquant'anni fa, riverniciati e magari peggiorati per qualche aspetto. Abbiamo un tipo di lavoro – nell'industria alimentare, nella ristorazione rapida, nei call center e in moltissimi altri ambiti, anche manifatturieri – che magari non si chiama più tayloristico perché molti non sanno più neanche che cosa significhi, ma che è esattamente il lavoro tayloristico di cinquant'anni fa dal punto di vista dell'organizzazione del lavoro: parcellare, ripetitivo, privo di contenuti professionali. E l'organizzazione del lavoro tocca le persone da vicino, incide sulle loro condizioni di esistenza. Sono passate due generazioni ma non è cambiato nulla.

La flessibilità consiste nel fatto che i lavoratori vengono impiegati con dei contratti di breve durata, a scadenza predeterminata, che in molti casi non sono nemmeno necessari per le aziende o sono addirittura dannosi. Non sono ancora stati fatti studi approfonditi al riguardo, ma ritengo, sulla base dell'esperienza che ho maturato in molti anni di ricerca nell'industria, che il lavoro flessibile sia disastroso per l'impresa stessa dal punto di vista della formazione, perché da un lato le imprese non hanno nessun interesse a investire in persone che dopo tre o sei mesi non ci saranno più, dall'altro i lavoratori non hanno alcun interesse ad apprendere. E quella che alcuni chiamano la società dell'informazione, o anche pomposamente la società della conoscenza, è ben lontana dai sogni dipinti in molti saggi di economia, di politica e di sociologia. Dal punto di vista dell'efficienza delle imprese probabilmente non occorrono più di quattro o cinque categorie di lavori atipici, lavori realmente flessibili, invece della cinquantina che esistono al momento in Italia e in Francia. Occorre poi verificare con rigore che la flessibilità sia usata effettivamente a scopi aziendali. La flessibilità può anche essere uno strumento di formazione soprattutto per i giovani, ma è indispensabile che ad un certo punto essi maturino il diritto ad avere un lavoro a tempo indeterminato, perché la precarietà è una trappola e bisogna impedire che troppe persone – oggi più di tre milioni e mezzo in Italia – vi cadano e non riescano più ad uscirne.

(a cura di Cinzia Sciuto)

L'INCANTESIMO DELLA RELIGIONE

Provare a parlare di religione scientificamente significa sfidare un'interdizione profonda, un tabù culturale che impedisce di mettere il discorso sulla religione allo stesso livello del resto? Perché le critiche più feroci alla proposta del filosofo americano sono venute dai laici e non dai religiosi? Ce lo spiega il diretto interessato (rincarando la dose).

conversazione con DANIEL DENNETT
a cura di GLORIA ORIGGI

Nel suo ultimo libro, Breaking the Spell (Viking 2006), *il filosofo Daniel Dennett si cimenta in una spiegazione naturalistica della religione. Cercando di spezzare l'incantesimo del significato delle credenze religiose nella vita umana, Dennett prova a comprenderne la storia causale, ossia quali sono i meccanismi biologici, psicologici ed ecologici che hanno predisposto la nostra specie ad essere così ricettiva a idee come quelle di divinità, di agente sovrannaturale, di autorità, di mistero. Spaziando dalla biologia all'antropologia, alla teoria dell'evoluzione, alle scienze cognitive, Dennett esplora i vincoli cognitivi sulla formazione delle credenze religiose, l'evoluzione dei sistemi religiosi da sistemi di credenze più primitivi e il ruolo della religione nella selezione dei gruppi sociali.*

In un linguaggio semplice, che ricorda quello dei predicatori religiosi americani, il filosofo, ateo dichiarato, si rivolge al grande pubblico dei credenti americani, chiedendo loro di seguirlo in un'esplorazione razionale del perché le idee religiose sono emerse nell'evoluzione umana e di quali meccanismi biologici, psicologici e antropologici le mantengono. Mettendosi nei panni di un marziano che osserva gli esseri umani «dal di fuori», Dennett osserva le credenze religiose come se fossero parassiti che ci invadono la testa, il cui unico scopo è riprodursi a nostre spese. Il libro si apre proprio con il paragone tra l'insidiarsi del credo religioso nella nostra mente e l'insidiarsi di un parassita nel cervello delle formiche che le guida a un comportamento suicida solo per il beneficio della sua riproduzione. L'immagine è suggestiva. Ma il libro ha suscitato reazioni indignate e violente in America e non solo. Oltre a critiche generali sulla validità del metodo scientifico proposto da Dennett, in grande parte basato sulla teoria darwinista dell'evoluzione per selezione, dunque su un credo altrettanto incontrovertibile, agli occhi di molti, del credo religioso, molte critiche mettono in questione la legittimità del tentativo stesso di guardare la religione come un fenomeno naturale. Il fisico Freeman Dyson sulla New York Review of Books *sostiene per esempio che il tentativo di Dennett è disperato: cercare di spiegare scientificamente la religione non spezza l'incantesimo, lascia il mistero intatto perché l'unico modo di comprendere l'esperienza religiosa è viverla dall'interno, non da fuori. Leon Wieseltier liquida il libro sul* New York Times *come un monumento alle superstizioni scientistiche contemporanee e mette in guardia dal pericolo dello «sciacallaggio intellettuale» insito nel tentativo di Dennett di spogliare le idee religiose di qualsiasi valore intrinseco. La cosa interessante è che spesso le critiche maggiormente accese vengono più dai laici che da i religiosi, come se parlare di religione scientificamente costituisse una sfida a un'interdizione profonda, a un tabù culturale che impedisce di mettere il discorso sulla religione allo stesso livello del resto. Qual è questo tabù? Che cosa scandalizza i credenti e spesso anche i laici nell'idea che non ci sia niente di speciale nella religione? Abbiamo chiesto a Daniel Dennett di parlarci di questo tabù.*

* * *

La prima cosa che sorprende quando si legge il tuo nuovo libro sulla religione è che ti rivolgi esplicitamente al pubblico americano. Scrivi che questo è un libro che hai scritto da americano per gli americani. Ora, questo sorprende da parte tua, e in generale da parte di un filosofo americano le cui pretese teoriche sono normalmente più universaliste. Cosa intendevi dire con quest'affermazione? Avresti scritto un libro diverso se ti fossi rivolto a un pubblico non americano?

Daniel Dennett: Certamente. Prima di pubblicarlo, ho fatto una serie di test con i miei studenti all'università di Tufts, la maggior parte americani, e molti di loro sono religiosi, alcuni profondamente religiosi. Perché volevo cercare di capire i miei compatrioti, e scrivere un libro che si rivolgesse all'americano medio. Questo non è stato fatto molto nel passato. Abbiamo avuto predicatori a non finire, abbiamo avuto i liberals che parlano ai liberals e i conservatori che parlano ai conservatori, insultandosi l'uno con l'altro senza ascoltarsi. Non ho illusioni su quanto io possa davvero «raggiungere» il pubblico americano, ma almeno valeva la pena di provarci. Se non si prova, non si potrà mai sapere. Quindi ho provato a scrivere un libro che è, dall'inizio, un onesto tentativo di parlare a un pubblico a cui normalmente non mi rivolgo e capire quanto erano disponibili ad ascoltare, se era possibile cominciare una conversazione. Le reazioni che ho avuto durante tutta la stesura del libro erano completamente scettiche. Gente che mi diceva che era una pessima idea, che gli americani sono troppo stupidi, che non leggono libri di questo tipo, anzi, che non leggono del tutto al di fuori di qualche passaggio della Bibbia. Io non lo credo. Magari non leggono gli stessi libri che leggo io ma qualcosa leggono, e quindi sono andato avanti per vedere se era possibile far capire il mio punto e avere delle reazioni ragionevoli e responsabili dai credenti americani. Il che significava rivolgersi davvero a loro; ed effettivamente la mia sensazione è che di risposte ragionevoli e interessanti ce ne siano state. Non posso citare numeri e statistiche, ma sono sicuro di essere riuscito a parlare almeno con alcune di queste persone, a farle reagire, senza offenderle pur sostenendo tesi così lontane dal loro modo di vedere il mondo. Anzi, molti di loro hanno apprezzato il mio sforzo di divulgazione, mentre le critiche più veementi e a volte anche insultanti sono venute da coloro che, pur non professandosi credenti, sostengono l'assoluta necessità culturale di preservare i miti sacri così come sono, senza cercare di rompere l'incantesimo e cercare di spiegare le cause naturali della loro stabilità nelle diverse culture.

Ma perché pensi che i tuoi critici siano stati così violenti contro il tuo libro? È stata secondo te una reazione di snobismo all'idea di un approccio naturalistico alla religione?

Dennett: Penso di sì, che in parte si è trattato di snobismo intellettuale. Molta gente si è sentita offesa dal fatto che io non prendessi sul serio la loro idea ipersofisticata di «Dio». E perché non la prendo sul serio? Beh, perché quasi nessuno la prende sul serio. Solo una parte minima della popolazione mondiale prende sul serio l'idea di Dio che ci proviene dalla cultura teologica. Ma non era quello che interessava a me. Io volevo prendere sul serio l'idea di Dio che l'americano medio prende sul serio, e questa è l'idea di un Dio come agente, un «Lui» a cui si possono rivolgere preghiere che è in grado di esaudire. Ovviamente, non volevo restringere il mio pubblico solo a queste persone, ma volevo parlare *anche* a queste persone. Penso che un'altra ragione delle reazioni violente che il libro ha suscitato sia dovuta alla credenza che molti hanno, pur non essendo essi stessi necessariamente religiosi, che le credenze religiose abbiano uno statuto speciale nelle nostre società, ossia che la credenza in

134 Dio sia la colla che tiene insieme una società: anche chi non crede in Dio, può credere a questo potere della credenza in Dio e quindi considerarla intoccabile, il fondamento stesso della società. Beh, per chi pensa così non c'è niente di peggio di uno come me che crea scompiglio, guarda troppo da vicino la religione, guardandola come un fenomeno da studiare e cercando candidamente di trovarne una spiegazione scientifica, perché posso rompere l'incantesimo, svelare l'arcano, e quindi la furia di coloro che credono in questo potere delle idee religiose contro un progetto come il mio è peggio di quella del vero credente. I veri credenti non hanno paura di me. Quelli che hanno veramente paura di me non sono coloro che credono in Dio, ma coloro che credono nella credenza in Dio. Tra l'altro questo è uno dei punti centrali secondo me per comprendere la religione: non è tanto credere in Dio, quanto credere alla credenza in Dio che ha effetti nefasti sull'umanità.

In un certo senso, l'idea della necessità delle credenze collettive per la preservazione stessa della società è un'idea che esiste da molto tempo e che aiuta a spiegare perché certe credenze sono così persistenti nella società umana. Per esempio, già Durkheim sosteneva il ruolo delle credenze religiose nella coesione sociale, e vedeva nel sacro la trasfigurazione del mondo sociale. Il tuo approccio naturalistico è in parte un attacco a questa idea: tutte le idee religiose sono dispensabili in fondo, una volta capito perché le abbiamo. Qual è la tua critica a questa visione?

Dennett: Penso in effetti che, come dici, sia un'idea familiare, e che è stata sviluppata da molta gente, e c'è un elemento di verità in essa, un grosso elemento di verità: ossia l'idea che le credenze religiose siano centrali per la civiltà non è facile da smantellare. Io penso che sia una questione aperta, e che l'ateo che dichiara a cuor leggero che possiamo liberarci delle idee religiose è sconsiderato. È chiaro che se ci si guarda in giro, se si guardano nazioni fallite come l'Iraq dopo l'invasione, o la Somalia, Stati dove non c'è più alcuna fiducia collettiva, nessuna sicurezza, piombati in una situazione peggiore dell'hobbesiano stato di natura, e se pensiamo a cosa potrebbe resuscitare una parvenza d'ordine, quale forza sulla Terra potrebbe mai reinstaurare un clima di fiducia reciproca che permetta loro di ricominciare a fare promesse, a lavorare insieme, a non avere paura di essere uccisi quando si esce di casa, si realizza che il bagaglio di credenze reciproche e condivise che protegge una popolazione dalla rovina è prezioso e fragile e se è distrutto è difficilissimo ristabilirlo; quindi bisogna stare molto attenti a sventolare atteggiamenti critici che potrebbero minarlo. Io passo le mie estati nel Maine, in una località dove non si chiude la porta di casa, dove puoi lasciare le chiavi in macchina mentre vai a fare la spesa, i bambini possono giocare senza pericoli, è meraviglioso, e può essere distrutto in una settimana: non so se la gente realizza una cosa simile, ma la fiducia in una società può essere distrutta realmente in una settimana: bastano poche persone per seminare panico, per creare un'atmosfera di paranoia, e la gente comincerebbe a chiudere la porta la sera... E penso che siano paure di questo tipo che motivano le persone che sono ostili al mio approccio alla religione: pensano che mi sia imbarcato in un'avventura sbagliata e pericolosa che rischia di distruggere una sorta di «mito sacro». Ora, io penso che nella maggior parte dei casi chi difende l'importanza della religione lo fa con grande ipocrisia e con un paternalismo insultante verso la gente comune, che non è stupidamente vulnerabile alla «minaccia» dello scetticismo delle mie idee come invece pensano i suoi autoproclamati protettori.

Sì, ma anche un approccio naturalistico alla religione ha delle implicazioni normative su quello che è bene e male per la gente comune. Per esempio, Richard Dawkins ha sostenuto che insegnare la religione ai bambini è una sorta di abuso di minori. Quali sono le tue idee in proposito? Cosa pensi si debba fare con la religione, oltre a capirla scientificamente?

Dennett: La mia proposta normativa non è di eliminare la religione dall'insegnamento, ma, almeno negli Stati Uniti, adottare il modello inglese, ossia: istruzione obbligatoria sulle religioni nel mondo, ma attenzione, un'istruzione giusto sui fatti, non sui valori, soltanto: «Questi sono i fatti sulle religioni del mondo: questi i rituali, queste le proibizioni eccetera...». Ovviamente decidere cosa è dentro e cosa è fuori da un'istruzione religiosa di questo tipo è un problema istituzionale e politico molto delicato, ma rientra nei problemi risolvibili in qualche modo. Se potessimo progettare in America un insegnamento della religione di questo tipo, i nostri figli imparerebbero queste cose, e sarebbero interrogati ed esaminati sulla loro conoscenza della religione. Se fosse possibile un'istruzione religiosa di questo tipo, allora certo non la vedrei come un abuso di minori. Ma far crescere i figli nell'ignoranza, forzare i bambini all'ignoranza sì, questa è una forma di abuso di minori. L'obiezione che mi è stata fatta a un progetto simile è che se si dice ai maestri di scuola elementare di insegnare le religioni di tutto il mondo, lo faranno senza crederci, con distacco insomma. Ma per me non fa nessuna differenza se una maestra insegna ai bambini a scuola dei fatti sulle religioni del mondo pensando dentro di sé che sono tutte stronzate. Penso che se i bambini dovessero imparare obbligatoriamente tutte queste «stronzate», acquisirebbero comunque un atteggiamento relativamente immune al bizzarro lavaggio del cervello che altrimenti è molto probabile che subiscano. Già questo basterebbe per obbligare le religioni ad «aggiustare» le loro strategie e a garantire che una religione che prospera in simili condizioni di apertura culturale merita di prosperare, mentre quelle religioni che non prosperano in queste condizioni è meglio che scompaiano. Pensa all'effetto di un'educazione simile sull'islam. Se nelle madrasse in giro per il mondo, bambini e bambine potessero imparare qualche fatto di base sulle altre religioni, i loro imam dovrebbero aggiustare non di poco i loro insegnamenti.

Questo sarebbe fattibile se prendiamo come riferimento le principali religioni. Ma la scena americana che tu descrivi è molto diversa: esiste ne-

136 *gli Stati Uniti un vero mercato delle religioni, con più di 1.300 religioni differenti dichiarate, un fenomeno impensabile in Europa.*

Dennett: In effetti è una situazione molto speciale, e si tratta chiaramente di una competizione molto sofisticata per accaparrarsi quote di mercato, e quelli che riescono meglio sono brillanti: hanno chiaramente una buona comprensione della psicologia umana, di ciò che cattura l'attenzione, di quali sono le debolezze psicologiche dei loro seguaci. Insomma, conoscono bene le leggi del marketing. Ho avuto occasione di incontrare varie volte il reverendo Rick Warren, della Chiesa *Purpose Driven Life* («Vita vissuta con uno scopo», che ha anche un sito molto ben organizzato: www.purposedrivenlife.com). Eravamo entrambi invitati a una conferenza di Ted, *Technology, Entertainment and Design,* un *think tank* americano molto esclusivo a cui partecipano magnati della tv, geni delle telecomunicazioni, visionari, miliardari e vari guru americani, con la missione di risolvere i grandi problemi del mondo. Io e il reverendo Warren parlavamo uno dopo l'altro e mi era stato chiesto di parlare del suo libro. Allora ho deciso di commentare il suo libro non dal punto di vista dei contenuti, ma del design, del progetto, come se si trattasse di un'automobile o di una penna stilografica. E ho dovuto ammettere che si trattava di un libro superbamente concepito, un vero prodotto di marketing raffinato ed azzeccato. Non mi sorprende che abbia venduto più di trenta milioni di copie. È un prodotto brillantissimo, veramente ben progettato, che si rivolge ai milioni di americani o di persone in tutto il mondo che guardano la loro vita moderna e stressata e non riescono a trovare alcun senso alle domande fondamentali del perché si vive, perché si muore eccetera, e vorrebbero intensamente che la loro vita avesse un senso. Il titolo del libro è già una risposta alla loro domanda di senso: *La vita vissuta con uno scopo (The purpose driven life).* È così che il libro dalla prima pagina, cattura la loro attenzione, risponde alle loro domande. Ed effettivamente c'è una frase di saggezza quotidiana in ogni pagina. Devo dire che ho una vera ammirazione per quello che il reverendo Warren è capace di fare. E allo stesso tempo ovviamente non sono tanto a mio agio con le direttive che il reverendo Warren propone, tra le quali spicca il progetto di trasformare i suoi fedeli in missionari cristiani per convertire il mondo alla verità. Quindi i metodi sono brillanti e in un certo senso umani, nel loro dare speranza alla gente comune, ma i contenuti sono intolleranti ed estremisti: sostanzialmente spazzolare via tutte le altre religioni in nome della superiorità del cristianesimo. In questo non sono così diversi da quelli di molti estremismi religiosi che oggi fanno così tanta paura agli Stati Uniti, come l'islamismo radicale. Ed è altrettanto comprensibile perché l'islamismo radicale sia attraente per i giovani in molto paesi. Almeno, io trovo che bisogna dare credito a questi movimenti di rispondere a domande profonde. Se io fossi oggi un ventenne musulmano relativamente istruito e cercassi di capire quali sono le mie reali possibilità in questo mondo, sarei probabilmente alquanto disperato e frustrato e pronto quindi a trovare soluzioni più semplici. Non è un mistero perché al-Qaeda ispira i giovani, e in un certo senso il reverendo Rick Warren propone semplicemente una versione più pacifica, meno sanguinaria, della stessa cosa.

Sì, ma prendendo esempi come il reverendo Warren o al-Qaeda, tu presenti la religione come se fosse una questione di scelta: non so cosa fare nella vita, quindi mi converto a questo o quel movimento religioso che dà senso alla mia vita. Ma per la maggior parte dell'umanità la religione non è una scelta. Si nasce in una cultura religiosa, la si apprende e poi diventa molto difficile prenderne le distanze.

Dennett: Non penso che questo faccia una gran differenza. Penso che la buona notizia sia che i gesuiti hanno torto: i gesuiti dicono: «Dateci i primi 5 o 6 anni di vita di un bambino e vi lasciamo il resto». E invece vediamo tanti casi di giovani educati in modo molto stretto nei dettami di una religione distaccarsene quando crescono; non sono dunque così terribilmente preoccupato del lavaggio del cervello infantile, posto che le alternative a una vita religiosa siano incontrate prima di un'età alla quale l'investimento in un sistema di credenze è talmente alto che diventa impossibile sottrarsi. C'è una tendenza nella nostra psicologia che gli psicologi e gli economisti chiamano fallacia del *sunk cost*, e che condiziona moltissimo la nostra vita, ossia: siccome ci dispiace perdere quello per cui abbiamo già «pagato» ce lo teniamo anche se non ci dà nessun beneficio o, peggio, ci danneggia. Se fino a trent'anni abbiamo creduto in un sistema religioso, diventa estremamente difficile liberarsene, perché ci sembra che incorreremmo in un costo troppo grosso dato l'investimento che abbiamo fatto nel crederci. Se invece scopriamo a 14 anni che sono tutte stronzate, è più facile liberarsene. E insisto, non sono convinto di potere descrivere un progetto di vita migliore per la maggior parte della gente di quello che descrivono la maggior parte delle religioni, ossia un progetto di reciproco sostegno, magari meglio se non violento o militarizzato, ma pieno di passione. Io sono a disagio con progetti come quello proselitista dei mormoni in America, ma non a causa della loro organizzazione: anzi io apprezzo la devozione, la disciplina e il mutuo sostegno in movimenti religiosi come quello dei mormoni o dei testimoni di Geova, ma sono le tesi che sostengono, il corpus dottrinale che è politicamente e socialmente problematico. Non sarebbe fantastico se tutte queste buone intenzioni potessero essere impiegate per diffondere credenze meno assurde e intolleranti?

Un'ultima domanda più filosofica. Nel tuo lavoro di filosofo hai lavorato a lungo sulla coscienza. Eppure, quando cerchi di spiegare la religione, le tue spiegazioni scendono a livello sub-personale: all'inizio del tuo libro paragoni la religione a una sorta di parassita che si insidia nel nostro cervello al solo scopo di riprodursi. Eppure, filosofi come William James e molti altri vedono un legame privilegiato tra l'esperienza cosciente e l'esperienza religiosa.

Dennett: Il libro di William James *The Varieties of Religious Experience* è in gran parte autobiografico. Lui confessa in molte occasioni che per quanto cerchi di scuotere i suoi «germi mistici», sono proprio questi che motivano la sua impresa intellettuale e dato che lo ammette, penso che si debba leggere James tenendo in mente che in lui c'era qualcosa di profondamente religioso. È anche vero che lui ha un modo un po' romantico o «protezionista» di descrivere i fenomeni psichici come se fossero sempre a livello cosciente: non vuole guardare troppo da vicino le spiegazioni sub-personali su quel succede nella testa: io ho introdotto tempo fa la distinzione tra spiegazioni personali e spiegazioni sub-personali e molti considerano questa distinzione davvero sovversiva: se si scende sotto il livello della persona troveremo spiegazioni puramente biologiche, meccaniche, causali, e l'idea di soggetto come agente libero e razionale si dissolve in un'illusione epifenomenale. Io penso che l'ansia sia interamente appropriata: bisogna preoccuparsi proprio di questo, è vero: se si scende a livello sub-personale è proprio quello che si trova. Ma non c'è bisogno di essere troppo pessimisti: in realtà quando cerchiamo spiegazioni a livello sub-personale della religione, della coscienza, della moralità vediamo che sì, non ci siamo illusi, siamo davvero degli organismi liberi, siamo davvero responsabili moralmente, ma non nel senso mitico che la tradizione ci trasmette, ma in un senso nuovo che non solo ci soddisfa ma ci spiega come siamo fatti. Abbiamo realmente controllo sulla nostra vita e possiamo spiegare come siamo capaci di guidare il nostro destino ed evitare di fare cose che non vogliamo fare. Non ci sbagliamo a pensare che siamo morali, genuinamente capaci di distinguere il bene dal male e agire abbastanza correttamente. Il mio messaggio è che la gente sa come essere morale e lo è naturalmente perché la nostra natura umana è costruita in un certo modo, e sono le distorsioni e le illusioni che ci impediscono di esserlo. So che questo può sembrare molto ingenuo, un tipico esempio di ottimismo americano, ma io lo penso veramente.

Il che dice qualcosa sulla tua visione della religione, perché tu puoi immaginare uno sviluppo morale completamente indipendente dalla religione?

Dennett: Assolutamente, io penso che il nostro sviluppo morale sia legato alla storia della nostra evoluzione; la mia citazione preferita è McKenzie che definisce stizzito il pensiero di Darwin come una «strana inversione del ragionare», e io penso che sia esattamente così che bisogna ragionare, all'inverso: invece della bontà che scende dall'alto, abbiamo una teoria in cui il senso, gli scopi e la moralità vengono dal basso, sono una proprietà emergente dei processi fisici, biologici, sociali e infine politici nei quali siamo immersi, e qui non faccio che l'eco a temi che sono in circolazione da più di cent'anni, almeno da Nietzsche e ripresi poi da Sartre, secondo i quali noi costruiamo la nostra morale. Il che non vuol dire che possiamo fare quello che vogliamo perché la nostra costruzione si attua all'interno di un processo politico in cui non scopriamo cos'è giusto e cosa è sbagliato, ma decidiamo cosa considerare giusto e cosa considerare sbagliato. Non ci sono fatti morali metafisicamente dati, ma diventiamo, attraverso questo processo di costruzione dei valori morali, difensori di una certa visione della moralità e ciò non dipende necessariamente dall'autorità che riconosciamo ad altre persone.

Sì, ma nel concreto, nel mondo di oggi in cui la nostra morale si scontra di continuo con morali differenti, con intransigenze religiose, cosa dobbiamo fare? Qual è per esempio un atteggiamento moralmente responsabile di fronte all'attacco contro le caricature di Maometto su un giornale danese? Qual è una risposta appropriata?

Dennett: Queste sono difficili questioni politiche che non hanno una risposta ovvia, ma la mia risposta è che ci siamo sbagliati a non giocare un ruolo più forte in questo caso. Io penso che se tutti i giornali del mondo, le televisioni eccetera avessero riprodotto le caricature mostrando che non c'è nulla di male, che questo è il modo maturo di stare al gioco mondiale oggi, beh, non sono sicuro, ma penso che gli effetti sarebbero stati positivi. Penso che ci sono milioni di musulmani moderati che avrebbero apprezzato una reazione simile, dato che si trattava in questo caso evidentemente di un tentativo orchestrato da gruppi estremisti per guadagnare ancora più influenza. E noi abbiamo lasciato cadere i moderati. Con le nostre scuse e la nostra autocensura, non li abbiamo sostenuti.

NON ABBIAMO FINITO DI CAPIRE

L'essere umano è uomo e donna. Le donne non sono una categoria né un gruppo sociale. La loro emancipazione non passa per l'integrazione nell'universale – e asessuata – parità con l'uomo ma per la rivendicazione della loro differenza, che si traduce in apertura di libertà per donne e uomini. Ma forse il femminismo radicale conosce oggi il suo magico punto di arresto, preludio ad un possibile nuovo.

LUISA MURARO

Il femminismo, non l'ideologia ma la vicenda storica iniziata verso la fine degli anni Sessanta, prima che la filosofia concerne la politica e questa precedenza non si può annullare. Voglio dire che una confutazione filosofica della posizione femminista sarebbe inconsistente. Perché vai con le femministe?, mi chiese un giorno di tanti anni fa il mio professore, tu sei *homo*. Lui stesso dovette rendersi conto che questa sua rappresentazione di me era ormai scaduta. Io non ero più, o non ero mai stata, quella che lui fino allora aveva immaginato, un *homo* in un corpo sessuato femminile.

La precedenza della politica sulla filosofia, non la sostengo in generale ma per quella politica (quasi per definizione, la politica delle donne o politica prima) che procede nel territorio in cui la filosofia si sbaglia abitualmente o addirittura sistematicamente, in quanto, per parlare con Wittgenstein, abitualmente e quasi sistematicamente scambia un'immagine per una spiegazione – il territorio in cui le cose semplicemente capitano e le donne ovviamente esistono.

Tuttavia, possiamo sempre aspettarci, anzi dobbiamo, che la filosofia, rinunciando al suo immaginario, così come i bambini trovano la forza di rinunciare ai libri illustrati, tenga conto di quello che capita e ci aiuti a capirlo – filosofia intesa da me non come un sapere dotato di supervisione, ma come una disciplina del pensiero sempre disposto a ricominciare da capo e a cercare il nuovo fra il molto che è rimasto «indietro». In effetti, la realtà è resa instabile e promettente soprattutto dalle possibilità che in essa non si sono realizzate, tant'è che un imperativo dei conservatori è di fare come se queste non esistessero. I cosiddetti giovani, in contrasto con la retorica corrente, questo fanno quando possono, cioè quando non sono inchiodati al presente-futuro: voltarsi indietro, come fece la moglie di Lot, e mettersi di traverso alla marcia unilaterale del progresso.

Questo è successo con il movimento femminista. Negli anni Settanta, a proposito del movimento delle donne, si parlò di nascita di un nuovo soggetto politico: la formula, troppo abbreviata, nasconde quella che io considero la parte più interessante della faccenda. Il femminismo che noi conosciamo, inizia con un arresto nelle «sorti umane e progressive», e cioè con il rifiuto di andare avanti con l'emancipazione, opposto da alcune donne, poche agli inizi, che decisero di separarsi dalla società maschile per dare vita ad una società femminile e significare così la loro differenza, privilegiando la relazione donna con donna ma senza appellarsi (né opporsi) al lesbismo, quella differenza sessuale da cui, fino allora, una doveva prescindere, astrarre (le formule in uso sono molte) per integrarsi nell'universale in perfetta parità con l'uomo, *homo* lei stessa. Gli argomenti e le parole di quel rifiuto molte di noi le hanno ritrovate in certi testi, come *Le tre ghinee* di Virginia Woolf (1937), *Il secondo sesso* di Simone de Beauvoir (1949), *Sputiamo su Hegel* di Carla Lonzi (1970), *Speculum* di Luce Irigaray (1974), e formano il nucleo iniziale del pensiero della differenza sessuale. Circolavano allora anche altri testi, spesso anonimi, che avevano la forma di racconti, anzi quasi di resoconti, purché si capisca che ciò di cui rendevano conto non è un vero di natura storica o politica, verificabile o confutabile, ma un cambiamento *in statu nascenti*, vissuto senza bisogno di averci pensato. In effetti, per una che scriveva allora, non c'era bisogno di dimostrare niente. Sono cose familiari a chi conosce le vicende del femminismo in Italia e altrove, ma vanno ripassate perché non abbiamo finito di capire, senza contare i molti che sono semplicemente disinformati.

Ho scelto di riportare qui di seguito in forma abbreviata, senza commenti, uno di quei «resoconti», l'editoriale di *Donne è bello*, numero unico di una rivista apparsa a Milano del 1972, pubblicata dal gruppo Anabasi (e conservato negli archivi della fondazione Badaracco). Noi donne, si legge in apertura, non abbiamo mai comunicato veramente tra noi, ma sarebbe sbagliato giudicarla una difficoltà personale, il nostro isolamento proviene da divisioni create dagli uomini fra le donne. La cultura maschile ha creato sulle donne una greve cappa di modelli, i quali, essendo noi isolate, hanno fatto nascere in ciascuna il senso d'essere inadeguata, nevrotica, pazza, e la convinzione che si trattasse di un problema suo personale. Non è così, si tratta di un fatto sociale e politico e quei problemi sono comuni a tutte. Questa scoperta ha portato ad un grande movimento di donne, in tutto il mondo. La stampa – continua l'editoriale di *Donne è bello* – sfalsa il senso del movimento, gli attribuisce degli scopi ridicoli per nascondere i motivi reali della lotta, gli uomini non sono disposti a modificare l'attuale assetto sociale che gli garantisce il monopolio del potere. D'altronde, spartire con loro questo potere di tipo competitivo, a noi non interessa affatto, i modelli maschili sono estranei ai nostri interessi, non vogliamo essere come gli uomini, anzi siamo contente di essere nate femmine. Fra le donne si è stabilita una solidarietà nuova da cui vogliamo escludere antagonismo, concorrenza, sopraffazione e smania di comando. Vogliamo vivere il piacere di essere donne, s'intende senza più dover sopportare l'oppressione che ci affligge tutte. In questa lotta, diciamo no agli intermediari, agli interpreti: non crediamo più a quello che gli uomini, politici o giornalisti, scienziati o mariti, dicono su di noi, sul nostro destino, sui nostri desideri e sui nostri doveri (la frase è tutta sottolineata).

Sorprendentemente, quel rifiuto di sottostare al progetto dell'emancipazione, convogliò anche e forse principalmente desideri indirizzati all'emancipazione: libertà di scelta rispetto al matrimonio e alla procreazione, indipendenza economica, visibilità sociale, libertà di movimento... Tant'è che l'emancipazione continuò con il femminismo e come femminismo. Il movimento delle donne si trovò così abitato da una tensione tra estraneità e inclusione, che si è manifestata variamente e non si è mai aggiustata né ha dato luogo a divisioni nette, facendo del femminismo un permanente campo di battaglia di pratiche, teorie, linguaggi. O, mi si passi l'immagine, una macchina che si muove ad elica. Questo che cerco di dire per immagini, risalta nella perspicace ricostruzione che Joan W. Scott ha fatto del recente «movimento per la parità», in Francia, *Parité! L'universel et la différence des sexes* (2005; cito la traduzione francese, uscita insieme all'originale, perché il titolo americano, *Sexual Equality and the Crisis of French Universalism*, non menziona la differenza sessuale).

Si usa parlare di femminismi al plurale, ma il singolare non è sbagliato e forse è meglio del plurale cui si ricorre talvolta per evitare da una parte il confronto e il conflitto, dall'altra la lettura fine dei passaggi da una posizione a quella contraria. Dalla ricostruzione di Joan W. Scott, risulta infatti che le «paritariste» pure e dure di Francia in polemica con le loro avversarie, le «differenzialiste» (ai francesi, si sa, gli «ismi» piacciono), usano un linguaggio e argomenti che in Italia sono quelli del pensiero della differenza sessuale: «Perché ci sia uguaglianza ci vuole riconoscimento della dualità, ossia che l'essere umano è uomo e donna. [...] È pernicioso mettere le donne sullo stesso piano delle classi, dei gruppi sociali o delle minoranze etniche. [...] Le donne sono ovunque. Le troviamo in tutte le categorie sociali. [...] Non possono essere paragonate a gruppi di pressione che chiedono di essere meglio rappresentati. Le donne non sono né una corporazione né una lobby. Esse formano la metà del popolo sovrano e la metà della specie umana. [...] La *féminité* è universale» (pp. 107-108).

Siamo generalmente d'accordo, tra femministe, che i conflitti sono da considerare una ricchezza, benché siano una fatica. Forse, la fatica è aggravata dal fatto che manchiamo di buone chiavi di lettura. Tenterò di proporne una, a proposito del contrasto appena evocato, che ha preso l'etichetta piuttosto fuorviante di femminismo dell'uguaglianza *versus* femminismo della differenza.

Suggerisco di pensare, piuttosto, all'entità di un differimento, *il quanto*
si va e si sta fuori dal tempo lineare delle conquiste politiche man mano
possibili, per dare ascolto e parola a ciò che resta tacitato dalle esigenze
di un certo ordine simbolico. Farò un esempio: il femminismo radicale,
in Italia, ha combattuto efficacemente l'istituzione di *women's studies* (e
simili) con l'intento di aprire *tutta* l'università, subito, alla cultura della
differenza. Siamo lontani da ciò, ma la pretesa resta intatta e agisce, poiché il pensiero femminista non si è chiuso in un ghetto. Altro esempio, la
contrarietà di molte, femministe e non, all'uso di quote donne/uomini
per arginare il carrierismo maschile e facilitare la partecipazione femminile al governo della cosa pubblica. Introdurre le quote, come si fa da
tempo in alcuni paesi dell'Europa del Nord, sarebbe tanto di guadagnato per la democrazia rappresentativa, ma non è scritto da nessuna parte
che tale sia l'aspirazione delle donne, come si ricava dalle ultime elezioni del Kuwait, per citare il caso più recente, dove per la prima volta le
donne sono andate a votare e nessuna candidata è stata eletta. Che cosa
vogliono allora le donne? Bella domanda.

Suggerisco di pensare anche al significato che si dà alla mancata simme-
tria tra i sessi, ossia, ai diversi rapporti che donne e uomini hanno con le
stesse cose: gli effetti della discriminazione vi si mescolano con vere e
proprie strategie di libertà. Per esempio, gli analisti del lavoro hanno notato il fenomeno non raro di donne con qualifiche professionali elevate
che interrompono la carriera per vivere un tipo di vita meno competitivo: dunque, le donne hanno un diverso rapporto con il potere, il primato e i soldi, è stato il loro commento (Cristina Borderías, in *Tre donne e
due uomini parlano del lavoro che cambia*, pp. 34-35).

Il femminismo più radicale lavora su questi scarti, che ci affettano anche
in prima persona, come una mancata coincidenza tra sé e sé, e vi legge la
possibilità di un di più, di un altrove, traducibile in apertura di libertà
per donne e uomini. In ciò consiste il pensiero e la politica della differenza. Il femminismo moderato mira piuttosto a sanarli per realizzare la parità sociale e politica (quella giuridica essendo stata conquistata prima
di questa ondata di femminismo) delle donne con gli uomini, ma non per
questo nega la differenza femminile e la sua capacità di trasformare
l'esistente, capacità che subordina semmai alla conquista della parità.

Non ho ancora nominato l'aspetto forse decisivo, certo più appariscente,
di tutta la faccenda, che è stato l'accendersi di un conflitto tra i sessi, in
termini storicamente inediti. Conflitto con persone singole e con la cultura di una società sessista e patriarcale. La classica guerra dei sessi prevedeva vincitori e vinti, e imponeva a ciascuno dei due sessi la parte che
doveva fare. Le femministe aprono il conflitto ma non vogliono vincere.
«Vincere cosa?» oppone Susan B. Anthony, femminista americana del
XIX secolo e protagonista di una pièce di Gertrude Stein, *The Mother of
Us All*. La posta in gioco di chi lotta non per vincere/perdere, non si può

nominare perché è troppo alta. Tant'è che alcune e alcuni vedono nel femminismo l'inizio di una nuova relazione tra i sessi, che chiamano relazione di differenza, e quindi, a rigore, di una nuova civiltà.

Finora, il risultato più tangibile del conflitto è stato un certo cambiamento nei rapporti tra i sessi in un senso favorevole alla libertà femminile. Pensiamo a fatti enormi quanto banali, come che la gravidanza fuori dal matrimonio non suscita più le condanne della società e della morale sulla futura madre, o che una donna non ha più bisogno di avere un uomo al suo fianco per essere e sentirsi rispettabile.

Questo non vale ovunque, è l'obiezione fin troppo facile ma, apparentemente, definitiva nei confronti di chi ha detto: «Il patriarcato è finito» o addirittura (io sono una di queste) «Abbiamo vinto». Invece sì, se si considera che le culture e le persone stesse sono tra loro differenti e per certi aspetti incommensurabili, per cui non si può pretendere di fissare unilateralmente i segni o, peggio, gli standard della libertà femminile. Quando questa è trovata per sé, diventa possibile per altre: si può andare oltre questo guadagno, senza prevaricare? Naturalmente ciò non toglie e anzi comanda che si continui a lottare, facendo leva su un'intuizione corroborata da molti dati e dolorosamente contraddetta da altri. Si può tentare anche una cronologia *sui generis*. Sulla rivista *Via Dogana*, la rivista della Libreria delle donne, giugno 1992, è scritto: «Quello che era vero fino a ieri, e cioè che l'essere donna passava per un essere da meno per cui il massimo di una donna era considerato l'essere alla pari con l'uomo, oggi non è più vero. Oggi la gente sente comunemente che la differenza femminile è un di più e *lo sente come se lo avesse sempre sentito*. In ciò consiste una rivoluzione simbolica».

Alcuni hanno parlato di una rivoluzione pacifica. Alcune di noi hanno parlato di fine del patriarcato, non come evento sociologico, ma politico. «Il patriarcato è finito, non ha più il credito femminile ed è finito», dice l'incipit di un documento della Libreria delle donne, il cosiddetto *Sottosopra rosso* del 1996. Queste parole riassumono ed esemplificano la natura della politica delle donne quando è vincente: c'è la sottrazione del credito e questo fa sì che il dominio cessi di essere vero, e c'è, implicitamente, il passaggio a un altro ordine di rapporti, dove il credito liberamente dato (la fiducia, l'autorità) conta più del potere.

È una politica che agisce a quel livello in cui le cose perdono, prendono e cambiano significato, politica del simbolico, presente nel femminismo fin dagli inizi, pensiamo soltanto a Kate Millett, *Sexual Politics* (1969), che è, al tempo stesso, un grande manifesto politico e un capolavoro di critica letteraria, e, da noi in Italia, al documento del gruppo Demau, *Il maschile come valore* (1969), che mette in evidenza la vera natura del dominio sessista. È questa politica che ci garantisce di lottare sapendo che l'essere umano è donna e uomo, che l'umanità sono le donne e gli uomini, e di ragionare *non* come se le donne fossero una categoria o un gruppo sociale ma generando un senso libero della differenza sessuale.

L'agire che non subisce l'imposizione del senso delle cose ma lo assume, **145**
ne fa il suo lavoro, produce un allargamento dell'orizzonte fino a vedere
la possibilità dell'impossibile e la realizzazione del possibile.

Devo sospendere il mio discorso. Mi sono ricordata dei fatti di Genova
nel 2001, in occasione del G8: non si trattò della solita repressione, solo
più violenta del solito, ho sempre pensato che fu una trappola, che con
quella deliberata ed esibita violenza si volle minare la fiducia e il credito
di cui godeva il movimento contrario alla globalizzazione. Mi sono ricordata del 1999: l'Europa, teatro e causa di due guerre mondiali, è tornata in guerra, Italia compresa.
Io qui ho ragionato pensando a testi e tempi in cui si escludeva, senza bisogno di parole, che sarebbe andata così. Qualcosa di quello che ho scritto, arriva a farsi intendere, mi auguro, ma il linguaggio della guerra
riempie il mondo di un rumore che rende inaudibili e inaudite molte parole e argomenti della politica delle donne.

Oltre all'arretratezza delle dottrine politiche, oltre all'Europa di nuovo
in guerra, io lamento l'adozione, da parte di molte pensatrici femministe, del cosiddetto post-strutturalismo, assunto come pensiero paradig-
matico della postmodernità, e presuntamene adeguato alle esigenze teoriche del movimento delle donne.
Nel suo ultimo libro, *In metamorfosi. Verso una teoria materialista del
divenire* (ed. or. 2002, trad. it. 2003), Rosi Braidotti si chiede come mai
la teoria della differenza (che lei vede esposte al suo meglio in Luce Irigaray), con tutta la sua ricchezza, raffinatezza e carica politica, sia stata
male intesa negli Usa. E parla di una «disconnessione transatlantica» (p.
41), una formula eloquente che contraddice, in parte, quella «tensione
senza divisione» di cui parlavo sopra. Sono d'accordo con lei, ma a me
pare che si debba considerare anche qualcosa che è venuto prima degli
anni Novanta, e cioè l'abbandono del linguaggio e della pratica della differenza sessuale che erano presenti agli inizi del movimento femminista
negli Usa come da noi (anzi, è da loro che li abbiamo appresi), per passare alla semplice rivendicazione del potere in competizione con gli uomini. Si è così persa la dimensione del simbolico o, meglio, il lavoro politico del simbolico.
Del simbolico si è continuato a ragionare in sede accademica, sulla scia
del successo del post-strutturalismo francese in molte università norda-
mericane tra gli anni Ottanta e Novanta del secolo scorso. In questa situazione è avvenuta l'adozione del post-strutturalismo come se fosse una
teoria femminista, seguita dalla «sconnessione» su cui si sofferma, giustamente, Rosi Braidotti. Abbiamo bisogno di teoria, scrive Joan W.
Scott nel 1990, e continua con un lungo elenco di requisiti: una teoria
che possa analizzare le operazioni del patriarcato in tutte le sue manifestazioni, che ci consenta di pensare in termini di pluralità e diversità più

che di unità e universali, che spezzi la presa concettuale di quelle tradizioni filosofiche che hanno costruito il mondo in termini gerarchici di universali maschili e di specificità femminili, e via via – l'elenco è lungo – fino al bisogno di una teoria utile e rilevante per la pratica politica, per concludere, infine, che «il corpo teorico designato come post-strutturalismo risponde a tutti i requisiti elencati» (contributo a un'opera collettanea curata da Hirsch e Fox Keller, *Conflicts in Feminism*, 1990, p. 134). Chi, come me e altre in Europa, conosceva i testi e gli autori di questo corpo teorico fin dal loro primo apparire, e li ha apprezzati come teoria del disfarsi del soggetto moderno e come specchio critico della postmodernità, non può non trovare sorprendente quella conclusione da parte di una pensatrice femminista, e non giudicarla un'abdicazione. La prima abdicazione è nel fatto di adottare un sapere elaborato indipendentemente dalla lotta politica delle donne, un sapere nel quale «donna» è una nozione dedotta che si ottiene prendendo un'immagine per una spiegazione. Perduta la fecondità dell'interazione tra pratica e teoria, si rischia di tornare all'inesistenza. Segue l'abdicazione all'idea stessa di guadagni teorici del femminismo, messo così in una posizione di mendicante. La riprova che c'è stata perdita, l'abbiamo avuta con lo spegnersi di parole come differenza sessuale e asimmetria che ci sono tornate indietro la prima ridotta a designare una costruzione patriarcale (o una taccia di essenzialismo o naturalismo per quelle che la usano), la seconda privata di ogni capacità di rilancio verso un senso libero della differenza, ridotta a statico sinonimo di disuguaglianza. Nel dire questo mi riferisco, in particolare, ad un breve libro che per tante cose mi è piaciuto e perciò lo cito, *Passing. Dissolvere le identità, superare le differenze*, di Anna Camaiti Hostert, 2006, apparso però già nel 1996).

Rispetto alla mia vicenda, la teoria femminista elaborata in questi ultimi decenni negli Usa (e non soltanto, perché gli Usa sono un paese potente e invadono), ha operato un capovolgimento che non riesco ad accettare. Da un autore come Michel Foucault abbiamo imparato a guardare a noi stessi senza ingenuità, ad avere coscienza della costruzione culturale normativa dei corpi, i nostri stessi corpi fatti luogo del potere e del dominio, e a cercare i punti di resistenza alla logica binaria maschile/femminile della sessualità imposta. E poi, che fare? La pratica politica delle donne mi ha portata fuori, non dico oltre ma fuori, da questo mondo «concluso e insignificante» (Antonio Negri, *La differenza italiana*, p. 21). Come ha potuto? Interrompendo, semplicemente, il lavoro senza fine del pensiero critico, e questo può sembrare poco e strano. Mi spiegherò ricorrendo ad una figura che ho elaborato proprio per pagare il mio debito verso i pensatori della postmodernità, senza molte disquisizioni, in un testo intitolato *L'arte di disfare le maglie*. La mia proposta era di disfare il Vittoriano, o Altare della patria. Anticipando quest'operazione sul modello offerto dalle vicende storiche del Colosseo e dell'Arena di Verona, parlo in quel testo di un magico punto di arresto in cui ci si accorge – ad un tratto, senza poter decidere prima – che si è raggiunto il punto in cui il monumento, rosicchiato dalle esigenze ordinarie e dalle pensate spicciole dell'umanità, ha cessato di essere il manufatto di un potere che vuole imporsi. Che sia così, sostengo io, lo si vede a occhio nudo perché è diventato «bello», come una vera opera d'arte (l'arte del *disfieri*, appunto). Lo vedono i passanti ma lo vedono anche le persone che erano intente a sbocconcellare il monumento portandosi a casa questo o quel pezzo.

A differenza della teoria critica del postmoderno, il femminismo radicale, nella testimonianza che rende il mio vissuto e nel testo (tessuto) in cui questo vissuto s'iscrive, intessuto da molte in uno spaziotempo che mi oltrepassa, conosce il magico punto di arresto, che è esattamente quando il possibile nuovo si affaccia e brilla. Se non si hanno schemi e obiettivi davanti allo sguardo, il possibile nuovo fa una luce che non si può non vedere. In pratica, l'affacciarsi avviene quando le parole e l'esperienza entrano in circolo e si potenziano a vicenda. In quel momento sai che sei fuori dalla macchinazione di un ordine simbolico della non libertà e devi smettere di occuparti di questa macchina, vorresti continuare perché ormai ti è diventata familiare, è la cosa che conosci meglio, ma si smette per cominciare ad agire (e patire, è inevitabile) sul terreno in cui le cose semplicemente capitano e le donne ovviamente esistono. Toni Negri nel librino che ho citato, parla di «differenza creativa», io parlo di generazione della libertà, adottando un linguaggio, quello del generare, che si trova anche in certe scuole di linguistica, perché la pratica della parola è molto importante in questa faccenda che ho cercato, bene o male, di ripercorrere con voi. Ma, soprattutto, si tenga sempre presente che le cose capitano e bisogna fermarsi anche dal pensare, se occorre, per lasciarle capitare.*

* Con questo saggio di Luisa Muraro continuiamo la pubblicazione – iniziata lo scorso numero – di tutti i testi del Festival della filosofia dedicato alla «Instabilità», che si è svolto a Roma dall'11 al 14 maggio 2006 presso l'Auditorium Parco della Musica. Il Festival era organizzato da *MicroMega*, dall'associazione Multiversum, dalla Fondazione Musica per Roma e dal Comune di Roma (assessorato alle Politiche culturali). Data la mole dei materiali, pubblicheremo gli altri testi in parte in ciascuno dei prossimi numeri e in parte in un almanacco speciale di filosofia.
In precedenza abbiamo pubblicato il saggio di Franco Cordero «Leviathan contro Dike» (*MicroMega*, n. 5/2006).

AA.VV., (1996), «È accaduto non per caso», fascicolo speciale di *Sottosopra*, Milano: Libreria delle donne (conosciuto anche come *Sottosopra rosso*).

C. BORDERIAS, L. CIGARINI, A. NANNICINI, S. BOLOGNA, C. MARAZZI, (2006), *Tre donne e due uomini parlano del lavoro che cambia*, Milano: Libreria delle donne.

R. BRAIDOTTI, (2003), *In metamorfosi. Verso una teoria materialista del divenire*, tr. dall'inglese di Maria Nadotti, Milano: Feltrinelli.

A. CAMAITI HOSTERT, (2006), *Passing. Dissolvere le identità, superare le differenze*, Roma: Meltemi.

M. HIRSCH, E. FOX KELLER (a cura di), (1990), *Conflicts in Feminism*, New York-London: Routledge.

LIBRERIA DELLE DONNE DI MILANO, (1987), *Non credere di avere dei diritti. La generazione della libertà femminile nell'idea e nelle vicende di un gruppo di donne*, Torino: Rosenberg & Sellier.

L. MURARO, (2000), «L'arte di disfare le maglie», in C. Jourdan (a cura di), *La folla nel cuore*, introduzione di N. Aspesi, Milano: Pratiche Editrice, pp. 153-164.

A. NEGRI, (2005), *La differenza italiana*, Roma: Nottetempo.

J.W. SCOTT, (2005), *Parité! L'universel et la différence des sexes*, traduit de l'anglais par Claude Rivière, Paris: Albin Michel.

F A B U L A ?

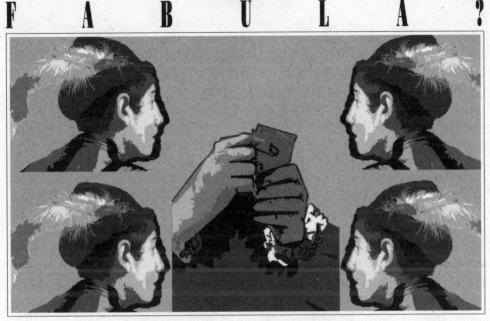

BIANCO SPORCO

E l'agente Ofanto gridò 'Minchia' e si sentì un po' meglio...
Alle ultime elezioni, le schede bianche son passate dai 'soliti'
tre milioni a uno. Due milioni di differenza che rappresentano
il 5 per cento del voto, il 5 per cento imprevisto che ha gonfiato
l'aritmetica del partito dell'allora premier, il dato sbagliato
dai sondaggisti. Un racconto di fantapolitica. Fanta?

PIERO COLAPRICO

La notte prima l'Italia aveva vinto i mondiali. Per questo stava andando a cercarsi sui giornali gli articoli che parlavano della testata di Zinedine Zidane al difensore Materazzi, quando gli portarono un «pizzino». Chiamavano così, ormai, i nuovi ordini di servizio. Da quando persino il capo del Sismi era stato intercettato dai magistrati e un bel gruppetto di collaboratori aveva fatto una colossale figura di merda davanti al mondo, in primis quello sotterraneo dell'intelligence internazionale, mister D – come veniva chiamato Number One, il capo dei capi – aveva diffuso una breve nota. In pratica, stoppava le vecchie procedure per una trentina di agenti operativi, i quali avrebbero dovuto e potuto comunicare solo attraverso foglietti stampati dal computer, accompagnati da una serie di cifre e codici a mano che ne dimostravano l'autenticità. Una volta imparato a memoria il contenuto, avrebbero poi «eliminato il documento». In ufficio l'innovazione era stata subito ribattezzata: «il pizzino». L'antiquato ma efficace sistema usato da Bernardo Provenzano stava facendo proseliti anche tra chi poteva impiegare gli algoritmi più innovativi per rendere indecifrabile agli estranei il fraseggio telefonico.

Lui, l'agente Ofanto, era uno dei trenta cosiddetti fortunati: ormai il telefonino pagato dallo Stato gli serviva solo per chiamare i taxi, quando c'erano e non bloccavano la città. D'altra parte, non sentiva la necessità, né l'urgenza di comunicare momento per momento le varie attività in cui era coinvolto e i propri spostamenti. Le sue faccende potevano aspettare giorni, se non settimane. O così credeva fino a quella mattina.

L'agente motociclista si era presentato alle 9 spaccate. Da una cartella di cuoio consumato aveva estratto un po' di posta e, tra cartoline, telegrammi, fax e scatole di libri, c'era una busta, d'inconfondibile colore azzurro pallido. Ofanto l'aprì. La lesse. Impallidì e la rilesse. Poi la sua cultura, le sue origini, la sua abitudine alla vita di prima linea contribuirono a fargli sgorgare dal petto robusto e peloso l'esclamazione perfetta per quello che stava accadendo: «Minchia!».

La parola risuonò nel silenzio dell'ufficio. I vicini di scrivania non c'erano. Alcuni li avevano arrestati o erano sotto processo, un altro bel po' se n'era andato molto velocemente in ferie, due stavano in missione a Berlino (due napoletani, ed erano andati per la sicurezza del presidente Giorgio Napolitano, i paraculi) e dell'intero «ufficio Ricerca» solo lui era rimasto al posto come «cervello investigativo». Corse in bagno. La richiesta che aveva letto gli aveva messo in movimento l'intestino.

Seduto sulla tazza, pensò al Cannibale, il capo di Movimento e Libertà. L'aveva anche votato. Meglio lui di tanti altri quaquaraquà. Ma se davvero aveva fatto quello di cui sembravano accusarlo i «pizzini» del capo, beh, era stato quanto meno un pazzo. In Italia siamo specialisti in congiure. Sappiamo tutto di tutti, sappiamo delle stragi e degli agguati, sappiamo chi è il referente della mafia e chi delle lobby di potere, conosciamo le abitudini di chi traffica con chi e in cambio di che cosa, ma finché non lo proviamo in tribunale, fa niente. Fa niente perché è indimostrabile. Fa niente perché tutte, tutte, tutte le congiure italiane hanno avuto una caratteristica: i pezzi della trama erano in mano a poche persone, meno delle dita di una mano, e legate tra loro proprio come le dita di una mano.

C'era, fuori da questo piccolo pugno, chi conosceva qualche altro pezzettino di congiura prima, chi qualche pezzetto dopo, ma sapere tutto, quello no, quello era un affare di pochissime persone. Possibile che uno come il Cannibale, uno che non era estraneo alla congiure, fosse stato così ingenuo da violare questa regola? Perché, se il senso complessivo della richiesta era chiaro, si era messo nelle mani di decine di persone. E se l'aveva fatto, allora era vero che il Cannibale era disperato. E che la perdita delle elezioni significa per lui qualcosa di più di una sconfitta, qualcosa di più di una batosta al suo senso dell'onore. Significa non poter più sfamare le bestie che aveva nutrito per anni e, quindi, dentro al Cannibale, là nel suo cuore allenato a miscelare amore e odio, stava crescendo, dilagando, tracimando il nero della paura. Il terrore che qualcuno potesse parlare di lui e dei suoi metodi, dei suoi amici e dei suoi segreti.

Seduto sull'odore sgradevole sprigionato dal suo intestino, l'agente Ofanto si massaggiò le tempie. Va bene, la lettera color azzurro pallido era arrivata a lui. Era l'unico presente. Forse mister D non voleva inguaiarlo, aveva solo bisogno di informazioni rapide. E lui che poteva fare? Lui lo stipendio lo prendeva dai Servizi. Quindi avrebbe lealmente indicato a mister D la strada da seguire per le indagini e avrebbe fatto qualche piccolo accertamento, indispensabile a dimostrare la sua buona fede. Ma si sarebbe defilato dal fulcro degli accertamenti. Sì, era quella la mossa giusta. Aveva rimandato da mesi un'operazione di ernia, una cosetta da nulla, ma non poteva più rinunciare a lasciarsi infilare dei medici in mezzo alle gambe, decise. E si sentì molto meglio.

Si lavò, si guardò allo specchio, tornò al posto. Allontanando con una manata i quotidiani, contemplò sulla scrivania i tre «pizzini» che gli erano arrivati e che aveva sistemato, come cartelle della tombola, perfettamente uno sull'altro.

1) Oggetto: ultime elezioni politiche. Accertare come mai tutti gli istituti di sondaggio abbiano sbagliato le previsioni allo stesso modo e con la stessa percentuale per rispondere al quesito: si erano messi d'accordo tra loro o è effettivamente accaduto qualcosa d'imponderabile?

2) Oggetto: ultime elezioni politiche. Accertare come mai le previsioni elettorali degli istituti di sondaggio, che risultano esatte sui vari partiti della destra e della sinistra, abbiano sbagliato esclusivamente sul partito Movimento e Libertà per rispondere al quesito: esiste un'anomalia di qualsiasi natura che riguarda il partito Movimento e Libertà?

3) Oggetto: ultime elezioni politiche. Accertare se esiste un nesso di qualsiasi di natura tra le schede bianche e la crescita imprevista del partito Movimento e Libertà.

Come avrebbe letto volentieri le pagine sportive dei quotidiani, l'agente Ofanto. Invece la sua mente giostrava tra quelle poche frasi, alle quali fornire risposte sensate. Tre «pizzini», tre quesiti. I primi due erano quasi innocui, il terzo no. Il terzo era veleno di crotalo. L'agente lo rilesse. Lo colpiva un'espressione: «"Di qualsiasi natura", guarda come sono prudenti, loro... tanto è a me», disse a mezza voce, «che vogliono far bruciare le mani. E poi, io non ci credo, figurarsi se un presidente del Consiglio o un ministro dell'Interno vogliono falsare la volontà popolare cambiando le schede bianche... E poi come e dove?».

Era molto incerto e un acuto dolore intestinale lo costrinse a cambiare posizione sulla sedia: «Che vogliono dunque da me?». Si dette una risposta semplicissima.

Sta cambiando padrone, la sinistra ha preso il potere, i capi vecchi e nuovi degli apparati di sicurezza si adagiano sulla nuova possibile linea.

Quindi, meglio sollevare un po' di colonne di fumo. Dimostrare che si indaga, si sa, si conosce, si previene. E non si guarda in faccia nessuno, meglio se ha la faccia del Cannibale sconfitto.

Brontolando con se stesso, per non aver fatto sufficiente carriera per poter dire di no, e soprattutto per non aver abbastanza soldi da licenziarsi, l'agente Ofanto aprì un file del computer. Non poteva usare la posta elettronica, né il telefono. Scrisse anche lui il «pizzino». Con grande cautela formulò i suoi quesiti.

La notte delle elezioni Ofanto si era seduto con la moglie davanti alla tv, usando il telecomando come se fosse un oracolo, cercando la voce veritiera di una possibile rimonta, sino alla fine di ogni speranza. Ricordava di aver sentito qualcosa sulle schede nulle diminuite anche grazie alla nuova scheda elettorale, molto più semplice. Ma in che misura queste schede bianche fossero diminuite, francamente se n'era dimenticato. Ma chi andava a pensare a quelle cose.

Chiamò l'agente motociclista e lo mandò al Viminale, dopo 40 minuti esatti ebbe la risposta dall'agente Ticino, un amico, oltre che uno degli analisti di fiducia del Servizio: «Le schede bianche in Italia sono state storicamente tre milioni, pari all'8 per cento, tant'è vero che tutte insieme sono considerate un partito. Ci sono cioè tre milioni di persone che vanno a votare, ma invece di mettere la crocetta dove gli dice il cuore, il cervello o il portafoglio, fanno infilare la scheda nell'urna senza aggiungere alcun intervento umano. Come diceva Jannacci, "quelli che votano scheda bianca per non sporcare". In queste elezioni, molto accese nei toni ma miserevoli nei contenuti, le schede bianche sono crollate. Sono passate da circa tre milioni e circa uno. È un fenomeno che non ha riscontri nel mondo occidentale». Seguivano alcuni dati. E un'altra delle allusioni/opinioni per cui Ticino andava famoso nell'ambiente: «Di bianco in Italia c'è rimasto solo il vestito del papa».

L'agente Ofanto finì di leggere e andò a prendere una boccata d'aria, aprendo il balconcino cieco dove andavano per la pausa i fumatori. Il sole picchiava duro, non c'era un filo di vento. I conti li sapeva fare anche lui. Due milioni di schede bianche rappresentano il cinque per cento del voto, e cioè quel cinque per cento imprevisto che era andato a gonfiare l'aritmetica del partito del leader e presidente del Consiglio. Ed era quello l'unico dato che i sondaggisti avevano sbagliato per davvero.

Si poggiò al muro bollente del condominio dove i Servizi avevano affittato quell'ufficio di 200 metri quadrati e, nella certezza che il traffico avrebbe coperto la sua voce, gridò: «Minchia», sentendosi meglio.

Era inutile correre. Anzi, mantenere la routine è fondamentale per la vita, i pensieri e le opere di un agente segreto. Ofanto tornò a casa a mangiare. Sua moglie aveva preparato i cavatelli con le polpette, uno dei suoi piatti preferiti. Li assaggiò appena. Il figlio Attilio non era tornato a casa a dormire, aveva festeggiato l'Italia e s'era fermato a dormire da un amico, Giorgino, che l'agente Ofanto riteneva con qualche apprensione essere un gay. Rina non era ancora uscita dalla camera: mangiava poco e male, continuava talmente a perdere peso che da fulgida quattordicenne con la quarta di reggiseno s'era trasformata in una strega riccioluta e avvizzita come una mela renetta. L'agente Ofanto ci avrebbe dovuto parlare, a lui la piccola l'ascoltava.

«Che hai?», gli domandò la moglie, la pelle cotta dal sole dei continui tornei di tennis.

«Una grana piuttosto grossa, la risolvo in pochi giorni, poi mi faccio operare d'ernia. Ormai si fa in una giornata, entri al mattino ed esci la sera, così poi me ne sto a casa un po' con voi…».

«Quando accadrebbe tutto questo?». Non era entusiasta di averlo in casa.

«Non so, forse lunedì».

Il sarcasmo della moglie non lo infastidiva nemmeno: «Ah, allora… È uno dei tuoi lunedì. E se non sarà questo, sarà il prossimo…».

Si alzò da tavola e andò a buttarsi sul letto. Non riusciva a «staccare». Se chiudeva gli occhi, sentiva il bisogno di riaprirli. Pensava pensieri italiani: «Ma perché, se nessuno ha protestato, se non c'è mezza polemica, se i partiti non si sono espressi, se tutto è così quieto, mister D mi ha chiesto di approfondire questa storia? Tanto, brogli o non brogli», ecco, l'aveva pensata, la parola malefica, «chi avrebbe dovuto vincere comunque aveva vinto, chi avrebbe dovuto perdere aveva perso, la situazione era in fin dei conti rimasta… A meno che – s'interruppe, maledicendosi, «non ci fosse sotto uno dei soliti ricatti. E cioè una storia tipo: noi sappiamo che tu hai barato, lo dimostriamo e ce lo teniamo per noi, non lo rendiamo pubblico, ma ti teniamo per le palle, così, quando ti chiuderemo le tue tv, o ti faremo qualcosa di serio per spuntarti per sempre le tue unghie da predatore, potrai solo ululare alla luna e dichiararti vittima, cosa che ti riesce benissimo, ma non farai troppo casino, non ti renderai troppo pericoloso, ti terrai i tuoi soldi e la bocca chiusa, andrai nei tuoi villoni e nei tuoi paradisi fiscali e naturali, ma zitto e buono, a cuccia, altrimenti tutti sapranno quello che hai tentato di fare con le votazioni e per te non ci sarà nessuna tana sicura».

Sì, poteva esserci dietro una storia così, ne aveva già viste di simili.

Anche se un aspetto non quadrava.

Mister D non era il tipo di fare favori gratis». (chiudono qui?)

Sulla decima possibile dietrologia, riuscì ad addormentarsi, per precipitare in un sogno angoscioso, un impasto incongruo di inseguimenti, sangue, perdita di capelli dal quale si svegliò sudato e fiacco. La moglie era già uscita per il circolo, la figlia era ancora in camera con un dizionario medico sulle ginocchia ossute, il figlio, tornato, s'era stravaccato davanti alla tv, a gustarsi un programma ancora su gol e bandiere: «Ciao pa', siamo campioni del mondo». Sull'orecchio aveva il segno di un rossetto scuro.

«Dì a mamma che faccio tardi e di non aspettarmi».

Il traffico romano era una consolazione per Ofanto. Sapeva esattamente con chi prendersela, con i turisti, i tassinari, i pizzardoni. Tornò in ufficio incazzandosi contro un benzinaio che faceva i rifornimenti in mezzo alla strada. Era rilassato. E le nuove disposizioni che impedivano di usare il telefonino, il telefono e il computer, ma consentivano solo i «pizzini», gli parvero un regalo del cielo pietoso. Poteva ponderare pensieri e parole.

Al sesto pizzino spedito e alla sesta risposta ricevuta dai vari analisti ai quali s'era rivolto aveva realizzato che, se si fosse voluto indagare sino in fondo su una cosa che poteva essere tanto una semplice voce, quanto un episodio gravissimo, la via da imboccare per prima non poteva che essere una: le prefetture. Quella parola gli aveva sempre dato i brividi. Prefettura. Suonava come il nome di una malattia. Ofanto chiuse gli occhi.

Se era accaduto qualcosa, era accaduto in qualche sotterraneo dei palazzi governativi distaccati nelle varie città. Era una deduzione, sino a quel momento. Ma c'era arrivato grazie alla sequenza dei pizzini di risposta, che ora stavano allineati sulla sua scrivania.

Innanzitutto, gli avevano riferito che la nuova legge elettorale, fortemente voluta dal Movimento e Libertà e chiamata dal ministro Tegamoni «una porcata», non prevedeva più l'obbligo di rappresentanza della minoranza nella scelta degli scrutatori. Il consiglio comunale poteva nominare quattro persone scegliendole tra i sostenitori di una sola parte politica. Potevano dunque fare certe cose per così dire in famiglia.

Erano infatti questi quattro che sceglievano direttamente gli scrutatori, prendendoli tra quelli iscritti all'albo di ciascun comune.

Mentre la sinistra s'era come addormentata e in alcuni comuni non aveva iscritto nessuno scrutatore, il partito Movimento e Libertà aveva invece dato il massimo e organizzato persino dei corsi di formazione per gli scrutatori.

C'era un'altra novità. I rappresentanti di lista potevano sì andare nel seggio, ma non potevano più partecipare allo spoglio. Insomma, se ci fosse stata qualche manomissione, non avrebbero potuto accorgersene.

Quindi, c'erano le premesse per agire al buio. Ma dove e quando?

L'agente Ofanto aveva chiesto di sapere come funzionava il sistema di conteggio dei voti. E aveva appreso che il sistema era piuttosto farraginoso. Perché le schede vengono prima chiuse nei seggi, poi portate al comune, poi in prefettura e di lì al palazzo di giustizia.

Quindi, se il broglio c'era stato, poteva essere avvenuto in due momenti. Uno, nella notte tra domenica e lunedì, quando nei seggi in mano agli uomini del Cannibale gli scrutatori avrebbero potuto mettere un bel po' di x sulle schede bianche, facendo così convogliare i voti verso un solo, potente, influente partito. Ma contro questa ipotesi c'è un dato di fatto: nei seggi esiste anche la ronda, passano la polizia i carabinieri la finanza e i vigili urbani, è troppo alto il rischio di un curioso in divisa che spalanchi una porta…

Due, il broglio può essere avvenuto a fine voto, quando e dove non c'è nessuno a controllare, e cioè nella prefettura. Lì viene considerata zona neutra. Lo era sempre stata. Ma si sapeva che prima delle elezioni il

Cannibale aveva voluto i «suoi» prefetti in molte città. Aveva fatto un casino, il suo partito, per cacciare alcuni prefetti sgraditi e mettere al loro posto uomini targati Movimento e Libertà.

Era stato però l'ultimo pizzino a mettere l'agente Ofanto in apprensione. «C'è stato un buco di 48 minuti nello spoglio dei voti, il Viminale non ha dato risultati per 48 minuti e non si sa il perché».

Strano. Ma per dare corpo ai sospetti – perché sino a quel momento nulla c'era più d'un sospetto – bisognava avere l'esatto numero delle schede bianche, sezione per sezione.

Era un fatto davvero strano, ma nessuno ancora le aveva conteggiate. I conteggi erano in forte, fortissimo ritardo. La giunta delle elezioni, comandata alla Camera da uno del partito Movimento e Libertà, andava a velocità lumachesca. S'era informato, il «pizzino» di ritorno era stato molto simpatico: «Qualche giornalista ha chiamato, nei giorni scorsi, chiedendo spiegazioni, ma gli hanno risposto che nel diman non v'è certezza...».

Per la terza volta, l'agente Ofanto pensò una sola cosa. «Minchia!».

Cominciava a essere stanco. Non erano più gli anni della sua giovinezza, quando organizzava la rete di informatori a Beirut o quando, in Turchia, aveva identificato le grandi famiglie dei trafficanti di oppio. Allora, quando si svegliava sudato, era perché sognava di ricevere una telefonata dalla sua amante, un'armena dagli occhi verde acqua, ma non riusciva a sentire le sue parole, capiva che lei voleva avvisarlo di qualcosa di tragico e inafferrabile, ma dalle labbra sensuali usciva un suono inarticolato, un agggghhhhddddffffff, lungo, strascicato, che finiva solo con il suo brusco risveglio e l'immensità della paura.

Se n'era stato per molti anni alla larga dall'Italia e dalle sue malefatte... Quel pensiero lo bloccò.

Ora capiva meglio perché il Number One avesse mandato il pizzino proprio a lui. Non perché era l'unico rimasto. Ma perché non era compromesso. Era stato sempre via, sempre lontano. Sapeva muoversi senza sollevare polveroni, abituato com'era a muoversi in zona di guerra.

Pensò che le cose da fare erano tre.

La prima, la più semplice: prendere gli elenchi degli scrutatori e di chi, quelle notti di elezioni, aveva lavorato. Compiere qualche accertamento e massaggiare con il guanto di crine quelli che avevano qualche conto in sospeso con la giustizia.

La seconda, meno semplice: convocare gli infiltrati nei partiti e nei giornali e chiedere esattamente che cosa sapevano dei brogli. Non era periodo da farsi vedere insieme ai giornalisti, dopo quello che era successo con lo scandalo che aveva investito la Cia e gli uomini del Sismi a Milano e in mezza Italia, ma anche essere troppo schivi a che sarebbe servito?

La terza, la più efficace. Avrebbe potuto farla solo lui. I primi due, tutto sommato, erano lavori anche da magistrati... Il terzo no.

Quali prefetti il Cannibale aveva voluto a tutti i costi e in quali città? Non era difficile ottenere l'elenco delle ultime nomine prefettizie e chiedere quale funzionario dello Stato fosse «cannibaliano doc». L'avrebbe fotografato, seguito, preso al momento opportuno, portato in campagna e gli avrebbe messo una pistola sotto il mento, per dirgli: «O parli o salti».

Sì, era la soluzione giusta.

Purtroppo per lui era malato, molto. Un'ernia micidiale dalla quale avrebbe dovuto separarsi in fretta. L'incarico per accertare se ci fossero stati i brogli, però, una volta svolta l'indagine preliminare, avrebbero potuto affidarlo a chiunque altro. Per esempio, chi era appena tornato da un viaggio di tutto riposo ai Mondiali di Germania? I due paraculi napoletani che stavano facendo?

L'ernia prese a fargli male sul serio: era uno sforzo, in questo paese, portare certi pesi…

Aprì la finestra, c'erano le stelle e il vento ancora caldo, qualcuno sparava fuochi d'artificio. Festeggiavano. Un eterno Carnevale privo di allegria, questa è l'Italia, la nostra Italia, pensò, prima di inserire l'allarme dell'ufficio e tornare a casa, dalla sua famiglia.

FURIO COLOMBO - Già direttore di *l'Unità*. È stato direttore dell'Istituto italiano di cultura a New York; ha insegnato alla Columbia University. Tra le sue ultime pubblicazioni *Privacy* (Rizzoli, 2001), *L'America di Kennedy* (Baldini&Castoldi, 2004) e *America e libertà. Da Alexis de Tocqueville a George Bush* (Baldini&Castoldi, 2005).

GIULIANO AMATO - Ministro dell'Interno, già presidente del Consiglio dei ministri dal 1992 al 1993 e dal 2000 al 2001. Ha insegnato Diritto costituzionale presso l'Università di Roma. Fra le sue ultime pubblicazioni *Il gusto della libertà. L'Italia e l'antitrust* (Laterza, 1998) e *Tornare al futuro. La sinistra e il mondo che ci aspetta* (Laterza, 2002).

GIANFRANCO BETTIN - Scrittore, saggista. Tra i fondatori dei Verdi italiani. Fra le sue pubblicazioni più recenti per l'editore Feltrinelli *Nemmeno il destino* (1996, n.e. 2004), con Maurizio Danese *Petrolkiller* (2002), *Nebulosa del boomerang* (2004) e per l'editore Nottetempo *Il clima è uscito dai gangheri* (2004).

GIORGIO CREMASCHI - Segretario nazionale della Fiom-Cgil. Ha pubblicato *Il salario è un furto. Liberismo e crisi del sindacato* (Datanews, 1999) e con Marco Revelli *Liberismo o libertà* (Editori Riuniti, 1998).

MICHELE EMILIANO - Ex magistrato, è attualmente sindaco di Bari.

GAD LERNER - Giornalista, è stato vicedirettore di *la Stampa*. Ha condotto vari programmi televisivi. Attualmente conduce *L'infedele*. Fra le sue più recenti pubblicazioni *Il millennio dell'odio* (Rizzoli, 2000) e *Tu sei un bastardo. Contro l'abuso delle identità* (Feltrinelli, 2005).

DACIA MARAINI - Scrittrice, drammaturga e poetessa. Fra le sue opere edite da Rizzoli, *L'età del malesse*re (1963), *La lunga vita di Marianna Ucrìa* (1990), *Buio* (1999), *Colomba* (2004) e *I giorni di Antigone. Quaderni dei cinque anni* (2006).

FRANCO MARINI - Presidente del Senato della Repubblica. È stato segretario nazionale della Cisl, ministro del Lavoro, segretario del Partito popolare italiano.

MONI OVADIA - Attore, regista e musicista. Fra le sue più recenti pubblicazioni *Oylem Goylem* (Einaudi, 2005), *Contro l'idolatria* (Einaudi, 2005) e *Perché no? L'ebreo corrosivo* (Bompiani, 2006).

PANCHO PARDI - Professore associato di Analisi del territorio e degli insediamenti presso l'Università di Firenze. Fra le sue pubblicazioni più recenti *Rappresentare i luoghi. Metodi e tecniche* (Alinea editrice, 2001) e *Storia del territorio e storia dell'ambiente* (Franco Angeli, 2002).

LIDIA RAVERA - Scrittrice e sceneggiatrice. Ha esordito con *Porci con le ali* (1976), scritto con Marco Lombardo Radice. Tra i suoi libri più recenti per l'editore Mondadori *Maledetta gioventù* (1999), *Né giovani né vecchi* (2001) e *La festa è finita* (2002); con Rizzoli ha pubblicato *Il freddo dentro* (2003) e con Melampo *In fondo, a sinistra* (2005).

CLAUDIO RINALDI - Giornalista. Ha diretto *L'Europeo*, *Panorama* e *L'Espresso*. Attualmente collabora con *L'Espresso* e *la Repubblica* e, come dirigente del Gruppo Editoriale L'Espresso, si occupa di nuove iniziative.

PIETRO SCOPPOLA - Professore emerito di Storia contemporanea presso l'Università La Sapienza di Roma. Fra i suoi scritti *Chiesa e Stato nella storia d'Italia* (Laterza, 1967), *La Chiesa e il fascismo* (Laterza, 1971), *La repubblica dei partiti* (il Mulino, 1997) e *La costituzione contesa* (Einaudi, 1998).

158 GIANNI VATTIMO - Ordinario di Filosofia teoretica presso l'Università di Torino. È autore, tra l'altro, di *Oltre l'interpretazione* (Laterza, 1996), *Tecnica ed esistenza. Una mappa filosofica* (Paravia-Scriptorium, 1997), *Vocazione e responsabilità del filosofo* (il Melangolo, 2000), *Dialogo con Nietzsche. Saggi 1961-2000* (Garzanti, 2001) e *Nichilismo ed emancipazione. Etica politica, diritto* (Garzanti, 2003).

CARLO CORNAGLIA - Ingegnere, manager. Ha pubblicato *Sua Presidenza. Biografia in rima di Silvio Berlusconi* (CeT, 2002) e *Qui finisce l'avventura. Milioni e strafalcioni di Silvio Berlusconi* (Nutrimenti, 2004).

SERGIO STAINO - Disegnatore satirico. Fra le sue più recenti pubblicazioni *Il romanzo di Bobo* (Feltrinelli, 2001), *Fino all'ultima mela* (Einaudi, 2003), *La guerra di Peter* (Coconino Press, 2004) e *Il mistero BonBon* (Feltrinelli, 2006).

MARCO TRAVAGLIO - Giornalista di *la Repubblica*. Fra le sue pubblicazioni più recenti con Peter Gomez *Bravi ragazzi* (Editori Riuniti, 2003) e *Lo chiamavano impunità* (Editori Riuniti, 2003), *Regime* (Rizzoli, 2004), con Saverio Lodato *Intoccabili* (Rizzoli, 2005), per l'editore Garzanti *Bananas* (2003), *Montanelli e il cavaliere* (2004), *Berluscomiche* (2005), per la BUR *Le mille balle blu* (2006).

CURZIO MALTESE - Giornalista. Editorialista di *la Repubblica*. Ha pubblicato *Come ti sei ridotto. Modesta proposta di sopravvivenza al declino della nazione* (Feltrinelli, 2006).

PAOLO FARINELLA - Prete di Genova; biblista formatosi a Gerusalemme e scrittore. Fra le sue pubblicazioni più recenti *Habemus papam, Francesco* (Adelphi, 2000) e *Crocifisso tra potere e grazia. Dio e la civiltà occidentale* (Il Segno dei Gabrielli, 2006).

PIERFRANCO PELLIZZETTI - Opinionista del *Secolo XIX*, ha in pubblicazione presso l'editore Dedalo il saggio *Italia disorganizzata. Incapaci cronici in un mondo complesso*.

FEDERICO RAMPINI - È editorialista e corrispondente di *la Repubblica* a Pechino. Ha insegnato giornalismo alle università di Berkeley e Shanghai. Ha affrontato il tema della libertà di stampa nei suoi saggi *La comunicazione aziendale* (Etaslibri, 1991), *Tutti gli uomini del presidente. Bush e la nuova destra americana* (Carocci, 2004) e *L'impero di Cindia* (Mondadori, 2006).

SABINA GUZZANTI - Attrice e autrice comica e satirica di teatro, cinema e tv.

FRANCO CORDERO - Ordinario di Procedura penale presso l'Università La Sapienza di Roma. Editoriali e commenti appaiono regolarmente su *la Repubblica*. La sua *Procedura penale* (Giuffrè, 1966), riscritta ex novo sul codice 1988, è giunta alla 15a edizione. Fra le sue pubblicazioni più recenti per l'editore Garzanti *Le strane regole del Signor B.* (2003), *Nere lune d'Italia. Segnali da un anno difficile* (2004) e *Fiabe d'entropia. L'uomo, Dio, il diavolo* (2005).

FRANCESCO PERI - Attualmente dottorando in Filosofia presso l'Università di Lecce. È autore del volume *Da Weimar a Francoforte. Adorno e la cultura musicale degli anni venti* (Mimesis, 2005) e di contributi su riviste come *Iride, Il Ponte, Philosophischer Literaturanzeiger*.

THEODOR W. ADORNO - Filosofo, sociologo tedesco nato nel 1903, morto nel 1969. Tra le sue opere pubblicate in Italia da Einaudi *Dialettica negativa* (1975), *La filosofia della musica moderna* (1975), *Minima Moralia* (1979) e *Dialettica dell'illuminismo* con Max Horkheimer (1980).

ERRI DE LUCA - Scrittore e traduttore. Fra le sue opere più recenti per l'editore Feltrinelli *Tre cavalli* (1999), *Montedidio* (2001), *Vita di Sansone* (2002), *Il contrario di uno* (2003), per Einaudi una raccolta di poesie, *Opera sull'acqua* (2002), per Mondadori *Morso di luna nuova* (2005).

SANDRONE DAZIERI - Scrittore. Fra i suoi romanzi *Attenti al Gorilla* (Mondadori, 1999), *La cura del Gorilla* (Einaudi, 2001), *Gorilla Blues* (Mondatori, 2002) e *Il karma del Gorilla* (Mondadori, 2005).

GIULIA CARCASI - Scrittrice. Ha pubblicato il suo romanzo d'esordio *Ma le stelle quante sono. Alice-Ma le stelle quante sono. Carlo* con l'editore Feltrinelli nel 2005.

ROBERTO SAVIANO - Scrittore, autore di *Gomorra* (Mondadori, 2006). Premio Viareggio-Opera Prima.

MOHAMπMED BOUISSEF REKAB - Insegna Letteratura spagnola all'Università di Tetuan. Fra i suoi romanzi scritti in spagnolo *El dédalo de Abdelkrim* (2002) e *El motín del silencio* (2006). Il racconto qui tradotto è tratto da *Nueva antología de relatos marroquíes*, a cura di Jacinto López Gorgé (Port-Royal, Granada, 1999).

TELMO PIEVANI - Filosofo della scienza, è associato di Epistemologia presso la Facoltà di Scienze della Formazione dell'Università di Milano Bicocca. È coordinatore scientifico delle conferenze del Festival della Scienza di Genova. Fra le sue pubblicazioni più recenti, *Homo sapiens e altre catastrofi* (Meltemi, 2002) e *Introduzione alla filosofia della biologia* (Laterza, 2005).

CARLA MUSCHIO - Scrittrice e traduttrice. Tra i suoi ultimi libri *La cantina di Isabella* (Borla, 2005) e *Scopare o spolverare* (Stampa Alternativa, 2005).

LEV NIKOLAEVIČ TOLSTOJ - Scrittore russo nato nel 1828, morto nel 1910.

ANTON PAVLOVIČ ČECHOV - Scrittore russo nato nel 1860, morto nel 1904

CHARLOTTE BRONTË - Scrittrice inglese nata a Thornton nel 1816, morta a Haworth nel 1855. *Jane Eyre* (1847) è il suo romanzo più celebre.

LUCIANO GALLINO - Professore emerito di Sociologia presso l'Università di Torino. Dirige i *Quaderni di Sociologia.* È socio dell'Accademia delle Scienze di Torino e dell'Accademia dei Lincei. Fra le sue ultime pubblicazioni *Il costo umano della flessibilità* (Laterza, 2000), *La scomparsa dell'Italia industriale* (Einaudi, 2003) *L'impresa irresponsabile* (Einaudi, 2005) e *L'Italia in frantumi* (Laterza, 2006).

SERGE LATOUCHE - Professore emerito di Scienze economiche dell'Università di Paris-Sud. Tra le sue opere tradotte in italiano *L'occidentalizzazione del mondo* (Bollati Boringhieri, 1992), *Decolonizzare l'immaginario* (Emi, 2004) e *Come sopravvivere allo sviluppo* (Bollati Boringhieri, 2005).

GLORIA ORIGGI - Filosofa, lavora presso il Cnrs di Parigi. Autrice, fra l'altro, di *Introduzione a Quine* (Laterza, 2000) e *Text-e* (Palgrave, 2005).

DANIEL DENNETT - Filosofo statunitense. Studioso di neuroscienze. Ha pubblicato, fra l'altro, *La mente e le menti* (BUR, 1996), *L'idea pericolosa di Darwin. L'evoluzione e i significati della vita* (Bollati Boringhieri, 1997) e *Dove nascono le idee* (di Rienzo Editore, 2005).

LUISA MURARO - È conosciuta per il suo legame con la Libreria delle donne di Milano e con la comunità filosofica Diotima dell'Università di Verona. Tra i suoi libri *La Signora del gioco* (La Tartaruga, 1976, 2006), *L'ordine simbolico della madre* (Editori Riuniti, 1991, 2006), *Il Dio delle donne* (Mondadori, 2003).

PIERO COLAPRICO - Giornalista, è inviato speciale di *la Repubblica*, ha inventato il termine Tangentopoli; scrive romanzi. Nell'ultimo anno ha pubblicato *La quinta stagione* (Rizzoli) e, con un suo racconto sulla criminalità del Sud, partecipa all'antologia *The dark side* (Einaudi stile libero, a cura di Roberto Santachiara), dedicata ai migliori autori di *crime fiction* americani e italiani per la prima volta insieme.

Copertina e immagini interne: elaborazioni di Ileana Pace per Obelix da Caravaggio, I bari, Kimbell
Art Museum, Fort Worth

Rivista mensile n. 6/2006 luglio

Direttore responsabile: Lucio Caracciolo
Registrazione al Tribunale di Roma n. 117/86

© Copyright Gruppo Editoriale L'Espresso spa, via Cristoforo Colombo 149, 00147 Roma

Redazione: via Cristoforo Colombo 149, 00147 Roma
Prestampa e stampa: Tipografia Città Nuova, via San Romano in Garfagnana 23, 00148 Roma
Pubblicità: Ludovica Carrara
Responsabile del trattamento dati (d.lgs. 30 giugno 2003 n. 196): Lucio Caracciolo

Gruppo Editoriale L'Espresso spa: presidente onorario Carlo Caracciolo
Consiglio di amministrazione: presidente Carlo De Benedetti; consigliere delegato Marco Benedetto;
consiglieri Agar Brugiavini, Carlo Caracciolo, Rodolfo De Benedetti, Francesco Dini,
Sergio Erede, Mario Greco, Luca Paravicini Crespi, Alberto Piaser
Divisione L'Espresso: direttore generale Corrado Corradi
vice direttore generale Marco Del Gracco
Prezzo: € 10,00
Informazione sugli abbonamenti: Somedia srl - Gruppo Editoriale L'Espresso, Divisione abbonamenti
MicroMega, casella postale 10642, 20110 Milano, tel. 02.69789447, fax 02.67385982, e-mail:
abbonamenti@somedia.it
Sottoscrizione abbonamenti: tariffa per l'Italia, 10 numeri, € 60,00
Pagamento a mezzo conto corrente postale n. 36826220 intestato a Somedia spa - Gruppo Editoriale
L'Espresso, Divisione abbonamenti MicroMega, 20100 Milano; abbonamenti esteri: tel 02.69789447;
numeri arretrati: € 16. Inviare l'importo a: Somedia, Gruppo Editoriale L'Espresso, Divisione
collezionisti, casella postale 10447, 20100 Milano, a mezzo conto corrente postale n. 37658275
specificando sul bollettino il proprio indirizzo e i numeri richiesti.
Per spedizioni all'estero, maggiorare l'importo di un contributo fisso di € 2,10 per spese postali.
Non si effettuano spedizioni in contrassegno
Distribuzione nelle librerie: Messaggerie Libri spa, via G. Verdi 8, 20094 Assago (MI)
tel. 02.45774.1 r.a.; telefax 02.45701032; distribuzione nelle edicole: Gruppo Editoriale L'Espresso,
Divisione la Repubblica, via Cristoforo Colombo 149, 00147 Roma

Gruppo Editoriale L'Espresso spa, Divisione L'Espresso, Banche dati di uso redazionale. In conformità alle disposizioni
contenute nell'articolo 2, comma 2, del Codice deontologico relativo al trattamento dei dati personali nell'esercizio dell'attività giornalistica ai sensi dell'allegato A del Codice in materia di protezione dei dati personali ex d.lgs. 30 giugno 2003, n.
196, il Gruppo Editoriale L'Espresso spa rende noto che presso la sede di via Cristoforo Colombo 149, 00147 Roma esistono
banche dati di uso redazionale. Per completezza, si precisa che l'interessato, ai fini dell'esercizio dei diritti riconosciuti
dall'articolo 7 e seguenti del dlgs 196/03 – tra cui, a mero titolo esemplificativo, il diritto di ottenere la conferma dell'esistenza di dati, l'indicazione delle modalità di trattamento, la rettifica o l'integrazione dei dati, la cancellazione, la trasformazione in forma anonima e il diritto di opporsi, in tutto o in parte, al relativo utilizzo – potrà accedere alle suddette banche
dati rivolgendosi al Responsabile del trattamento dati contenuti nell'archivio sopraindicato, presso MicroMega, via Cristoforo Colombo, 149, 00147 Roma.

I manoscritti inviati non saranno resi e la redazione non assume responsabilità per la loro perdita.
MicroMega rimane a disposizione dei titolari dei copyright che non fosse riuscita a raggiungere.

Finito di stampare il 20/7/2006 dalla Tipografia Città Nuova, via San Romano in Garfagnana 23 , 00148 Roma